EL GRAN LIBRO
ILUSTRADO DE LAS
LABORES

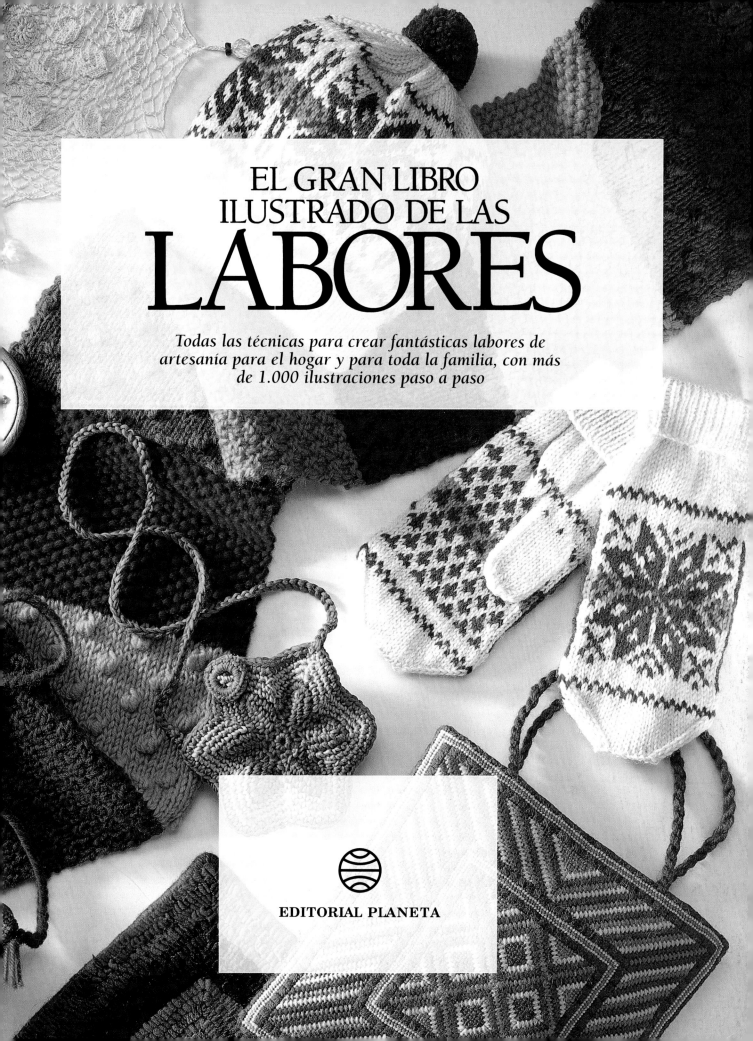

EL GRAN LIBRO
ILUSTRADO DE LAS
LABORES

Todas las técnicas para crear fantásticas labores de
artesanía para el hogar y para toda la familia, con más
de 1.000 ilustraciones paso a paso

EDITORIAL PLANETA

Título original: *The Good Housekeeping Illustrated Book of Needlecrafts*

Traducido por Teresa Bernadich

©1995 Carroll & Brown Limited and The Hearst Corporation
Traducido de la obra original de Carroll & Brown Ltd.,
5 Lonsdale Road, Queen's Park, Londres NW6 6RA
Derechos exclusivos de la traducción para todo el mundo:
©Editorial Planeta, S. A. (1995)
Córcega, 273-279, 08008 Barcelona (España)

Ilustración de cubierta	Jules Selmes
Ilustraciones del interior	Jules Selmes y Good Housekeeping
Primera edición	Septiembre 1995
ISBN	84-08-01510-9
ISBN Editor Original	0 09 178201 5
Compuesto en	Estudio Cicero, S. L.
Impreso y encuadernado por	New Interlitho SpA, Milán, Italia

CONTENIDO

INTRODUCCIÓN

*L*a confección de una labor a mano produce una gran satisfacción, por lo que deseamos que este libro sea para usted una fuente de inspiración y entretenimiento. Desde el momento en que empiece a hacer una labor, disfrutará con la elección de los materiales que va a utilizar, el dibujo que se adapte a su forma y, en fin, la creación de una pieza única y particular.

Esta obra le ofrece instrucciones paso a paso para que aprenda la técnica de tejer a mano, el ganchillo, el bordado, la tapicería o los acolchados y alfombras. Cada una de estas técnicas, utilizadas durante generaciones, se han adaptado a los usos actuales. Las técnicas y puntos que aparecen en este libro están inspirados en las antiguas labores, pero los adornos, accesorios y objetos para su hogar forman parte de las tendencias de moda más actuales. Las técnicas son antiguas, pero los efectos que se pueden conseguir con unos conocimientos básicos son intemporales; tan sólo requieren tiempo e imaginación.

El gran libro ilustrado de las labores describe y muestra los materiales y equipo necesarios para cada técnica, cómo desarrollarla y una gran variedad de muestras y puntos que utilizar. Además, el libro ofrece también una maravillosa selección de prendas y accesorios para usted, su familia y su hogar. Cuando esté familiariazada con el fascinante mundo de las labores, observará que existen multitud de ideas en la naturaleza (hojas, flores, colores,…) que se pueden plasmar en una labor. Después de tejer su primer jersey, punteado su primera labor de patchwork o realizado su primera alfombra, las muestras, punto y texturas le serán más fáciles de interpretar. Por ejemplo, puede que vea una hoja de color verde claro y de repente la considere una muestra perfecta para tejer un

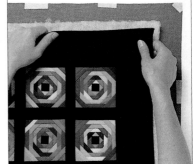

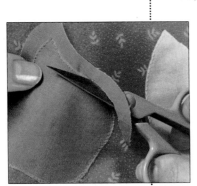

jersey o la cenefa de una alfombra. Alguien dijo una vez que la tapicería era como pintar con una aguja. ¡No se puede decir más!

El gran libro ilustrado de las labores da la seguridad para empezar a crear nuevos objetos o personalizar las labores que aparecen en estas páginas. Encontrará labores para ser llevadas, usadas en casa o regaladas; además, las instrucciones y técnicas ilustradas y explicadas paso a paso le darán toda la información necesaria para empezar y –más importante– terminar estas labores. Jerseys, gorros y guantes; cojines, colchas y alfombras; bufandas, bolsos y cajas: más de 60 maravillosas labores con las que mostrar sus habilidades.

En **El gran libro ilustrado de las labores** cada técnica se presenta con secuencia de fotografías a todo color con las que puede seguir cada uno de los pasos a realizar; las fotografías se muestran tan reales que casi se aprecia la textura del hilo. Es como tener un experto a su lado. En los glosarios de puntos y muestras, las muestras de color se presentan de manera que se puede ver cada uno de los puntos – lo cual va a ser de gran ayuda tanto para los principiantes como para los expertos en labores.

Además de la satisfacción que causa el aprendizaje de nuevas habilidades, deseamos que **El gran libro ilustrado de las labores** le ayude a reconocer la habilidad que fue necesaria para confeccionar las labores que se conservan en los museos y hogares de prestigio. Sinceramente deseamos que utilice este libro como base para dominar nuevas habilidades y aumentar su interés – y para crear las que serán las labores de familia del mañana.

LABORES DE PUNTO

Es una maravillosa técnica para confeccionar ropa y accesorios para usted y para toda su familia.

Actualmente, los aficionados a este tipo de labores cuentan con un amplio abanico de posibilidades en colores y fibras, desde lanas de colores suaves a sedas de tonos brillantes, sin olvidar las diferentes gamas de algodones y acrílicos. Además, tejer es una técnica que se domina con sorprendente rapidez a cualquier edad y proporciona gran satisfacción ya que es un trabajo creativo.

El arte de tejer ya existía mucho antes de que los pescadores de todo el mundo usaran cálidos y cómodos jerseys para protegerse del frío. Se sabe que era una artesanía habitual en tiempos bíblicos.

A través de los siglos, las técnicas más elementales han ido mejorando hasta conseguir texturas sofisticadas y un sugerente uso del color. Por todo ello, muy a menudo los trabajos de este tipo han sido signo de identificación de pueblos y regiones. Los calcetines y jerseys no eran únicamente prendas para uso particular de quien los tejía, sino que también se trabajaba para las prósperas industrias locales que adquirían las prendas hechas a mano. Cada nueva generación parece redescubrir la satisfacción de crear manualmente prendas de vestir y accesorios. Hoy en día, la amplia y atractiva gama de fibras y la gran variedad de labores que mostramos en este libro proporcionan razones adicionales para aficionarse a perfeccionar este extraordinario y maravilloso arte.

ÚTILES E HILOS

PARA REALIZAR una labor de punto se necesita, sobre todo, entusiasmo. Precisará también hilo y un par de agujas de media estándar que pueden ser de aluminio, plástico, madera o bambú, de diferentes medidas. Las agujas circulares sirven para tejer piezas grandes o en redondo, mientras que para tricotar guantes necesitaremos agujas de dos puntas. Algunos accesorios nos serán de gran utilidad.

TIPOS DE AGUJAS

Tanto para las trenzas (u ochos) como para tejer en redondo utilizaremos agujas especiales.

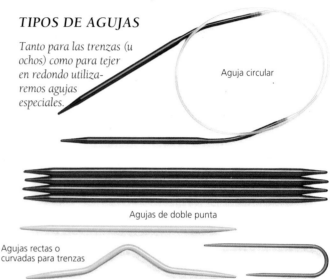

Aguja circular

Agujas de doble punta

Agujas rectas o curvadas para trenzas

OTROS ACCESORIOS ÚTILES

Le ayudarán a recoger o a contar los puntos, marcar espacios o manejar por separado diferentes colores. Para unir las piezas, se utilizan alfileres largos y una aguja lanera con punta roma.

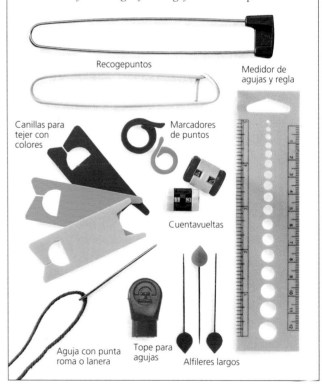

Recogepuntos

Medidor de agujas y regla

Canillas para tejer con colores

Marcadores de puntos

Cuentavueltas

Aguja con punta roma o lanera

Tope para agujas

Alfileres largos

TABLA DE MEDIDAS PARA AGUJAS

Equivalencias para agujas de tejer:

EE.UU.	SMD (mm)
14	2
13	2¼
12	2¾
11	3
10	3¼
9	3¾
8	4
7	4½
6	5
5	5½
4	6
3	6½
2	7
1	7½
0	8
00	9
000	10

PESO Y CABOS DE LOS HILOS

El hilo o lana se presenta en una serie de medidas estándar en función de su peso. Los hilos más corrientes suelen estar más o menos relacionados unos con otros: el hilo doble dobla en peso al de 4 cabos y el de Arán pesa casi lo mismo que tres hebras del de 4 cabos. El hilo grueso pesa aproximadamente lo mismo que cuatro hebras de hilo de 4 cabos o dos hebras de hilo doble.

El término cabo hace referencia a la cantidad de hebras retorcidas que forman el hilo, por ejemplo: 2, 3 y 4 cabos se refiere al número exacto de hebras que forman el hilo. Los cabos no determinan el peso exacto: un hilo grueso puede tener menos hebras que uno fino.

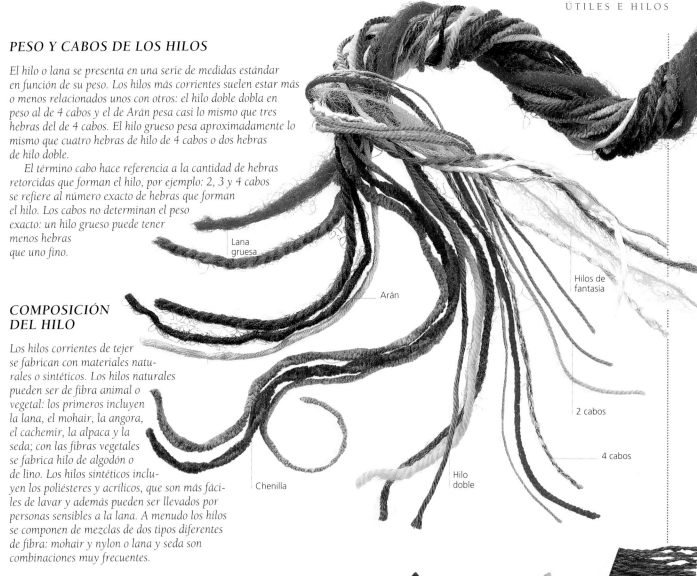

Lana gruesa

Arán

Hilos de fantasía

2 cabos

4 cabos

Hilo doble

Chenilla

COMPOSICIÓN DEL HILO

Los hilos corrientes de tejer se fabrican con materiales naturales o sintéticos. Los hilos naturales pueden ser de fibra animal o vegetal: los primeros incluyen la lana, el mohair, la angora, el cachemir, la alpaca y la seda; con las fibras vegetales se fabrica hilo de algodón o de lino. Los hilos sintéticos incluyen los poliésteres y acrílicos, que son más fáciles de lavar y además pueden ser llevados por personas sensibles a la lana. A menudo los hilos se componen de mezclas de dos tipos diferentes de fibra: mohair y nylon o lana y seda son combinaciones muy frecuentes.

COMPRAR HILOS

El hilo para hacer media se suele vender en ovillos preparados.

Algunos hilos se venden en madejas o conos, que deben ser devanados en ovillos antes de utilizarse.

MUESTRARIO DE COLORES

Los tipos de hilo o lana más habituales suelen ofrecerse en una amplia gama de tonos y colores.

FORMAR LOS PUNTOS

EL PRIMER PASO para tricotar cualquier pieza consiste en poner los puntos necesarios en las agujas; el montado de los puntos sobre la aguja. Estos puntos formarán uno de los bordes de la pieza una vez acabada, normalmente el inferior. Para que este borde quede uniforme es fundamental que los puntos sean del mismo tamaño. También es imprescindible que los puntos se tejan algo flojos con el fin de poder soltarlos de la aguja con facilidad. Para los principiantes recomendamos el montado de puntos en una aguja (es más fácil de dominar), pero si los puntos resultan demasiado ajustados pruebe el montado con dos agujas. El primer punto en ambos métodos se obtiene efectuando un simple nudo corredizo.

Cómo hacer el nudo corredizo

Haga una anilla a unos 15 cm desde el extremo del hilo y meta la aguja por debajo del lado corto (izquierda). Pase el hilo a través del bucle y estire ambos extremos para que el nudo quede tirante en la aguja (derecha).

MONTADO DE LOS PUNTOS CON AGUJA

Debe realizarse midiendo desde el final del hilo. Deje 2.5 cm por punto para el hilo grueso y 12 mm para el hilo fino. Por ejemplo, comience a 25 cm a partir del nudo corredizo y monte 10 puntos en punto doble. Los puntos montados formarán una base firme y elástica para los siguientes. Es adecuada para todas las muestras, excepto las de borde fino.

MONTADO DE LOS PUNTOS CON DOS AGUJAS

Mediante este método cada punto nuevo se forma de la misma manera que un punto del derecho (ver página 14) y se pasa a la aguja izquierda. Si teje metiendo la aguja por la parte delantera de los bucles de la primera vuelta, conseguirá un borde flojo y suave, muy adecuado para puntos de encaje. Si lo hace por la parte posterior de los bucles de la primera vuelta, conseguirá un borde mucho más firme. El montado de los puntos según este método es útil cuando aumentamos puntos por un lado (ver página 18) o hacemos un ojal (ver página 62).

INSTRUCCIONES PARA ZURDOS

Si es zurdo, invierta las instrucciones para las manos izquierda y derecha. Al montar los puntos, sujete la aguja con la mano izquierda y dirija el hilo con la derecha. Al tejer, sujete la aguja con los puntos con la mano derecha e introduzca la aguja izquierda por los puntos. Si lo desea, coloque este libro frente a un espejo para seguir correctamente la posición de las manos.

Montado de los puntos con una aguja

Sujete el hilo con los dedos de la mano izquierda

1 Realice el nudo corredizo dejando hilo suficiente para la cantidad de puntos que desee montar; coja la aguja con la mano derecha. Sujete bien las hebras de hilo utilizando el anular y el meñique de la mano izquierda.

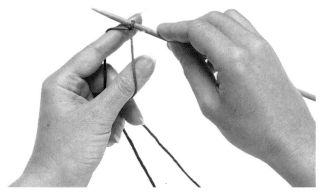

2 Deslice el índice y el pulgar izquierdos entre las hebras para que la hebra de la madeja quede detrás y la que va a tejer, delante.

Tense el hilo
con el pulgar

3 Mueva el pulgar izquierdo hacia arriba y extienda los demás dedos sujetando los extremos de las hebras del hilo.

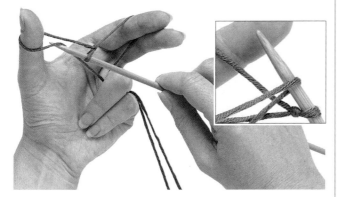

4 Pase la aguja por debajo de la hebra que sujeta el pulgar (*izquierda*) y luego súbala hasta la hebra del índice izquierdo (*derecha*).

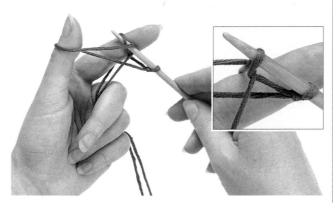

5 Sitúe la punta de la aguja por detrás de la hebra del índice izquierdo (*izquierda*) e introduzca la aguja y el hilo dentro del bucle del pulgar para realizar el punto (*derecha*).

6 Deje que el bucle se deslice fuera del pulgar y estire ambos extremos para asegurar el nuevo punto. Repita los pasos 1 al 6 para cada punto que desee efectuar.

Montado de los puntos con una aguja

1 Realice el nudo corredizo y sujete la aguja con la mano izquierda. Introduzca la aguja derecha por delante del bucle y lleve el hilo con el que teje por debajo y por encima de la punta de la aguja derecha.

2 Saque la hebra de hilo a través del nudo corredizo para formar un nuevo punto.

3 Deje el nudo corredizo en la aguja izquierda y ponga el nuevo punto al lado.

4 Introduzca la aguja por delante del bucle del nuevo punto y lleve la hebra del hilo con la que teje por debajo y por encima de la punta de la aguja. Continúe hasta formar un nuevo punto como en los pasos 2 y 3.

Borde flojo
En la primera vuelta, tricote los puntos por delante.

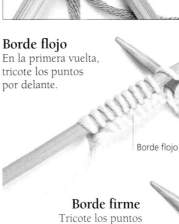

Borde flojo

Borde firme
Tricote los puntos por detrás cruzando el hilo

Borde firme

PUNTOS DEL DERECHO Y DEL REVÉS

EL PUNTO TEJIDO AL DERECHO Y EL TEJIDO AL REVÉS son fundamentales y se conocen como punto de media, jersey o liso. Estos puntos básicos pueden utilizarse en infinitas combinaciones para obtener cualquier efecto que se desee, ya sea para tricotar una simple bufanda o un complicado jersey. Los puntos del derecho forman bucles planos de tipo vertical en la cara tejida y, los del revés, semicírculos horizontales. Las labores de punto más simples se realizan en punto bobo (o de mus-

go): cada vuelta o pasada se teje siempre con punto al derecho y ambos lados son idénticos. El punto jersey (liso o de media) se efectúa tricotando vueltas alternas del derecho y del revés.
El resultado es un lado liso (derecho) y otro de grano grueso (revés).

La cara tejida con punto jersey es lisa y plana

El reverso nos muestra el cordoncillo de los puntos al revés

PUNTO JERSEY, DE MEDIA O LISO

Este tipo de punto tiende a enrollarse si no se alisa (ver página 64) y cede más a lo ancho que a lo largo. El lado tejido con punto al derecho es generalmente el lado derecho.

El punto jersey al revés, con sus puntos del revés, puede ser utilizado del derecho

TEJIDO PUNTO REVÉS O PUNTO JERSEY DEL REVÉS

Se tricota de la misma manera que el punto liso, pero con el lado del revés vuelto del derecho. Se utiliza como fondo para las trenzas y otras muestras con relieve.

Por detrás se ve la textura lisa y plana de los puntos al derecho

PUNTO BOBO O DE MUSGO

Normalmente este punto se realiza tricotando cada vuelta con el punto al derecho, pero se consigue el mismo efecto realizando cada vuelta con punto del revés. La labor queda plana y firme, no se enrolla y es muy útil para bordes, tiras de ojales y cenefas. Su estructura floja permite que ceda en ambas direcciones.

La labor realizada con punto al derecho es igual por ambos lados y presenta cordoncillos y surcos

PUNTO DEL DERECHO UTILIZANDO LA MANO DERECHA

Con este método se utiliza la mano derecha para echar la hebra alrededor de la aguja derecha. La cantidad de hilo utilizada en cada punto se controla al envolver la hebra de hilo con la cual se teje entre las dos puntas de los dedos. La mano izquierda hace avanzar sucesivamente los puntos hacia delante mientras la mano derecha va realizando el punto –se levanta el hilo echándolo por encima de la aguja y se estira por dentro del bucle.

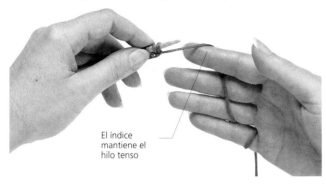

El índice mantiene el hilo tenso

1 Coja la aguja con los puntos ya montados con la mano izquierda. Pase el hilo alrededor del meñique de la mano derecha y a continuación, por debajo de los dos dedos siguientes y por encima del índice.

2 Mantenga el hilo detrás de la labor, coja la segunda aguja con la mano derecha y métala por delante del primer punto.

3 Con el índice derecho eche la hebra hacia adelante, por debajo y por encima de la punta de la aguja derecha.

4 Estire el hilo a través del bucle y empuje el nuevo punto hacia la punta de la aguja izquierda a fin de poderlo deslizar a la aguja derecha.

PUNTO DEL DERECHO UTILIZANDO LA MANO IZQUIERDA

En este método, que a menudo se considera más rápido que el de coger el hilo con la mano derecha, se utiliza el índice de la mano izquierda para mantener el hilo tenso y para recoger la hebra hacia la aguja derecha. La cantidad de hilo suelto se controla en parte con los dos últimos dedos y con el índice. Coloque su mano izquierda ligeramente hacia arriba para mantener el hilo tenso.

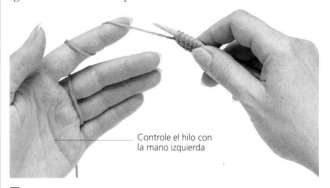

Controle el hilo con la mano izquierda

1 Coja la aguja con los puntos montados con la mano derecha. Enrolle la hebra en su índice izquierdo, déjela caer entre la palma de la mano y ténsela entre los dos últimos dedos.

2 Con la labor en la mano izquierda, extienda su índice tirando del hilo por detrás de la aguja. Utilice los dedos pulgar y corazón para empujar el primer punto hacia la punta de la aguja e introduzca la aguja derecha por delante del punto.

3 Gire la aguja derecha y pase la punta bajo el hilo para llevar después la lazada a la aguja derecha.

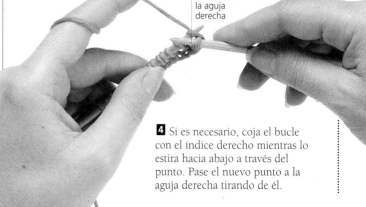

El primer punto se forma en la aguja derecha

4 Si es necesario, coja el bucle con el índice derecho mientras lo estira hacia abajo a través del punto. Pase el nuevo punto a la aguja derecha tirando de él.

PUNTO DEL REVÉS UTILIZANDO LA MANO DERECHA

Los movimientos son opuestos a los realizados con el punto del derecho. La aguja se mete por delante del punto y a continuación la hebra, que se coge por delante, se lleva por detrás de la aguja. Los puntos del revés suelen ser menos prietos que los del derecho, por lo que se aconseja poner el índice más cerca de la labor para que los puntos sean iguales.

Sujete el hilo con la mano derecha

1 Coja con la mano izquierda la aguja con los puntos hechos. Enrolle el hilo alrededor del meñique, por debajo de los dos dedos siguientes y por encima del índice de la mano derecha.

La aguja derecha se coloca delante de la izquierda

2 Manteniendo el hilo por delante de la labor, coja la aguja con la mano derecha e introduzca su punta por delante del primer punto de la aguja izquierda.

3 Con el índice derecho, lleve el hilo por encima de la punta de la aguja derecha y sáquela por debajo.

4 A través del punto, tire del bucle hacia la aguja derecha y empuje el nuevo punto por la aguja izquierda hasta que pase a la aguja derecha.

PUNTO DEL REVÉS UTILIZANDO LA MANO IZQUIERDA

En este método, el índice izquierdo mantiene el hilo tirante mientras se efectúa un bucle nuevo con la aguja derecha; se realiza mediante un giro de la muñeca izquierda hacia adelante para soltar el hilo y utilizando el dedo corazón para empujar el hilo hacia la punta de la aguja.

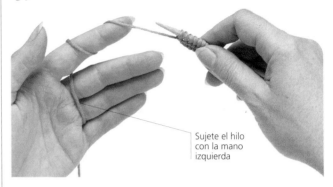

Sujete el hilo con la mano izquierda

1 Coja la aguja con los puntos con la mano derecha. Enrolle el hilo alrededor del índice izquierdo, déjelo caer entre la palma de la mano y coja el cabo entre los dos últimos dedos.

La aguja derecha se encuentra delante de la izquierda

2 Con la labor en la mano izquierda, extienda el índice ligeramente, estirando el hilo con el que teje por delante de la aguja. Con los dedos pulgar y corazón, empuje el primer punto hacia la punta y meta la aguja derecha por delante del punto. Sujete el punto con el índice derecho.

3 Gire un poco la muñeca izquierda hacia atrás y utilice el índice de su mano izquierda para envolver el hilo alrededor de la aguja derecha.

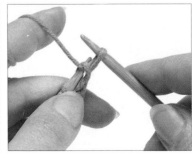

4 Con la aguja derecha, empuje hacia abajo y hacia atrás para sacar el bucle del punto y deslice el nuevo punto hacia la aguja derecha. Estire el índice izquierdo para que el punto quede prieto.

CORRECCIONES

CUANTO ANTES se percate de un error en su labor, más fácil será corregirlo. Si un punto se ha corrido de la aguja una vuelta más abajo, lo puede recoger utilizando las agujas de media. Si no lo hace, se deshará formando una carrera y necesitará un ganchillo para subirlo. Si tricota un punto de manera incorrecta, una o dos vueltas más abajo puede coger los puntos y luego corregir el error de la misma manera. Si se ha equivocado al principio de la labor, tendrá que deshacerla hasta llegar al error. Si teje con punto liso o acanalado, recoja siempre los puntos con el lado de los puntos del derecho de cara, ya que es más fácil. Cuídese de no girar ninguno de los puntos.

Cómo recoger un punto del derecho que se ha corrido

1 Introduzca la aguja derecha por delante del punto corrido y coja la hebra de hilo suelta por detrás.

2 Meta la aguja izquierda por detrás del punto y, con cuidado, estire el punto hacia arriba por encima de la hebra suelta. Déjelo caer de la aguja derecha.

3 Para pasar el nuevo punto, introduzca la aguja izquierda por delante para que el punto se deslice en la posición correcta.

Cómo recoger un punto del revés que se ha corrido

1 Introduzca la aguja derecha por detrás del punto corrido y coja la hebra de hilo suelta por delante.

2 Meta la aguja izquierda por delante del punto y estire el punto hacia arriba y por encima de la hebra suelta con cuidado. Déjelo caer de la aguja.

3 Introduzca la aguja izquierda por el punto nuevo que está en la aguja derecha y colóquelo en la posición correcta para tejer.

Cómo corregir una carrera de puntos corridos

Con la labor con los puntos del derecho de cara, introduzca el ganchillo por delante del punto corrido y coja la hebra de hilo suelta por detrás. Lleve la hebra tirando de ella a través del punto y forme así otro punto. Continúe hasta el final de la carrera. Para tejer por el lado de punto revés, introduzca el ganchillo por detrás del punto y coja la hebra por delante.

CÓMO RECTIFICAR LA LABOR

Marque la vuelta donde se encuentra el error. Saque las agujas de la labor y estire el hilo con cuidado hasta llegar a la vuelta anterior.

Para volver a meter los puntos en la aguja, sujete el hilo por detrás e introduzca la aguja izquierda por delante del punto que se encuentra justo debajo de la última vuelta. Estire de la hebra de hilo hasta deshacer el punto.

AUMENTOS

ES NECESARIO aumentar (añadir puntos) cuando se está haciendo una prenda. Los aumentos son necesarios para crear algunos puntos, como los de adorno en relieve y encajes (ver páginas 38 y 42). Cuando los aumentos se hacen para dar forma a una prenda, se tejen a menudo a pares, de forma que se ensanche por igual a ambos lados. En cambio, si los aumentos se hacen en motivos tejidos (dibujos), se combinan con disminuciones (ver página 21), de forma que el número de puntos permanezca constante.

Hay varias técnicas para aumentar. La técnica de hilo sobre aguja (ver página 20) es visible y se utiliza para muestras de tipo calado. Los otros métodos se llaman invisibles.

En realidad, todos los tipos de aumentos se ven, pero algunos son más visibles que otros. Se utilizará uno u otro en función de cada caso.

Los aumentos que siguen los métodos de barras, de coger una hebra horizontal y de alzado de un punto son formas invisibles de aumentar puntos. Se suelen usar para dar forma a una prenda de vestir. Cuando crea una forma gradual, como la de una manga, es preferible hacer los aumentos a dos o tres puntos de distancia de los bordes, y usar uno de los métodos de aumento invisible. Si teje un dibujo complicado, será más fácil que añada los nuevos puntos en el borde.

MÉTODO DE BARRAS

Es una técnica usada frecuentemente. Toma su nombre del pequeño bulto que crea en el lado derecho de la labor. Se suele abreviar como Inc 1. Deberá tejer dos puntos al derecho (o al revés) sobre el mismo punto base. Puede aumentar así cerca de los bordes al dar forma a una prenda o al hacer puntos de adorno en relieve, cuando no importa el bulto que haga.

1 Haga un punto derecho de la forma habitual, pero no saque el punto base de la aguja de la izquierda.

2 Inserte la aguja derecha por detrás del mismo punto base y teja un punto derecho.

3 Saque el punto base de la aguja. El punto extra que acabamos de formar produce un pequeño bulto en el lado derecho de la labor, pero no se notará en el borde.

COGER UNA HEBRA HORIZONTAL

Deberá coger la hebra horizontal que se encuentra entre dos puntos y tejerla al derecho (o al revés) para hacer un nuevo punto. Para que sea invisible deberá tejer cogiendo el hilo por detrás de la hebra, con el fin de que se gire. Es útil para dar forma a los pulgares de guantes y manoplas y se suele abreviar como Crear 1 (C1).

1 Haga pasar su aguja izquierda de delante hacia atrás bajo la hebra horizontal que está entre dos puntos.

2 Teja a punto jersey derecho (o revés) cogiendo el hilo por detrás de la aguja izquierda.

3 Saque el punto de la aguja. La torsión del punto impide que aparezca un hueco en la labor.

MÉTODO DE ALZADO

Este tipo de aumento forma una inclinación que necesita de otra en el lado contrario para equilibrar la labor. Ha de tejer los aumentos desde el centro, ya sean hacia la izquierda o hacia la derecha. Es el método apropiado para mangas tipo ranglán, ya que esta inclinación crea una apariencia actual. Téjalo flojo, porque esta técnica tiende a tensar la labor. El aumento se hace al tejer al derecho (o al revés) la hebra horizontal que queda bajo el punto que se teje. Se abrevia como D (o R) up 1.

Los aumentos hechos de dos en dos en los bordes de una pieza forman líneas inclinadas

Aumentos hacia la derecha

1 Introduzca la aguja derecha cogiendo por arriba el punto que se halla bajo el que ha de tejer. Trabaje de delante hacia atrás.

2 Teja según la norma habitual el bucle que acaba de coger.

3 Teja el punto siguiente en la forma habitual.

Aumentos hacia la izquierda

1 Tejiendo de atrás hacia delante, deberá introducir la aguja derecha cogiendo por arriba el punto que se encuentra bajo el que acaba de hacer.

2 Gire ligeramente el punto y téjalo al derecho desde la parte frontal de la hebra.

AUMENTOS DOBLES Y MÚLTIPLES

Para hacer dos aumentos en el mismo punto (C2), deberá tejer un punto al derecho, uno al revés y un tercero al derecho desde la parte frontal del punto. Si desea hacer más de dos puntos, como en los puntos de adorno en relieve o «avellanas» (ver página 38), deberá continuar tejiendo al revés y al derecho en el mismo punto hasta conseguir los puntos deseados. Por ejemplo, un aumento de cinco se utilizará para hacer un gran punto de adorno en relieve.

AUMENTO VISIBLE TIPO HILO SOBRE AGUJA

Se utiliza para calados y otros puntos de fantasía. Este tipo de aumento produce un orificio que forma una muestra calada. La técnica básica consiste en enrollar el hilo, una vez alrededor de la aguja, para formar una lazada (o bucle) que se tejerá con punto derecho o punto revés en la siguiente vuelta. El hilo se enrolla de diferentes formas dependiendo del nuevo punto (ver más abajo). Este aumento tipo hilo sobre aguja se abreviará hsa.

Método de hilo sobre aguja utilizado en punto jersey

1 Para realizar este tipo de aumento en punto jersey, deberá llevar el hilo hacia delante del tejido enrollándolo en la aguja derecha (*izquierda*) y tejiendo al derecho el punto siguiente (*derecha*).

2 El bucle y el nuevo punto están ahora en la aguja derecha. Teja la vuelta hasta el final.

3 En la vuelta siguiente, teja el bucle de la misma forma que los otros puntos.

Entre los puntos revés del tejido punto revés

Teja a punto revés. Lleve ahora el hilo hacia atrás pasándolo sobre la aguja derecha y atráigalo después hacia delante por debajo de esta aguja.

En punto bobo, entre dos puntos del derecho

Lleve primero el hilo hacia delante y por encima de la aguja derecha; páselo después hacia atrás guiándolo por debajo de la aguja.

En punto bobo, entre dos puntos de revés

Lleve el hilo hacia atrás sobre la aguja derecha y después hacia delante.

En canalé, entre un punto derecho y uno revés

Después de tejer un punto al derecho, lleve el hilo hacia delante entre las agujas, de nuevo hacia atrás sobre la aguja derecha y hacia delante por debajo de ella.

En canalé, entre un punto revés y uno derecho

Después de tejer al revés, lleve el hilo de delante hacia atrás por encima de la aguja derecha.

AUMENTOS DOBLES Y MÚLTIPLES

Se puede utilizar este método de hilo sobre aguja para aumentar varios puntos. En punto jersey, para hacer un aumento doble hsa2 en una vuelta, lleve el hilo hacia delante como si se tratara de aumentar un solo punto, pero enrollándolo dos veces en la aguja derecha antes de tejer el siguiente punto al derecho. En la vuelta siguiente, teja al revés el primer punto nuevo y al derecho el segundo.

Si desea hacer aumentos múltiples hsa3 (4, etc.), lleve el hilo hacia delante enrollándolo 3 (4, etc.) veces alrededor de la aguja. En la siguiente vuelta, teja los nuevos puntos al derecho y al revés alternativamente y el último, siempre a punto derecho.

DISMINUCIONES

CERRAR LOS PUNTOS (ver página 23) es la técnica preferida para disminuir cuando se han de eliminar tres o más puntos, por ejemplo en la sisa. Pero si sólo se ha de disminuir en dos o tres puntos, como cuando se da forma a una prenda, se puede usar cualquiera de los tres métodos que les mostramos a continuación. Son visibles y hacen que los puntos formen una pequeña diagonal hacia la izquierda o hacia la derecha. Si raramente disminuye o si está al final de la labor, la dirección de la hebra no es importante, pero cuando se teje simétricamente como en el caso de la manga raglán o un cuello en V, las disminuciones deben hacerse a pares, a izquierda y derecha del centro, de forma que queden equilibradas. Las inclinaciones a derecha e izquierda se producen al tejer dos puntos juntos al derecho (o al revés) uniéndolos por delante o por detrás.

CÓMO TEJER DOS PUNTOS JUNTOS AL DERECHO

Al disminuir dos puntos tejiéndolos juntos crea una disminución un poco más fuerte que con el método de punto deslizado. Se abrevia como D2jun para una inclinación hacia la derecha y como D2jun prbu si ha de ser hacia la izquierda.

Inclinación hacia la derecha

Teja juntos dos puntos que habrá cogido por delante de los bucles que forman. La inclinación hacia la derecha se utiliza en el borde izquierdo de la labor.

Inclinación hacia la izquierda

Teja dos puntos juntos por detrás de los dos bucles. La inclinación hacia la izquierda se utiliza en el borde derecho de la labor.

CÓMO TEJER DOS PUNTOS JUNTOS AL REVÉS

Las disminuciones hacia la derecha se hacen al tejer a punto revés dos puntos juntos que habrá cogido por delante de los bucles que forman. Se abrevia como R2jun. Si la inclinación debe ser hacia la izquierda, teja dos puntos juntos a punto revés por detrás. Esta técnica se abrevia R2jun prbu.

TÉCNICA DE DISMINUCIÓN CON PUNTO DESLIZADO

Es una disminución un poco más suave que la que se produce al tejer dos puntos juntos. Cuando se hace en una vuelta a punto derecho, la inclinación es de derecha a izquierda. Se abrevia Desl 1, d1, pptde. Se puede hacer de forma similar en una vuelta a punto revés y se inclina de izquierda a derecha. Se abrevia Desl 1, r1, pptde.

En una vuelta tejida al derecho

1 Deslice un punto de la aguja izquierda hacia la aguja derecha cogiéndolo como si fuera a tejerlo. Realice el siguiente punto al derecho.

2 Introduzca la aguja izquierda por delante del punto deslizado y tire de él pasándolo por encima del que acaba de tejer.

3 La inclinación de derecha a izquierda se utiliza en el lado derecho, en la parte central de la labor.

ORILLOS

LOS PUNTOS realizados en el proceso de montado y los que se cierran al rematar la labor (ver página 23) suelen ser los bordes inferior y superior y a menudo se les añaden bordes o cuellos. A los laterales de la labor se les llama orillos y se pueden coser en una costura o quedar expuestos.

Si los lados se han de unir, utilice uno de los orillos sencillos, porque resultará más fácil de coser. Si teje una prenda con los laterales visibles, como en el caso de una bufanda, corbata o manta, le recomendamos que teja un borde; conseguirá que la prenda sea más atractiva y quede plana.

Utilice el orillo con punto deslizado cuando deba coser borde a borde

ORILLO SIMPLE

En punto jersey, el orillo se forma al tejer alternativamente vueltas a punto derecho y a punto revés. Para las personas que empiezan a tejer suele ser difícil que este borde quede tenso. Existen dos variantes que facilitan un borde más estable y resultará más fácil para unir con costuras. El orillo con punto deslizado es adecuado para unir los lados borde a borde. El orillo a punto bobo es apropiado para coser costuras.

Orillo con punto deslizado

En todas las vueltas del lado derecho de la labor (vueltas al derecho), deslice el primer punto como si lo fuera a tejer al derecho y teja el último punto de la vuelta.

En todas la vueltas del revés de la labor (vueltas al revés), deslice el primer punto como para tejer al revés y teja un punto revés en el último.

Orillo a punto bobo

Teja al derecho las vueltas del derecho de la labor y también el primer y último punto de cada vuelta del revés de la labor (revés).

Se usa un orillo a punto bobo para costuras unidas con punto atrás

El punto bobo doble es firme y uniforme

BORDES

Las instrucciones para realizar la mayoría de los puntos no tienen en cuenta ningún borde especial, por lo que deberá añadir dos puntos adicionales a cada lado de la labor. El borde realizado con dos puntos bobos es firme, uniforme y no se enrolla. El borde tipo doble cadena es firme y decorativo al mismo tiempo.

El borde de doble cadena es más decorativo

Borde con dos puntos bobos

En cada vuelta, deslice el primer punto como si lo fuera a tejer y teja el segundo punto al derecho. Teja también los dos últimos puntos al derecho.

Borde de doble cadena

En el lado derecho de la labor (vueltas al derecho), deslice el primer punto como si lo fuera a tejer al derecho y teja el segundo punto al revés. Siga tejiendo al derecho hasta llegar a los dos últimos puntos, teja al revés el primero y deslice el segundo como para tejer al derecho.

CÓMO CERRAR LOS PUNTOS

AL CERRAR LOS PUNTOS se forma un orillo (terminación) que remata la labor. Esta técnica se usa también para hacer sisas o formar ojales. El método más fácil es cerrar los puntos de forma lisa.

Normalmente los puntos pueden cerrarse en el lado derecho de la labor y el resto de puntos tejerse de la forma habitual, al derecho los puntos del lado derecho y al revés los puntos del revés. Es importante que al cerrar los puntos los deje un poco sueltos, porque si no el borde queda tirante y distorsiona la prenda. Si sus puntos son demasiado tensos, trate de cerrar los puntos con una aguja un número mayor que la utilizada en la labor o bien ciérrelos utilizando el método de terminación suspendida.

TERMINACIÓN LISA

Forma un borde fino y plano, adecuado para ser unido con costura y realizar sisas y ojales.

1 Teja siempre los dos primeros puntos como sigue:
*Manteniendo el hilo detrás, introduzca la punta de la aguja izquierda a través del primer punto.

2 Levante el primer punto sobre el segundo y sáquelo de la aguja.

3 Teja el punto siguiente de la misma forma.*Repita la secuencia entre los asteriscos hasta que haya cerrado el número de puntos deseado. Asegure el hilo cuando termine la labor (ver la nota inferior).

TERMINACIÓN SUSPENDIDA

Es más flexible que la terminación lisa y forma un borde flojo, que es preferible si tiende a cerrar los puntos muy prietos.

1 Teja siempre los dos primeros puntos como sigue:
*Manteniendo el hilo por detrás, introduzca la punta de la aguja izquierda a través del primer punto. Levante el primer punto sobre el segundo sacándolo de la aguja derecha pero manteniéndolo sobre la izquierda.

2 Realice el punto siguiente y deje caer el que retenía sobre la aguja.

3 Repita las instrucciones entre asteriscos hasta que queden dos puntos. Teja esos dos puntos juntos y asegure el hilo al terminar (ver la nota inferior).

CÓMO ASEGURAR EL CABO DE HILO

Después de cerrar todos los puntos utilizando cualquiera de los métodos anteriores, quedará un solo punto sobre su aguja de tejer. Deslícelo fuera de la aguja, coja el cabo y deslícelo a través del último punto tirando firmemente de él para apretar el bucle. Use después una aguja lanera o de tapicería y pase el cabo de 5 a 8 cm entre el borde.

Como alternativa, y si es el caso, fije el hilo tirando de él a través del último bucle y deje una hebra lo suficientemente larga para ser usada con el fin de unir costuras.

TENSIÓN DE LA LABOR

AL PRINCIPIO de las instrucciones para cualquier labor encontrará la tensión (o muestra de orientación). Es el número de puntos y vueltas que se consiguen al tejer unas medidas determinadas y con las agujas y el hilo especificados. Es muy importante para que su prenda tenga la talla y proporciones adecuadas. Antes de empezar con una nueva labor, deberá hacer una muestra de unos 10 cm de lado y compararla con el número de puntos y vueltas que se dan como guía en la muestra de orientación.

CÓMO COMPROBAR LA TENSIÓN

Usando como guía la muestra de orientación y con las agujas y el hilo especificados, monte cuatro veces el número de puntos que se necesitarían para tejer 2,5 cm. Cuando haya realizado su muestra, sujétela con alfileres sobre una superficie plana y no tire de ella. Tome las medidas horizontales y verticales utilizando para ello una regla, una cinta métrica o un medidor de puntos.

Utilice una cinta métrica para comprobar la distancia entre los alfileres

CÓMO AJUSTAR LOS PUNTOS

Si la tensión resultante no es la misma que la indicada en la muestraguía, deberá cambiar la medida de las agujas y tejer una segunda muestra. Una aguja un número mayor hará que la diferencia sea de aproximadamente un punto cada 5 cm. Si usted necesita más puntos, la tensión resultará demasiado fuerte y será recomendable utilizar unas agujas más gruesas. Si tiene menos puntos, significa que está tejiendo de forma suelta y deberá usar unas agujas más pequeñas.

Cómo medir horizontalmente

En el punto jersey es más fácil medir por el lado tejido al derecho, donde cada bucle representa un punto. En el punto bobo deberá contar los bucles de una sola vuelta. Coloque dos alfileres a una distancia de 2,5 cm y cuente los puntos que están entre ellos.

Cómo medir verticalmente

En el punto jersey es más fácil medir por el lado del revés (2 cordoncillos representan una vuelta). En el punto bobo, un cordoncillo es una vuelta y un espacio hundido, otra. Coloque dos alfileres separados por 2,5 cm y cuente el número de vueltas entre ellos.

EL EFECTO DE HILOS Y PUNTOS

El hilo y los puntos también afectan a la tensión, por lo que es muy importante hacer una muestra si quiere cambiar los que se recomiendan en las instrucciones. Al utilizar lanas hiladas flojas, hilos gruesos o tejer dos cabos a la vez, necesitará muchos menos puntos y vueltas que si teje con hilos firmes como la seda.

El resultado de las labores tejidas a punto canalé o con puntos de textura gruesa es mucho más firme y prieto que con puntos calados.

Este hilo de cuatro cabos es el más fino de los tres y produce un cuadrado pequeño

Tejida sobre los mismos puntos, con esta lana de dos cabos se crea una pieza mayor que con el hilo anterior

La lana de Arán es la más voluminosa de las tres y tiene menos puntos por centímetro

TERMINOLOGÍA DEL PUNTO

EXISTE UN CONJUNTO de términos, abreviaciones y símbolos que han sido creados para reducir al máximo las instrucciones para realizar una labor de punto. Si no fuese así, las explicaciones paso a paso necesarias para hacer la más sencilla de las labores ocuparían varias páginas. Los múltiples y las repeticiones se producen a menudo en una muestra, y por ello le indicamos a continuación los símbolos que empleamos para explicarlas.

Abreviaturas usadas

alt	alternar
at	aguja de trenzas
aum (pt)	aumentar (pt) (ver página 18)
bu	crear bucle
C1	crear 1 (ver página 18)
CC	color contrastado
cog-d	introducir la aguja como para tejer al derecho
cog-r	insertar la aguja como para tejer a punto revés
CP	color principal
d	tejer a punto jersey derecho
d2jun	tejer dos puntos juntos al derecho
ddtdism	deslice, teja para disminuir (ver página 43)
desl	deslizar (deslice siempre pts cogiéndolos al revés si no se indica lo contrario)
desl pt	deslice el punto (ver página 21)
dism (pt)	disminuir (punto) (ver página 21)
dp	de doble punta
ha	hilo hacia atrás
hd	hilo hacia delante
hsa	hilo sobre la aguja (ver página 20)
jun	juntos
LD	lado derecho
LR	lado revés
muestr	muestra
pas	pasar
pptde	pasar punto deslizado por encima del tejido (ver página 21)
prbu	por el revés del bucle (teja detrás del punto)
princ	principio
pt (s)	punto (s)
r	tejer a punto jersey revés (tejer al revés)
r2jun	tejer dos puntos juntos a punto revés
redond(pt)	en redondo
rep	repetir
rest	restantes
*	Siga las instrucciones que siguen directamente al * y repítalas después según se indique (ver Repeticiones)
[ ]	Repita todas las intrucciones incluidas entre corchetes como se indica a continuación de los corchetes (ver Repeticiones)
–	Encontrará el número de puntos que deben estar en su aguja de tejer o en una vuelta después de un guión al final de la vuelta.

Repeticiones

Las muestras de los diferentes motivos tejidos con aguja consisten a menudo en secuencias de puntos. Hay dos formas de explicarlas en el espacio más corto posible. Una es el asterisco*, que se coloca antes de la instrucción a la que se refiere. Por ejemplo: *R2, *d2, p2; rep desde **, fin d2, significa que debe tejer al revés los dos primeros puntos y después en toda la vuelta, hasta que le queden dos puntos para el final, deberá tejer dos al derecho y dos al revés. Los dos últimos puntos se tejen al derecho.

Pero también se utilizan los corchetes para indicar repetición. Por ejemplo, *R2 [d2, r2] diez veces, d3* significa que, después de haber tejido al revés los dos primeros puntos, debe repetir diez veces la secuencia de tejer dos al derecho y dos al revés (total 40 puntos) antes de tejer los tres últimos al derecho.

Múltiplos

Antes de cada muestra encontrará una instrucción sobre el número de puntos necesarios para completar toda la pasada (vuelta). Se expresa como el múltiplo de una cantidad de puntos; por ejemplo, múltiplo de 6 pts. También puede incluir un número adicional de puntos para equilibrar la muestra o hacer una diagonal; por ejemplo, múltiplo de 6 pts más 3. El número de puntos en la aguja deberá ser divisible por el múltiplo; así pues, para un múltiplo de 5 pts más 2 necesitará montar 5 + 2, 10 + 2, 15 + 2,… 100 + 2, etc. En las instrucciones que encontrará en las muestras, el múltiplo se expresa como sigue:

Múltiplo de 8 pts más 2
Vuelta 1: *D4, r4*, d2
Vuelta 2: *R4, d4*, r2
o
Vuelta 1: *D4, r4, rep desde *, al final d2
Vuelta 2: *R4, d4, rep desde *, al final r2

MUESTRAS TEJIDAS

CON SOLO dos puntos básicos se puede crear gran variedad de diseños y, aunque la técnica es sencilla, los resultados son sofisticados, lo que incita a usarlos en diferentes labores. Combinados los puntos jersey tejidos al derecho y al revés contrastan uno con otro y se acentúan creando texturas. Cuando se tejen verticalmente, las vueltas tejidas al derecho tienden a sobresalir entre las tejidas a punto revés. Cuando se hace de forma horizontal, en motivos que forman ribetes u orillos, las vueltas tejidas a punto revés se separan de las tejidas al derecho y los

puntos forman delicados diseños que alteran en la superficie del tejido.

Las vueltas verticales tejidas a punto derecho y revés se conocen como canalé y se expanden cuando se estiran a lo ancho. Esta característica las hace ideales para bordes y para la ropa infantil, porque la prenda se estira para ajustarse al cuerpo del niño. Para asegurar que los puños y cinturas se ajustan cómodamente, le aconsejamos que use agujas de tejer más pequeñas que las que va a usar para el cuerpo de la prenda.

COJINES TEJIDOS A PUNTO DERECHO Y REVÉS

Use restos de lana para hacer pequeños cuadrados o rectángulos en sus puntos preferidos. Cósalos después juntos para hacer estos cojines tipo patchwork que le servirán también como muestrario para recordar los puntos (ver página 225).

Combinar diferentes hilos y puntos crea sutiles cambios de textura

El punto canalé 3 x 3 se puede tejer formando dos líneas de color

Las barras de punto de escalera están entremezcladas con líneas rectas de punto revés

ESCALERA ▲

Tejido sobre 11 pts sobre una base de pts r

Vuelta 1 (lado derecho de la labor): R2, d7, r2.
Vuelta 2: D2, r7, d2.
Vueltas 3 y 4: como vueltas 1 y 2.
Vuelta 5: R.
Vuelta 6: como vuelta 2.
Vuelta 7: como vuelta 1.
Vueltas 8 y 9: como vueltas 6 y 7.
Vuelta 10: D.
Repita las vueltas 1 a 10 para formar la muestra.

◄ CANALÉ 3 x 3

Múltiplo de 6 pts más 3

Vuelta 1: *D3, r3; rep desde * hasta los últimos 3 pts, d3.
Vuelta 2: R3, *d3, r3; rep desde * al final.
Repita las vueltas 1 a 2 para formar la muestra.

▼CANALÉ CON PUNTO DE ARROZ

Múltiplo de 11 pts más 5

Vuelta 1: D5, *[d1, r1] 3 veces, d5; rep desde * al final.
Vuelta 2: *R5, [r1, d1] 3 veces; rep desde * hasta los últimos 5 pts, r5.
Repita las vueltas 1 a 2 para formar la muestra.

CANALÉ ROTO ▲

Múltiplo de 2 pts más 1

Vuelta 1 (lado derecho de la labor): D.
Vuelta 2: R1, *d1, r1; rep desde * al final.
Repita las vueltas 1 y 2 para formar la muestra.

FALSO CANALÉ DE PESCADOR ▶

Múltiplo de 4 pts más 3

Todas las vueltas: *D2, r2; rep desde * hasta los últimos 3 pts, d2, r1.

BROCADO DE DIAMANTES ▲
Múltiplo de 8 pts más 1

Vuelta 1 (lado derecho de la labor): D4, *r1, d7; rep desde * hasta los últimos 5 pts, r1, d4.

Vuelta 2: R3, *d1, r1, d1, r5; rep desde * hasta los últimos 6 pts, d1, r1, d1, r3.

Vuelta 3: D2, *r1, d3; rep desde * hasta los últimos 3 pts, r1, d2.

Vuelta 4: R1, *d1, r5, d1, r1; rep desde * hasta el final.

Vuelta 5: *R1, d7; rep desde * hasta último pt, r1.

Vuelta 6: como vuelta 4.

Vuelta 7: como vuelta 3.

Vuelta 8: como vuelta 2.

Repita las vueltas 1 a 8 para formar la muestra.

PUNTO DE SEMILLAS ▲
Múltiplo de 4 pts

Vuelta 1: *D3, r1; rep desde * al final.

Vuelta 2: R.

Vuelta 3: D.

Vuelta 4: R.

Vuelta 5: D1, *r1, d3;* rep desde * hasta últimos 3 pts, r1, d2.

Vuelta 6: P.

Vuelta 7: D.

Repita las vueltas 1 a 7 para formar la muestra.

TEXTURA DE SEMILLAS ▲
Múltiplo de 5 pts más 2

Vuelta 1 (lado derecho de la labor): D2, *r3, d2; rep desde * hasta el final.

Vuelta 2: R.

Vuelta 3: *R3, d2; rep desde * hasta los últimos 2 pts, r2.

Vuelta 4: R.

Repita las vueltas 1 a 4 para formar la muestra

PUNTO DE TRIGO O ARROZ DOBLE ▶
Múltiplo de 4 pts más 2

Vuelta 1: D2, *R2, d2; rep desde * al final.

Vuelta 2: R2, *d2, R2; rep desde * al final.

Vuelta 3: como vuelta 2.

Vuelta 4: como vuelta 1.

Repita las vueltas 1 a 4 para formar la muestra.

CANALÉ CON PUNTO DIAGONAL ▲
Múltiplo de 18 pts más 1

Vuelta 1 (lado derecho de la labor): R1, *d1, r2, d2, r2, d1, r1; rep desde * hasta el final.

Vuelta 2: *D3, r2, d2, r2, d1, [r2, d2] dos veces; rep desde * hasta el último pt, d1.

Vuelta 3: *[R2, d2] dos veces, r3, d2, r2, d2, r1; rep desde * hasta el último pt, r1.

Vuelta 4: *D1, r2, d2, r2, d5, r2, d2, r2; rep desde * hasta el último pt, d1.

Repita las vueltas 1 a 4 para formar la muestra.

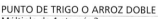
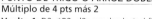

◀ PUNTO DE ARROZ
Múltiplo de 2 pts más 1

Todas las vueltas: D1, * r1, d1, rep desde * al final.

PANELES EN ZIGZAG DOBLE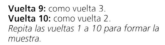

Tejido sobre 17 pts sobre una base de pts r.

Vuelta 1 (lado derecho de la labor): R3, d6, r1, d2, r1, d1, r3.
Vuelta 2: D1, r1, [d1, r2] dos veces, d1, r5, d1, r1, d1.
Vuelta 3: R3, d4, r1, d2, r1, d3, r3.
Vuelta 4: D1, r1, d1, r4, d1, r2, d1, r3, d1, r1, d1.
Vuelta 5: R3, [d2, r1] dos veces, d5, r3.
Vuelta 6: D1, r1, d1, r6, d1, r2, [d1, r1] dos veces, d1.
Vuelta 7: como vuelta 5.
Vuelta 8: como vuelta 4.

Vuelta 9: como vuelta 3.
Vuelta 10: como vuelta 2.
Repita las vueltas 1 a 10 para formar la muestra.

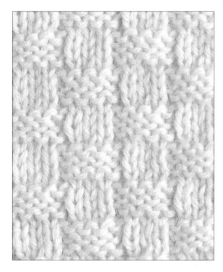

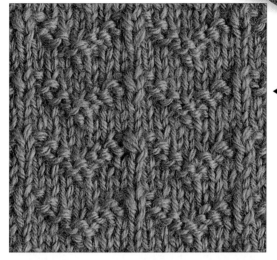

PUNTO DE FLECHAS

Múltiplo de 8 pts más 1

Vuelta 1 (lado derecho de la labor): D4, *r1, d7; rep desde * hasta los últimos 5 pts, r1, d4.
Vuelta 2: R3, *d3, r5; rep desde * hasta los últimos 6 pts, d3, r3.
Vuelta 3: D2, *r2, d1, r2, d3; rep desde * hasta los últimos 2 pts, d2.
Vuelta 4: R1, *d2, r3, d2, r1; rep desde * al final.
Vuelta 5: D1, *r1, d5, r1, d1; rep desde * al final.
Vuelta 6: R.
Repita las vueltas 1 a 6 para formar la muestra.

PUNTO DE CESTA ▲

Múltiplo de 8 pts más 3

Vuelta 1 (lado derecho de la labor): D.
Vuelta 2: D4, r3, *d5, r3; rep desde * hasta los últimos 4 pts, d4.
Vuelta 3: R4, d3, * r5, d3; rep desde * hasta últimos 4 pts, r4.
Vuelta 4: como vuelta 2.
Vuelta 5: D.
Vuelta 6: R3, *d5, r3; rep desde * al final.
Vuelta 7: D3, *r5, d3; rep desde * al final.
Vuelta 8: como vuelta 6.
Repita las vueltas 1 a 8 para formar la muestra.

CELOSÍA CUADRADA

Múltiplo de 14 pts más 2

Vuelta 1 (lado derecho de la labor): D.
Vuelta 2, 4 y 6: R2, *[d1, r1] dos veces, d1, r2; rep desde * al final.
Vueltas 3, 5, y 7: D3, *r1, d1, R1, d4; rep desde * hasta los últimos 3 pts, d3.
Vuelta 8: R2, *d12, r2; rep desde * al final.
Vuelta 9: D2, *r12; rep desde * al final.
Vuelta 10: R.
Vueltas 11, 13, y 15: D2, *[r1, d1] dos veces, r1, d2; rep desde * al final.
Vueltas 12, 14, y 16: R3, *d1, r1, d1, r4; rep desde * hasta los últimos 3 pts, r3.
Vuelta 17: R7, *d2, r12; rep desde * hasta los últimos 9 pts, r2, d7.
Vuelta 18: D7, *r2, d12; rep desde * hasta los últimos 9 pts, r2, d7.
Repita las vueltas 1 a 10 para formar la muestra.

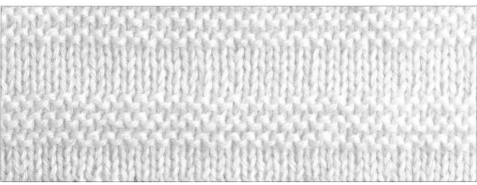

CORDONCILLOS A PUNTO BOBO

Cualquier número de puntos

Vuelta 1 (lado derecho de la labor): D.
Vuelta 2: R.
Vueltas 3 y 4: como vueltas 1 y 2.
Vuelta 5 a10: R.
Repita las vueltas 1 a 10 para formar la muestra.

CÓMO TEJER TRENZAS

LAS TRENZAS, también llamadas ochos o cuerdas, pueden transformar una prenda sencilla en algo muy especial, se usan solas o combinadas dentro de un conjunto de puntos. Originalmente los suéters de los pescadores estaban decorados con trenzas y motivos que servían para identificar su aldea de origen. Los modelos muy tejidos y de gran grosor aumentan

la calidez y la resistencia de la prenda. Todas las personas que tejen deben saber también cómo se elaboran las cuerdas. Si quiere tejer cuerdas en un suéter, recuerde que tienden a disminuir la anchura de la superficie tejida, por lo que deberá estructurar la pieza y planificar los puntos y el hilo necesario para hacerla.

SUÉTER TIPO ARÁN
CON PUNTO DE PANAL

Este jersey de cuerdas y cuello redondo utiliza muchos de los motivos tradicionales de las Islas Arán e incluye una variedad de cuerda para ribetear. La manga ranglán hace que sea una prenda ideal tanto para hombres como para mujeres (ver página 226).

La lana tradicional, natural y sin tintar, resalta al máximo estos motivos

ÚTILES ESPECIALES

Las agujas para tejer trenzas son cortas y de punta redonda. Le permitirán mantener, delante o detrás de la labor, los puntos que deben ser cruzados. Pueden ser rectas o curvadas. La aguja curvada sujeta más firmemente los puntos y evita que resbalen.

TÉCNICA BÁSICA

*La base de cualquier motivo de cuerdas
es una técnica simple en la que los puntos
se cruzan sobre un grupo de puntos de la
misma vuelta. Mientras se tejen otros,
algunos de los que formarán la cuerda
se mantienen detrás (o delante) de la labor
sujetos por una aguja especial para trenzas.
Después, se tejen los puntos
que estaban sobre la aguja.
Verá que quedan cruzados.*

CÓMO HACER CUERDAS

*Las cuerdas que mostramos más
abajo tienen seis puntos de anchura. Estos seis puntos se tejen al
derecho por el lado derecho y al revés por
detrás. Los puntos que están a cada lado se tejen con punto
revés por el lado derecho de la labor y con punto derecho por
detrás, es decir, tejiendo a punto jersey. La longitud entre
las cuerdas (de cruce en cruce) se puede cambiar, pero suelen
cruzarse cada seis u ocho vueltas. Las cuerdas que les mostramos
se cruzan en la vuelta número ocho y empiezan con una vuelta
a punto revés.*

Trenza hacia la
izquierda

Trenza hacia la
derecha

Trenza hacia la izquierda

Mantener los puntos por detrás de la labor forma siempre una
cuerda en la que el lado izquierdo cruza sobre el derecho.

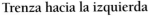

1 Deslice los tres
primeros puntos en
una aguja para trenzas
y manténgala detrás de
los puntos tejidos.

2 Teja a punto
derecho los tres puntos
siguientes de la aguja
principal.

3 Para terminar, teja a
punto derecho los tres
puntos que mantenía
apartados en la aguja
para trenzas.

Trenza hacia la derecha

Mantener los puntos delante de la labor da lugar a una cuerda
donde el lado derecho cruza sobre el izquierdo.

1 Deslice los tres
primeros puntos en
una aguja para trenzas
y manténgala detrás de
los puntos tejidos.

2 Teja a punto
derecho los tres puntos
siguientes de la aguja
principal.

3 Para terminar, teja a
punto derecho los tres
puntos que mantenía
apartados en la aguja
para trenzas.

INSTRUCCIONES PARA TEJER CUERDAS

Para las instrucciones C4D (Cuerda 4 Detrás), C6D (Cuerda 6 Detrás), C4F (Cuerda 4 Frente), C6F (Cuerda 6 Frente), etc., donde el número es regular, teja las cuerdas como le indicamos a continuación: deslice dos (o tres, etc.) pts en la aguja para cuerdas y manténgalas detrás o frente a la labor, teja a punto derecho dos (o tres, etc.) pts cogidos en la aguja de la izquierda y teja después a punto derecho los puntos que están en la aguja para trenzas.

◄ **CUERDA DOBLE**

Tejido sobre 20 pts sobre un fondo de tejido a punto revés.

Vuelta 1 (lado derecho de la labor): D.
Vuelta 2: R.
Vuelta 3: C10D, C10F.
Vuelta 4: R.
Vueltas 5 a 12: Rep vueltas 1 y 2 cuatro veces.
Vueltas 1 a 12 para formar la muestra 12.

CUERDAS COMBINADAS ▲

Tejido sobre 13 pts en una base de tejido a punto revés.

Vuelta 1 (lado derecho de la labor): D4, [r1, d1] 3 veces, d3.
Vuelta 2: R3, [d1, r1] 4 veces, r2.
Vuelta 3 y 4: como vueltas 1 y 2.
Vuelta 5: C6F, d1, C6D.
Vuelta 6: R.
Vuelta 7: D.
Vuelta 8 a 11: rep vueltas 6 y 7 dos veces.
Vuelta 12: R.
Vuelta 13: C6D, d1, C6F.
Vuelta 14: como vuelta 2.
Vuelta 15: como vuelta 1.
Vuelta 16: como vuelta 2.
Repita las vueltas 1 a 16 para formar la muestra.

PEQUEÑAS ONDAS ▲

Múltiplo de 7 pts más 4

Vuelta 1 (lado derecho de la labor): D.
Vuelta 2: R4, *d2, r5; rep desde * al final.
Vuelta 3: D4, *C2F, d5; rep desde * al final.
Vuelta 4: R4, *d1, r1, d1, r4; rep desde * al final.

Vuelta 5: *d5, C2F; rep desde * hasta los últimos 4 pts, d4.
Vuelta 6: *r5, d2; rep desde * hasta últimos 4 pts, r4.
Vuelta 7: D.
Vuelta 8: como vuelta 6.
Vuelta 9: *d5, C2D; rep desde * hasta los últimos 4 pts, d4.
Vuelta 10: como vuelta 4.
Vuelta 11: d4, *C2D, d5; rep desde * al final.
Vuelta 12: como vuelta 2.
Las vueltas 1 a 12 forman la muestra.

◄ **CELOSÍA ALARGADA**

Tejido sobre 12 pts en un fondo de tejido a punto revés

Vuelta 1 y todas la vueltas impares (revés de la labor): R.
Vuelta 2: D.
Vuelta 4: *C4D, d4, C4F; rep desde * al final.
Vuelta 6: D.
Vuelta 8: *D2,C4F, C4D, d2; rep desde * al final.
Repita las vueltas 1 a 8 para formar la muestra.

◄ **TRENZAS DE CANALÉ**

Múltiplo de 11 pts

Vuelta 1 (revés de la labor): D2, [r1, d1] 4 veces, d1.
Vuelta 2: R2, [d1 prbu, r1] 4 veces, r1.
Vuelta 3 a 6: rep vueltas 1 y 2 dos veces.
Vuelta 7: como vuelta 1.
Vuelta 8: R2, deslice los próximos 4 pts hacia el frente en una aguja para trenzas [d1prbu, r1] dos veces desde la aguja principal, [d1prbu, r1] dos veces desde la aguja para trenzas, r1.
Vuelta 9 a 12: rep vueltas 1 y 2 dos veces.
Vueltas 1 a 12 para la muestra.

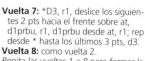
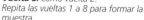

CANALÉ CON PEQUEÑA TRENZA ▲

Múltiplo de 8 pts más 3

Vuelta 1 (lado derecho de labor): *D3, r1, d1prbu, r1, d1prbu, r1; rep desde * hasta los últimos 3 pts, d3.
Vuelta 2: R3, *d1, r1prbu, d1, r1prbu, d1, r3; rep desde * al final.
Vuelta 3 a 6: rep vueltas 1 y 2 dos veces.

Vuelta 7: *D3, r1, deslice los siguientes 2 pts hacia el frente sobre at, d1prbu, r1, d1prbu desde at, r1; rep desde * hasta los últimos 3 pts, d3.
Vuelta 8: como vuelta 2.
Repita las vueltas 1 a 8 para formar la muestra.

CUERDAS CALADAS Y TORCIDAS ▶
Múltiplo de 15 pts más 12
Abreviaciones especiales
T4ID (Torcer 4 Izquierda y Derecha):
Deslice los siguientes 3 pts sobre at y,
manteniéndolos por detrás de la
labor, teja al derecho el siguiente pt
de la aguja izquierda; después deslice
el primer pt sobre la at de nuevo a la
aguja izquierda, r2 de la at después
d1 la aguja izquierda.
Vuelta 1 (lado derecho de la labor): R1,
T4ID, r2, T4ID, r1, *d1, hsa, desl 1,
d1, pptde, r1, T4ID, r2, T4ID, r1; rep
desde * hasta el final.
Vuelta 2: D1, r1, [d2, r1] 3 veces, d1,
*r3, d1, r1, [d2, r1] 3 veces, d1; rep
desde * hasta el final.
Vuelta 3: R1, d1, r2, T4ID, r2, d1, r1,
*d2jun, hsa, d1, r1, d1, r2, T4ID, r2,
d1, r1; rep desde * hasta el final.
Vuelta 4: como vuelta 2.
Repita las vueltas 1 a 4 para formar la muestra.

CUERDAS TRENZADAS ▲
Múltiplo de 8 (mín. 16 pts). Tejido sobre una base de pt r.
En la fotografía, se ha realizado con 24 pts
Vuelta 1 (lado derecho de la labor): D.
Vuelta 2 y cada vuelta alt: R.
Vuelta 3: D.
Vuelta 5: *C8D; rep desde * hasta el final del panel.
Vuelta 7: D.
Vuelta 9: D.
Vuelta 11: *C8F; rep desde * hasta el final del panel.
Vuelta 12: R.
Repita las vueltas 1 a 12 para formar la muestra.

Hacia arriba   Hacia abajo

◀ PUNTO DE TRENZA
Tejido con 9 pts
sobre una base
de tejido pt r
Trenza hacia abajo
Vuelta 1 (lado derecho
de la labor): D.
**Vuelta 2 y cada
vuelta alt:** R.
Vuelta 3: C6F, d3.
Vuelta 5: D.
Vuelta 7: D3, C6D.
Vuelta 8: R.
Trenza hacia arriba
Vuelta 1 (lado derecho
de la labor): D.
**Vuelta 2 y cada
vuelta alt:** R.
Vuelta 3: C6D, d3.
Vuelta 5: D.
Vuelta 7: D3, C6F.
Vuelta 8: R.
*Repita las vueltas
1 a 8 para
formar
este motivo.*

Hacia arriba   Hacia abajo

◀ MUESTRA DE GARRAS
Realizado con 9 pts sobre una base de tejido pt r
Abreviaciones especiales
Cruzar 4I (Cruzar 4 a la Izquierda): deslice el primer punto sobre la
at y, manteniéndolo por delante de la labor, teja a punto
derecho los siguientes 3 pts de la aguja izquierda. Después teja
al derecho el pt de la at.
Cruzar 4D (Cruzar 4 a la Derecha): deslice los siguientes
3 pts sobre at y, manteniéndolos por detrás de la labor,
teja al derecho el siguiente pt de la aguja izquierda;
después teja al derecho pts de la at.
Garra hacia arriba
Vuelta 1 (lado derecho de la labor): D.
Vuelta 2: R.
Vuelta 3: Cruzar 4I, k1, Cruzar 4D.
Vuelta 4: R.
Repita vueltas 1 a 4 para muestra.
Garra hacia abajo
Vuelta 1 (lado derecho de la labor): D.
Vuelta 2: R.
Vuelta 3: Cruzar 4D, d1,
Cruzar 4I.
Vuelta 4: R.
*Repita las
vueltas 1 a 4
para formar
la muestra.*

Cuerdas combinadas

CUERDAS ACANALADAS ►

Realizado con 16 pts sobre una base de tejido pt r

Abreviaciones especiales

T8D acanalado (Torcer 8 Detrás acanalado): deslice los siguientes 4 pts sobre at y, manteniéndolos por detrás de la labor, d1, r2, d1 de la aguja izquierda, después d1, r2, d1 de la at.

T8F acanalado (Torcer 8 Frente acanalado): deslice los siguientes 4 pts sobre at y, manteniéndolos por delante de la labor, d1, r2, d1 de la aguja izquierda, después d1, r2, d1 de la at.

Vuelta 1 (lado derecho de la labor): D1, r2, [d2, r2] 3 veces, d1.

Vuelta 2: R1, d2, [r2, d2] 3 veces, r1.

Vuelta 3: T8D y T8F acanalados.

Vuelta 4: como vuelta 2.

Vueltas 5 a 14: Rep vueltas 1 y 2 cinco veces.

Vuelta 15: T8F acanalado, T8D acanalado.

Vuelta 16: como vuelta 2.

Vueltas 17 a 24: Rep vueltas 1 y 2 cuatro veces.

Repita las vueltas 1 a 24 para formar la muestra.

▼ CUERDAS TRENZADAS ALTERNATIVAMENTE

Realizado con 6 pts sobre una base de tejido pt r

Vuelta 1 (revés de la labor): R.

Vuelta 2: D.

Vuelta 3: R.

Vuelta 4: C4D, d2.

Vuelta 5: R.

Vuelta 6: D2, C4F.

Repita vueltas 3 a 6 para muestra.

TRENZA CELTA

Múltiplo de 10 pts más 5 (mín. 25 pts) sobre una base de tejido pt r. En la fotografía se ha tejido con 25 pts

Abreviaciones especiales

T5D (Torcer 5 Detrás): deslice los siguientes 2 pts sobre at y, manteniéndolos por detrás de la labor, teja a punto derecho los siguientes 3 pts de la aguja izquierda, entonces teja al revés pts de la at.

T5F (Torcer 5 Frente): deslice los siguientes 3 pts sobre at y, manteniéndolos por delante de la labor, teja al revés los siguientes 2 pts de la aguja izquierda, después teja al derecho pts de la at.

Vuelta 1 (lado derecho de la labor): D3, *r4, d6, rep desde * hasta los últimos 2 pts, r2.

Vuelta 2: D2, *r6, d4; rep desde * hasta los últimos 3 pts, r3.

Vuelta 3: D3, *r4, C6F; rep desde * hasta los últimos 2 pts, r2.

Vuelta 4: D2, *r6, d4; rep desde * hasta los últimos 3 pts, r3.

Vuelta 5: *T5F, T5D; rep desde * hasta los últimos 5 pts, T5F.

Vuelta 6: R3, *d4, r6; rep desde * hasta los últimos 2 pts, d2.

Vuelta 7: R2, *C6D, r4; rep desde * hasta los últimos 3 pts, d3.

Vuelta 8: como vuelta 6.

Vuelta 9: *T5D, T5F; rep desde * hasta los últimos 5 pts, T5D.

Vuelta 10: como vuelta 4.

Repita vueltas 3 a 10 para muestra.

CUERDAS ENTRELAZADAS ▼

Realizado con 16 pts sobre una base de tejido pt r

Abreviaciones especiales

T3D (Torcer 3 Detrás): deslice el siguiente pt sobre at y, manteniéndolo por detrás, d siguientes 2 pts de la aguja izquierda, después r pt de la at.

T3F (Torcer 3 Frente): deslice los siguientes 2 pts sobre at y, manteniéndolos por delante de la labor, teja al revés el siguiente pt de la aguja izquierda, después teja al derecho pts de la at.

Vuelta 1 (lado derecho de la labor): D2, r4, d4, r4, d2.

Vuelta 2: R2, d4, r4, d4, r2.

Vuelta 3: D2, r4, C4D, r4, d2.

Vuelta 4: como vuelta 2.

Vuelta 5: [T3F, r2, T3D] dos veces.

Vuelta 6: D1, r2, [d2, r2] 3 veces, d1.

Vuelta 7: R1, T3F, T3D, r2, T3F, T3D, r1.

Vuelta 8: D2, r4, d4, r4, d2.

Vuelta 9: R2, C4D, r4, C4D, r2.

Vuelta 10: como vuelta 8.

Vuelta 11: R2, d4, r4, d4, r2.

Vueltas 12 y 13: como vueltas 8 y 9.

Vuelta 14: como vuelta 8.

Vuelta 15: R1, T3D, T3F, r2, T3D, T3F, r1.

Vuelta 16: como vuelta 6.

Vuelta 17: [T3D, r2, T3F] dos veces.

Vueltas 18 y 19: como vueltas 2 y 3.

Vuelta 20: como vuelta 2.

Repita las vueltas 1 a 20 para formar la muestra.

◄ PANALES

Múltiplo de 8 pts

Vuelta 1 (lado derecho de la labor): *C4D, C4F; rep desde * hasta el final del panel.

Vuelta 2: R.

Vuelta 3: D.

Vuelta 4: R.

Vuelta 5: *C4F, C4D; rep desde * hasta el final del panel.

Vuelta 6: R.

Vuelta 7: D.

Vuelta 8: R.

Repita las vueltas 1 a 8 para formar la muestra.

CUERDAS ALTERNADAS ▲
Realizado con 10 pts sobre una base de tejido pt r
Abreviaciones especiales
T3D (Torcer 3 Detrás): deslice el siguiente pt sobre at y, manteniéndolo por detrás de la labor, teja a punto derecho los siguientes 2 pts de la aguja izquierda; entonces teja al revés pt de la at.
T3F (Torcer 3 Frente): deslice los siguientes 2 pts sobre at y, manteniéndolos por delante de la labor, teja al revés el siguiente pt de la aguja izquierda; después teja al derecho pts de la at.
Vuelta 1 (lado derecho de la labor): R1, d8, r1.
Vuelta 2: D1, r8, d1.
Vuelta 3: R1, C4D, C4F, r1.
Vuelta 4: D1, r2, d4, r2, d1.
Vuelta 5: T3D, r4, T3F.
Vuelta 6: R2, d6, r2.
Vuelta 7: D2, r6, d2.
Vueltas 8 y 9: como vueltas 6 y 7.
Vuelta 10: como vuelta 6.
Vuelta 11: T3F, r4, T3D.
Vuelta 12: como vuelta 4.
Vuelta 13: R1, C4F, C4D, r1.
Vuelta 14: D1, r8, d1.
Vuelta 15: R1, C4D, C4F, r1.
Vuelta 16: D1, r8, d1.
Vuelta 17: R1, d8, r1.
Vueltas 18 y 19: como vueltas 14 y 15.
Vuelta 20: como vuelta 16.
Repita las vueltas 1 a 8 para formar la muestra.

CADENA SUPERPUESTA ▶
Realizado con 8 pts sobre una base de tejido pt r
Vuelta 1 (lado derecho de la labor): D.
Vuelta 2: R.
Vuelta 3: C4D, C4F.
Vuelta 4: R.
Vueltas 5 y 6: como vueltas 1 y 2.
Vuelta 7: C4F, C4D.
Vuelta 8: R.
Repita las vueltas 1 a 8 para formar la muestra.

CUERDA DE SERPIENTES ▲
Realizado con 8 pts sobre una base de tejido pt r
Vuelta 1 (lado derecho de la labor): D8.
Vuelta 2: R8.
Vuelta 3: C8D.
Vuelta 4: R8.
Vueltas 5 a 10: Rep vueltas 1 y 2 tres veces.
Vuelta 11: C8F.
Vuelta 12: R8.
Vueltas 13 a 16: Rep vueltas 1 y 2 dos veces.
Repita las vueltas 1 a 16 para formar la muestra.

TRENZAS ENTRELAZADAS ▼
Múltiplo de 8 pts más 10
Abreviaciones especiales
T4D (Torcer 4 Detrás): deslice los siguientes 2 pts sobre la at y, manteniéndolos por detrás de la labor, teja a punto derecho los siguientes 2 pts de la aguja izquierda; entonces teja al revés los pts de la at.
T4F (Torcer 4 Frente): deslice los siguientes 2 pts sobre at y, manteniéndolos por delante de la labor, teja al revés los siguientes 2 pts de la aguja izquierda; después teja al derecho pts de la at.
Vuelta 1 (lado derecho de la labor): R3, d4, *r4, d4; rep desde * hasta los últimos 3 pts, r3.
Vuelta 2: D3, r4, *d4, r4; rep desde * hasta los últimos 3 pts, d3.

Vuelta 3: R3, C4D, *r4, C4D; rep desde * hasta los últimos 3 pts, r3.
Vuelta 4: como vuelta 2.
Vueltas 5 a 8: como vueltas 1 a 4.
Vuelta 9: R1, *T4D, T4F; rep desde * hasta el último pt, r1.
Vuelta 10: D1, r2, d4, *r4, d4; rep desde * hasta los últimos 3 pts, r2, d1.
Vuelta 11: R1, d2, r4, *C4F, r4; rep desde * hasta los últimos 3 pts, d2, r1.
Vuelta 12: como vuelta 10.
Vuelta 13: R1, *T4F, T4D; rep desde * hasta el último pt, r1.
Vueltas 14 y 15: como vueltas 2 y 3.
Vuelta 16: como vuelta 2.
Repita las vueltas 1 a 16 para formar la muestra.

TEJIDO TRELLIS ▼
Múltiplo de 12 pts más 14
Abreviaciones especiales
T4D (Torcer 4 Detrás): deslice los siguientes 2 pts sobre la at y, manteniéndolos por detrás de la labor, teja a punto derecho los siguientes 2 pts de la aguja izquierda; entonces teja al revés los pts de la at.
T4F (Torcer 4 Frente): deslice los siguientes 2 pts sobre at y, manteniéndolos por delante de la labor, teja al revés los siguientes 2 pts de la aguja izquierda; después teja al derecho pts de la at.
Vuelta 1 (lado derecho de la labor): R3, T4D, T4F, *r4, T4D, T4F; rep desde * hasta los últimos 3 pts, r3.
Vuelta 2: D3, r2, *d4, r2; rep desde * hasta los últimos 3 pts, d3.
Vuelta 3: R1, *T4D, r4, T4F; rep desde * hasta el último pt, r1.
Vuelta 4: D1, r2, d8, *r4, d8; rep desde * hasta los últimos 3 pts, r2, d1.
Vuelta 5: R1, d2, r8, *C4D, r8; rep desde * hasta los últimos 3 pts, r2, d1.
Vuelta 6: como vuelta 4.
Vuelta 7: R1, *T4F, T4D; rep desde * hasta el último pt, r1.
Vuelta 8: como vuelta 2.
Vuelta 9: R3, T4F, T4D, *r4, T4F, T4D; rep desde * hasta los últimos 3 pts, r3.
Vuelta 10: D5, r4, *d8, r4; rep desde * hasta los últimos 5 pts, d5.
Vuelta 11: R5, C4F, *r desde * hasta los últimos 5 pts, r5.
Vuelta 12: como vuelta 10.
Repita las vueltas 1 a 12 para formar la muestra.

LABORES SENCILLAS

LAS LABORES DE UN SOLO COLOR son un buen comienzo para aquellos que se inician, pero no tienen por qué ser simples. Si usa puntos con textura, hará que una prenda sencilla se convierta en algo realmente especial.

CHALECO DE LAS ISLAS ESMERALDAS

Este chaleco se teje con lana de tweed, que realza la muestra típica de los jerseys tipo Arán. La espalda está tejida a punto jersey, por lo que el chaleco es de realización rápida (ver página 227).

Las trenzas dan vida a este chaleco tejido a punto jersey

Los bordes y la cinta se hacen a ganchillo

SUÉTER DE ESPIGAS

Este jersey largo con cuello de marinero tiene una apariencia deportiva y es ideal para salidas al campo. Se teje con una lana gruesa de un solo color y resulta fácil y rápido de hacer. Es un punto muy sencillo, fácil de seguir después de haber hecho algunas vueltas (ver página 225).

Un suéter tejido con un solo color utilizando una muestra sencilla es un buen comienzo para un principiante

El punto de espiga hecho con puntos simples tejidos al revés y al derecho se teje después de un borde a punto canalé

DISEÑOS EN RELIEVE

SE CONSIGUE una gran variedad de efectos espectaculares cuando se utilizan los puntos para crear diseños que sobresalgan del tejido de base. Estos puntos se consiguen al utilizar las técnicas de aumento y disminución combinadas con puntos torcidos o de trenzas.

Los diseños en relieve se pueden tejer en todas las medidas, en vueltas o piezas y sobre cualquier textura base. También se pueden combinar con calados y trenzas. Algunos de los más habituales son los botones, avellanas o bodoques, y racimos. Una prenda que tenga muchos dibujos será más gruesa y pesada que una plana y también necesitará más hilo. Es por ello que las prendas tradicionales, como los jersey de los pescadores, tienen muchos puntos en relieve. Para hacer estos puntos tan sólo necesita dominar la técnica de aumentos múltiples sobre un solo punto. Cuando se busca un punto fácil de fuerte textura, el más popular es el punto de avellana doble. Las instrucciones están en la página 57.

BOTONES

Un botón (o lenteja) es un conjunto de puntos independiente del resto de la base tejida. Se puede realizar en punto jersey o en punto revés. Se forma al hacer un aumento sobre un solo punto de forma que se hacen tres (cuatro o cinco) puntos adicionales para hacer un pequeño (medio o gran) botón. Teja sólo estos puntos hacia atrás y hacia delante. Para terminar, disminuya estos puntos hasta dejar el punto original. Los aumentos se pueden hacer de dos formas: utilizando el método del hilo sobre aguja o tejiendo por delante y por detrás del punto. Los puntos de ambos lados deben tejerse fuertes. Los botones hacen que los orillos queden desiguales, por lo que recomendamos que deje unos puntos entre ellos y el borde, así será más fácil de coser.

Botones pequeños, medianos y grandes

Aumentos tipo hilo sobre aguja

Teja los puntos al derecho hasta llegar al que desee; pase entonces el hilo sobre la aguja, introduzca la aguja derecha en el punto y teja como siempre, pero no deje de usarlo. Para hacer **5** nuevos puntos (6 en total), pase el hilo sobre la aguja y teja al derecho sobre el mismo punto tres veces más; deslice el último punto sobre la aguja derecha. Este proceso se puede abreviar: *hsa, dl; rep desde * dos veces* (3, 4 veces, etc.).

Tejer por delante y por detrás del punto

Teja a punto derecho hasta el punto elegido y cójalo con la aguja derecha. Deje el punto sobre la aguja mientras teje al derecho primero por la parte frontal y después por detrás del punto, el número adecuado de veces. Para aumentar 4 veces, haciendo 4 puntos nuevos (5 en total) teja a punto derecho dos veces por delante y por detrás del punto y después teja al derecho de nuevo en la parte frontal. De vez en cuando, una instrucción le indicará que aumente alternando los puntos al derecho y al revés dentro del punto.

1 Para un botón de tamaño mediano, teja hasta llegar al punto escogido. Después aumente 3 veces dentro del punto (4 pts juntos). [Hemos usado el método de hilo sobre aguja.]

2 Gire la labor y teja 4 puntos al derecho. Gire y haga 4 puntos al revés, vuelva a girar y teja 4 puntos al derecho; gire de nuevo la labor. [Ha hecho 3 vueltas de tejido a punto revés.]

3 Disminuya 3 puntos en la vuelta: Desl 2, d2jun, p2ptde. Siga la muestra.

4 El botón ya terminado está sobre una base de punto jersey.

PUNTO DE BURBUJAS Y PUNTO DE BURBUJAS DEL REVÉS ▶
Múltiplo de 8 pts más 4

Nota: deslice todos los pts cog-r.
Vuelta 1 (lado derecho de la labor): D.
Vuelta 2: R.
Vuelta 3: R1, ha, sl 2, hd, *r6, sl 2, hd; rep desde
* hasta el último pt, d1.
Vuelta 4: D1, hd, sl 2, ha, I d6, hd, sl 2, ha; rep desde
* hasta el último pt, d1.
Vueltas 5 a 8: rep vueltas 3 y 4 dos veces.
Vuelta 9: D.
Vuelta 10: R.
Vuelta 11: R5, ha, sl 2, ha, *d6, hd, sl 2, ha; rep desde
* hasta los últimos 5 pts, d5.
Vuelta 12: D5, hd, sl 2, ha, *d6, hd, sl 2, ha; rep desde *
hasta los últimos 5 pts, d5.
Vueltas 13 a 16: rep vueltas 11 y 12 dos veces.
Repita las vueltas 1 a 16 para formar la muestra.

Punto de burbujas

Use el lado del
revés del punto
de burbujas como
lado derecho

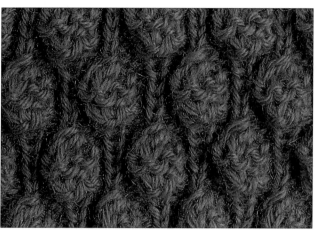

PUNTO DE MANZANAS ▲
Múltiplo de 6 pts más 5

Nota: sólo se deben contar después
de vueltas 6 o 12.
Vuelta 1 (lado derecho de la labor):
R2, *d por delante, detrás, delante y
detrás del siguiente pt, r2, d1, r2;
rep desde * hasta los últimos 3 pts,
de por delante, detrás, delante y
detrás del siguiente pt, r2.
Vuelta 2: *D2, [d1 enrollar el hilo
dos veces alrededor de la aguja] 4
veces, d2, r1; rep desde * hasta los
últimos 8 pts, d2, [d1 enrollar el hilo
dos veces alrededor de la aguja] 4
veces, d2.
Vuelta 3: R2, *d4 (soltando los
bucles extra), r2, d1, r2; rep desde *
hasta los últimos 6 pts, d4 (soltando
los bucles extra), d2.
Vueltas 4 y 5: como vueltas 2 y 3.
Vuelta 6: *D2, r4jun, d2, r1; rep
desde * hasta los últimos 8 pts, d2,
r4jun, d2.
Vuelta 7: R2, *d1, r2, d por delante,
detrás, delante y detrás del
siguiente pt, r2; rep desde * hasta
los últimos 3 pts, d1, r2.
Vuelta 8: *D2, r1, d2 [d1 enrollar el
hilo dos veces alrededor de la aguja]
4 veces; rep desde * hasta los
últimos 5 pts, d2, d1, d2.
Vuelta 9: *R2, d1, r2, d4 (soltando
los bucles extra); rep desde * hasta
los últimos 5 pts, r2, d1, r2.
Vueltas 10 y 11: como vueltas 8 y 9.
Vuelta 12: *D2, r1, d2, r4jun; rep
desde * hasta los últimos 5 pts, d2,
r1, d2.
*Repita las vueltas 1 a 12 para formar
la muestra.*

PUNTO TIPO PANAL ▼
Múltiplo de 4 pts

Abreviaciones especiales
C2D o C2F (Cruzar 2 Detrás o Frente): D por detrás (o por el frente) del
segundo pt sobre la aguja, después
del primer pt, deslizando los dos pts
fuera de la aguja a la vez.
Vuelta 1 (lado derecho de la labor):
*C2F, C2D; rep desde * hasta el
final.
Vuelta 2: R.
Vuelta 3: *C2D, C2F; rep desde
* hasta el final.
Vuelta 4: PR.
*Repita las vueltas 1 a 4 para formar la
muestra.*

AVELLANAS ▲
Múltiplo de 4 pts más 3

Abreviaciones especiales
AV (Hacer una avellana): D1 sin deslizar pt de la aguja
izquierda, hsa, después d1 otra vez en el mismo pt.
Nota: Pts sólo se pueden contar después de las vueltas 4,
5, 6, 10, 11 o 12.
Vuelta 1 (lado derecho de la labor): R3, *AV, r3; rep
desde * hasta el final.
Vuelta 2: D3, *r3, d3; rep desde * hasta el final.
Vuelta 3: R3, *d3, r3; rep desde * hasta el final.
Vuelta 4: D3, *r3jun, d3; rep desde * hasta el final.
Vuelta 5: R.
Vuelta 6: D.
Vuelta 7: R1, *AV, r3; rep desde * hasta los últimos 2
pts, AV, r1.
Vuelta 8: D1, *r3, d3; rep desde * hasta los últimos 4
pts, r3, d1.
Vuelta 9: R1, *d3, r3; rep desde * hasta los últimos 4
pts, d3, r1.
Vuelta 10: D1, *r3jun, r3; rep desde * hasta los últimos
4 pts, r3jun, d1.
Vuelta 11: R.
Vuelta 12: D.
Repita las vueltas 1 a 12 para formar la muestra.

ESPIGAS A PUNTO BOBO ▶

Múltiplo de 11

Vueltas 1 a 5: D.
Vuelta 6 (lado derecho de la labor): *d2jun, d2, teja al derecho por delante y detrás cada uno de los siguientes 2 pts, d3, ddtdism; rep desde * hasta el final.
Vuelta 7: R.
Vueltas 8 a 11: rep vueltas 6 y 7 dos veces.
Vuelta 12: como vuelta 6.
Repita las vueltas 1 a 12 para formar la muestra.

BURBUJAS DISPERSAS ▼

Múltiplo de 10 pts más 5 tejidos sobre una base de pt r

Abreviaciones especiales
HPR (Hacer Punto en Relieve): teja al derecho por delante, detrás y delante del siguiente pt, gire y r3, gire y d3, gire y r3, gire y desl 1, d2jun, pptde.
Vueltas 1 y 3: D.
Vueltas 2 y 4: R.
Vuelta 5: D7, *HPR, d9; rep desde * hasta los últimos 8 pts, HPR, d7.
Vueltas 6, 8 y 10: R.
Vueltas 7 y 9: D.
Vuelta 11: D2, HPR, d9; rep desde * hasta los últimos 3 pts, HPR, d2.
Vuelta 12: R.
Repita las vueltas 1 a 12 para formar la muestra.

ABANICOS DE BURBUJAS ▲

Realizado con 11 pts sobre una base de tejido pt r

Abreviaciones especiales
HPR (Hacer Punto en Relieve): [D1, r1] dos veces todo en el siguiente pt, girar y r4, girar y d4, girar y r4, girar y desl 2, d2jun, p2ptde.
T2F (Torcer 2 Frente): deslice el siguiente pt sobre at y, manteniéndolo por delante de la labor, teja al revés el siguiente de la aguja izquierda; después teja al derecho pt de la at.
T2D (Torcer 2 Detrás): deslice el siguiente pt sobre at y, manteniéndolo por detrás de la labor, teja al derecho el siguiente pt de la aguja izquierda; entonces teja al revés pt de la at.
T2FR (Torcer 2 Frente sobre Revés de la labor): deslice el siguiente pt sobre at manteniéndolo por el frente (revés de la labor), teja al revés el siguiente pt de la aguja izquierda, después teja al derecho pt de la at.
T2DR (Torcer 2 Detrás sobre Revés de la labor): deslice el siguiente pt sobre at y, manténgalo por detrás (lado derecho de la labor) de la labor, teja al derecho el siguiente pt de la aguja izquierda y entonces teja al revés pt de la at.
Vuelta 1 (lado derecho de la labor): R.
Vuelta 2: D.
Vuelta 3: R5, HPR, r5.
Vuelta 4: D5, r1prbu, d5.
Vuelta 5: R2, HPR, r2, d1prbu, r2, HPR, r2.
Vuelta 6: D2, [r1prbu, d2] 3 veces.
Vuelta 7: HPR, r1, T2F, r1, d1prbu, r1, T2D, r1, HPR.
Vuelta 8: r1tb1, d2, r1prbu, [d1, r1prbu] dos veces, d2, r1prbu.
Vuelta 9: T2F, r1, T2F, d1prbu, T2D, r1, T2DB.
Vuelta 10: D1, T2DR, d1, [r1prbul] 3 veces, d1, T2FR, d1.
Vuelta 11: R2, T2F, C1 cog-r, desl 1, d2jun, pptde, C1 cog-r, T2R, r2.
Vuelta 12: D3, T2DR, r1prbu, T2FR, d3.
Vuelta 13: R4, C1 cog-r, sl 1, d2jun, pptde, C1 cog-r, r4.
Vuelta 14: D5, r1prbu, d5.
Vuelta 15: R.
Vuelta 16: D.
Repita las vueltas 1 a 16 para formar la muestra.

BURBUJAS Y LÍNEAS VERTICALES ◀

Múltiplo de 10 pts más 5

Abreviaciones especiales
HPR (Hacer Punto en Relieve): Teja [1, r1, d1, r1, d1] en el siguiente pt, gire y d5, gire y d5jun.
Vuelta 1 (lado derecho de la labor): R2, d1, *r4, d1; rep desde * hasta los últimos 2 pts, r2.
Vuelta 2: D2, r1, *d4, r1; rep desde * hasta los últimos 2 pts, d2.
Vuelta 3: R2, *HPR, r4, d1, r4; rep desde * hasta los últimos 3 pts, HPR, r2.
Vuelta 4: como vuelta 2.
Vueltas 5 a 20: rep vueltas 1 a 4 cuatro veces.
Vuelta 21: como vuelta 1.
Vuelta 22: como vuelta 2.
Vuelta 23: R2, *d1, r4, HPR, r4; rep desde * hasta los últimos 3 pts, d1, r2.
Vuelta 24: como vuelta 2.
Vueltas 25 a 40: rep vueltas 21 a 24 cuatro veces.
Repita las vueltas 1 a 40 para formar la muestra.

PUNTO DE BROTES ▲

Múltiplo de 6 pts más 5

Nota: Pts tan sólo se pueden contar después de las vueltas 6 o 12.
Vuelta 1 (lado derecho de la labor): R5, *d1, hsa, r5; rep desde * hasta el final.
Vuelta 2: D5, *r2, d5; rep desde * hasta el final.
Vuelta 3: R5, *d2, r5; rep desde * hasta el final.
Vueltas 4 y 5: como vueltas 2 y 3.
Vuelta 6: D5, *r2jun, d5; rep desde * hasta el final.
Vuelta 7: R2, *d1, hsa, r5; rep desde * hasta los últimos 3 pts, d1, hsa, r2.
Vuelta 8: D2, *r2, d5; rep desde * hasta los últimos 4 pts, d2, r2.
Vuelta 9: R2, *d2, r5; rep desde * hasta los últimos 4 pts, d2, r2.
Vuelta 10 y 11: como vueltas 8 y 9.
Vuelta 12: D2, *r2jun, d5; rep desde * hasta los últimos 4 pts, r2jun, d2.
Repita las vueltas 1 a 12 para formar la muestra.

PUNTO TRINIDAD ▼

Múltiplo de 4 pts más 2

Abreviaciones especiales

C2 (Crear 2 pts): D1, r1, d1 todos dentro del siguiente pt.

Vuelta 1 (lado derecho de la labor): R.

Vuelta 2: D1, *C2, r3jun; rep desde * hasta el último pt, d1.

Vuelta 3: R.

Vuelta 4: D1, *r3jun, C2; rep desde * hasta el último pt, d1.

Repita las vueltas 1 a 4 para formar la muestra.

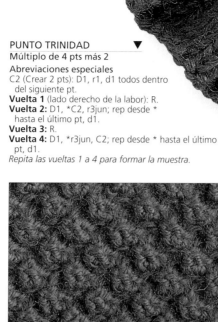

FALSA TRENZA ▲

Múltiplo de 5 pts más 2

Vuelta 1 (lado derecho de la labor): R2, *desl 1, d2, pptde, r2; rep desde * hasta el final.

Vuelta 2: D2, *r1, hsa, r1, d2; rep desde * hasta el final.

Vuelta 3: R2, *d3, R2; rep desde * hasta el final.

Vuelta 4: D2, *r3, d2; rep desde * hasta el final.

Repita las vueltas 1 a 4 para formar la muestra.

BORDE SENCILLO DE CAMPANAS ▲

Montado sobre múltiplo de 12 pts más 3

Nota: Pts sólo se pueden contar después de las vueltas 1 y 2.

Vuelta 1 (lado derecho de la labor): R3, *d9, r3; rep desde * hasta el final.

Vuelta 2: D3, *r9, d3; rep desde * hasta el final.

Vuelta 3: R3, *ha, ddtdism, d5, d2jun, p3; rep desde * hasta el final.

Vuelta 4: D3, *r7, d3; rep desde * hasta el final.

Vuelta 5: R3, *ha, ddtdism, d3, d2jun, p3; rep desde * hasta el final.

Vuelta 6: D3, *r5, d3; rep desde * hasta el final.

Vuelta 7: R3, *ha, ddtdism, d1, d2jun, r3; rep desde * hasta el final.

Vuelta 8: D3, *r3, d3; rep desde * hasta el final.

Vuelta 9: R3, *ha, desl 1, d2jun, pptde, r3; rep desde * hasta el final.

Vuelta 10: D3, *r1, d3; rep desde * hasta el final.

Vuelta 11: R3, *d1, r3; rep desde * hasta el final.

Vuelta 12: como vuelta 10.

Repita las vueltas 1 a 12 para formar el borde.

RIBETES Y BURBUJAS ▲

Múltiplo de 6 pts más 5

Abreviaciones especiales

HPR (Hacer Punto en Relieve): teja al derecho por delante, detrás y delante del siguiente pt, gire y r3, gire y d3, gire y r3, gire y desl 1, d2jun, pptde.

Vuelta 1 (lado derecho de la labor): D.

Vuelta 2: R.

Vuelta 3: D5, *HPR, d5; rep desde * hasta el final.

Vuelta 4: R.

Vuelta 5: D2, HPR, *d5, HPR; rep desde * hasta los últimos 2 pts, d2.

Vueltas 6, 7 y 8: como vueltas 2, 3 y 4.

Vuelta 9: R.

Vuelta 10: D.

Repita las vueltas 1 a 10 para formar la muestra.

BORDE DE BEJIN ▶

Montado sobre 13 pts

Vuelta 1 (lado derecho de la labor): D2, d2jun, hsa2, d2jun, d7.

Vuelta 2: D9, r1, d3.

Vueltas 3 y 4: D.

Vuelta 5: D2, d2jun, hsa2, d2jun, d2, [hsa2, d1] 3 veces, hsa2, d2 – 21 pts.

Vuelta 6: D3, [r1, d2] 3 veces, r1, d4, r1, d3.

Vueltas 7 y 8: D.

Vuelta 9: D2, d2jun, hsa2, d2jun, d15.

Vuelta 10: D 12 pts urdiendo el hilo dos veces alrededor de la aguja para cada pt, hsa2, d5, r1, d3 – 23 pts (cada pt urdido doble cuenta como 1 pt).

Vuelta 11: D10, [r1, d1] en el siguiente punto, deslice los siguientes 12 pts sobre la aguja derecha, soltando los bucles extra. Devuelva pts a la aguja izquierda después d12jun –13 pts.

Vuelta 12: D.

Repita las vueltas 1 a 12 para formar la muestra.

41

MUESTRAS CALADAS

LOS AUMENTOS tipo hilo sobre aguja forman algunos de los puntos más bonitos y delicados que se pueden tejer. Hechos con hilos y agujas finas, los diseños calados son ideales para chales finos, suéters que parecen de encaje o pañuelos elegantes. Cuando se busca un aspecto más resistente o un tejido más caliente, se utiliza hilo o lana medios en modelos con aberturas más pequeñas.

Hay dos tipos principales de muestras caladas: encajes y ojetes. Los encajes son verdaderos tejidos calados, a diferencia de los ojetes, que son pequeñas aberturas en tejidos compactos. Los encajes, combinados con otros puntos, se prestan a ser tejidos en paneles. Realice los paneles hacia el centro o cerca de él cuando tengan formas difíciles de conseguir.

La lana, algodón, seda y lana de cachemir son algunas de las fibras que puede utilizar para tejer maravillosos encajes. El encaje de algodón se usa tanto para cortinas de adorno, tapetes y ropa de cama como para prendas de vestir.

NOCIONES BÁSICAS DE CALADO

Los orificios se forman con aumentos tipo hilo sobre aguja, que después se contrarrestan con el mismo número de disminuciones, de forma que el número de puntos permanece constante. Es importante que teja con la tensión de hilo correcta y las agujas e hilo adecuados. El calado es un tipo de diseño que se ha de extender. Por esta razón, si al tejer una prenda decide sustituir el calado por un punto jersey liso, deberá montar menos puntos de los que se indican: las tres cuartas partes de los puntos deberían ser suficientes.

El chal que mostramos a continuación se ha tejido con un modelo sencillo de calado. El borde se ha tejido por separado y se ha cosido después a la pieza principal (para hacerlo, ver página 228).

TERMINACIONES CON ENCAJE

Resultan preciosas para adornar ropa de mesa y cama. Utilice algodón fino para ganchillo y, una vez acabado, cosa el borde al tejido. Cuando adorne con un borde de encaje una prenda tejida, complete primero la pieza principal y después recoja el número necesario de puntos para hacer el borde de encaje (abajo).

Recoger puntos para hacer un borde

Mantenga el hilo por detrás de la pieza completa; introduzca la aguja a su través entre las vueltas y entre los dos últimos puntos de cada vuelta, de delante hacia atrás. Coja el hilo con la aguja como si fuera a tejer y empuje la hebra a través del tejido para formar punto.

Continúe hasta haber formado el número de puntos deseado.

Este chal triangular está realizado con un atractivo patrón en forma de hojas y un borde decorativo

OJETES

Hay dos tipos principales de ojetes: encadenados y abiertos. Hechos separadamente, los ojetes se pueden utilizar como pequeños ojales o se pueden alinear para pasar cintas a través de ellos. Usados en combinación con vueltas lisas entre ellos, los ojetes se pueden distribuir vertical, horizontal o diagonalmente para formar motivos decorativos. No haga ojetes al principio o final de una vuelta, realícelos al menos a dos puntos de distancia del borde.

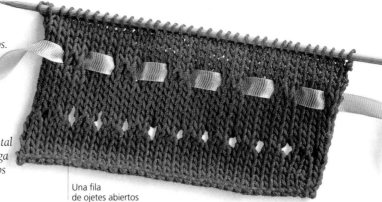

Una fila de ojetes abiertos

Ojetes encadenados

Es el tipo más simple y común de ojete. Se puede combinar con ojetes abiertos o con muestras más complicadas. Se abrevia *hsa, d2jun.*

1 Haga un hilo sobre aguja llevando el hilo hacia delante, teja después los dos puntos siguientes juntos al derecho.

2 El hilo pasado sobre la aguja aumenta un punto, pero al tejer después dos puntos juntos se reduce el número y vuelve a tener los originales.

3 Se ha realizado un ojete encadenado en el tejido.

Ojete abierto

Utilice este método para tejer una abertura un poco más grande. Es también más adecuado para pasar cintas a su través. Se abrevia *hsa, desl 1 cog-d, d1, pptde.*

1 Pase el hilo sobre la aguja llevando el hilo hacia delante y rodeando la aguja por delante. Deslice el siguiente punto como para tejer al derecho, teja el próximo punto al derecho y pase el punto deslizado por encima.

2 El aumento hecho con el hilo sobre aguja ha sido sustituido por la disminución con el punto deslizado. El número de puntos sigue siendo el mismo.

3 El ojete abierto una vez terminado.

DISMINUCIÓN TIPO DESLIZAR, DESLIZAR, TEJER

Esta forma de disminuir es particularmente útil para encajes y calados. Tiene un acabado delicado. Se abrevia ddtdism.

1 Deslice el primer y segundo puntos, uno cada vez, sobre la aguja derecha cogiéndolos como para tejer al derecho.

2 Introduzca la aguja izquierda por delante de estos dos puntos y téjalos juntos al derecho desde esta posición.

3 La disminución tipo deslizar, deslizar, tejer está completa.

BORDE DE DIAMANTES Y ONDAS ▶
Realizado con 13 pts

Nota: Pts sólo se pueden contar después de las vueltas 1 y 20.

Vuelta 1 y cada vuelta alt (revés de la labor): D2, r hasta los últimos 2 pts, d2.

Vuelta 2: D7, hsa, ddtdism, hsa, d4.

Vuelta 4: D6, [hsa, ddtdism] 2 veces, hsa, d4.

Vuelta 6: D5, [hsa, ddtdism] 3 veces, hsa, d.

Vuelta 8: D4, [hsa, ddtdism] 4 veces, hsa, d4.

Vuelta 10: D3, [hsa, ddtdism] 5 veces, hsa, d4.

Vuelta 12: D4, [hsa, ddtdism] 5 veces, d2jun, d2.

Vuelta 14: D5, [hsa, ddtdism] 4 veces, d2jun, d2.

Vuelta 16: D6, [hsa, ddtdism] 3 veces, d2jun, d2.

Vuelta 18: D7, [hsa, ddtdism] 2 veces, d2jun, d2.

Row 20: D8, hsa, ddtdism, d2jun, d2.

Repita las vueltas 1 a 20 para formar la muestra.

PUNTO DE HOJA ▲
Múltiplo de 10 pts más 1

Vuelta 1 y cada vuelta alt (revés de la labor): R.

Vuelta 2: D3, *d2jun, hsa, d1, hsa, ddtdism, d5; rep desde *, terminando la última rep d3.

Vuelta 4: D2, *d2jun, [d1, hsa] 2 veces, d1, ddtdism, d3; rep desde *, terminando la última rep d2.

Vuelta 6: D1, *d2jun, d2, hsa, d1, hsa, d2, ddtdism, d1; rep desde * hasta el final.

Vuelta 8: D2jun, *d3, hsa, d1, hsa, d3, desl 1, d2jun, pptde; rep desde * hasta los últimos 9 pts, d3, hsa, d1, hsa, d3, ddtdism.

Vuelta 10: D1, *hsa, ddtdism, d5, d2jun, hsa, d1; rep desde * hasta el final.

Vuelta 12: D1, *hsa, d1, ddtdism, d3, d2jun, d1, hsa, d1; rep desde * hasta el final.

Vuelta 14: D1, *hsa, d2, ddtdism, d1, d2jun, d2, hsa, d1; rep desde * hasta el final.

Vuelta 16: D1, *hsa, d3, desl 1, d2jun, pptde, d3, hsa, d1; rep desde * hasta el final.

Repita vueltas 1 a 16 para muestra.

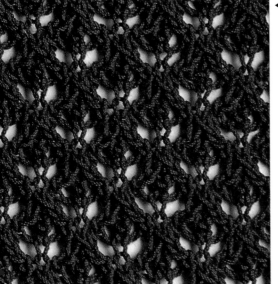

◀ ENCAJE INGLÉS
Múltiplo de 6 pts más 1

Vuelta 1 y cada vuelta alt (revés de la labor): R.

Vuelta 2: D1, *hsa, ddtdism, d1, d2jun, hsa, d1; rep desde * hasta el final.

Vuelta 4: D1, *hsa, d1 desl 1, d2jun, pptde, d1, hsa, d1; rep desde * hasta el final.

Vuelta 6: D1, *d2jun, hsa, d1, hsa, ddtdism, d1; rep desde * hasta el final.

Vuelta 8: D2jun, *[d1, hsa] dos veces, d1, desl 1, d2jun, pptde; rep desde * hasta los últimos 5 pts, [d1, hsa] dos veces, s1, ddtdism.

Repita las vueltas 1 a 8 para formar la muestra.

PANEL DE PLUMAS ▶
Realizado con 13 pts sobre una base de tejido pt r

Abreviaciones especiales

DESL4D (Deslizar 4 Derecho): deslice los siguientes 4 pts como para tejer al derecho, uno a la vez, sobre aguja derecha; después introduzca la aguja izquierda por delante de estos 4 pts de la izquierda y téjalos juntos al derecho desde esta posición.

Vuelta 1 (lado derecho de la labor): D.

Vuelta 2: R.

Vuelta 3: D4jun, [hsa, d1] 5 veces, hsa, DESL4D.

Vuelta 4: R.

Repita las vueltas 1 a 4 para formar la muestra.

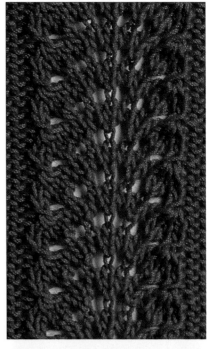

FLORECILLAS ▶
Múltiplo de 6 pts más 5

Nota: Pts se deben contar sólo después de las vueltas 1-3, 6-9, y 12.

Vuelta 1 y cada vuelta alt (revés de la labor): R.

Vuelta 2: D2, *d1, hsa, ddtdism, d1, d2jun, hsa; rep desde *, acabando d3.

Vuelta 4: D4, *hsa, d3; rep desde *, acabando d1.

Vuelta 6: D2, d2jun, *hsa, ddtdism, d1, d2jun, hsa, desl 2 cog-d, d1, p2ptde; rep desde *, acabando hsa, ddtdism, d1, d2jun, hsa, ddtdism, d2.

Vuelta 8: D2, *d1, d2jun, hsa, d1, hsa, ddtdism; rep desde *, acabando d3.

Vuelta 10: como vuelta 4.

Vuelta 12: D2, *d1, d2jun, hsa, desl 2 cog-d, d1, p2ptde, hsa, ddtdism; rep desde *, acabando d3.

Repita las vueltas 1 a 12 para formar la muestra.

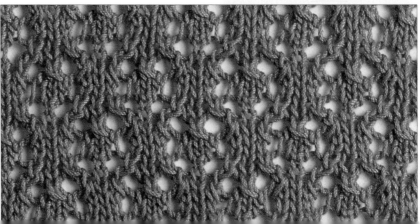

HUELLA DE GATO

Múltiplo de 16 pts más 9

Vuelta 1 y cada vuelta alt (revés de la labor)**:** R.

Vuelta 2: D10, * d2jun, hsa, d1, hsa, ddtdism, d11; rep desde *, terminando la última rep d10 en vez de d11.

Vuelta 4: D9, * d2jun, hsa, d3, hsa, ddtdism, d9; rep desde * hasta el final.

Vuelta 6: D10, *hsa, ddtdism, hsa, d3jun, hsa, d11; rep desde *, terminando la última rep d10 en vez de d11.

Vuelta 8: D11, *hsa, desl 1, d2jun, pptde, hsa, d1 3; rep desde *, terminando la última rep d11 en vez de d13.

Vuelta 10: D2, *d2jun, hsa, d1, hsa, ddtdism, d11; rep desde *, terminando la última rep d2 en vez de d11.

Vuelta 12: D1, *d2jun, hsa, d3, hsa, ddtdism, d9; rep desde *, terminando la última rep d1 en vez de d9.

Vuelta 14: D2, *hsa, ddtdism, hsa, d3jun, hsa, d11; rep desde *, terminando la última rep d2 en vez de d11.

Vuelta 16: D3, *hsa, sl 1, d2jun, pptde, hsa, d13; rep desde *, terminando la última rep d3 en vez de d13.

Repita las vueltas 1 a 16 para formar la muestra.

PUNTO DE CELOSÍA

Múltiplo de 6 pts más 1

Vuelta 1 (lado derecho de la labor)**:** D1, *hsa, r1, r3jun, r1, hsa, d1; rep desde * hasta el final.

Vuelta 2 y cada vuelta alt: R.

Vuelta 3: D2, hsa, desl 1, d2jun, pptde, hsa, *d3, hsa, desl 1, d2jun, pptde, hsa; rep desde * hasta los últimos 2 pts, d2.

Vuelta 5: R2jun, r1, hsa, d1, hsa, r1, *r3jun, r1, hsa, d1, hsa, r1; rep desde * hasta los últimos 2 pts, r2jun.

Vuelta 7: D2jun, hsa, d3, hsa, *desl 1, d2jun, pptde, hsa, d3, hd; rep desde * hasta los últimos 2 pts, ddtdism.

Vuelta 8: R.

Repita las vueltas 1 a 8 para formar la muestra.

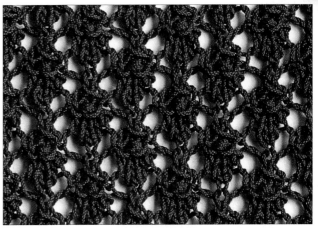

CALADO DE OJETES

Múltiplo de 4 pts más 3

Vuelta 1 (lado derecho de la labor)**:** D.

Vuelta 2: R.

Vuelta 3: *D2, d2jun, hsa; rep desde * hasta los últimos 3 pts, d3.

Vuelta 4: R.

Vuelta 5: D.

Vuelta 6: R.

Vuelta 7: *D2jun, hsa, d2; rep desde * hasta los últimos 3 pts, d2jun, hd, d1.

Vuelta 8: R.

Repita las vueltas 1 a 8 para formar la muestra.

BORDE DE OLAS

Realizado con 13 pts

Nota: Pts sólo se deben contar después de vueltas 1, 4, 5 o 14.

Vuelta 1 y cada vuelta alt (revés de la labor)**:** D2, r hasta los últimos 2 pts, d2.

Vuelta 2: Desl 1, d3, hsa, d5, hsa, d2jun, hsa, d2.

Vuelta 4: Desl 1, d4, desl 1, d2jun, pptde, d2, [hsa, d2jun] dos veces, d1.

Vuelta 6: Desl 1, d3, ddtdism, d2, [hsa, d2jun] dos veces, d1.

Vuelta 8: Desl 1, d2, ddtdism, d2, [hsa, d2jun] dos veces, d1.

Vuelta 10: Sl 1, d1, ddtdism, d2, [hsa, d2jun] dos veces, d1.

Vuelta 12: D1, ddtdism, d2, hsa, d1, hsa, d2jun, hsa, d2.

Vuelta 14: Desl 1, [d3, hsa] dos veces, d2jun, hsa, d2.

Repita las vueltas 1 a 14 para formar la muestra.

HOJAS CAÍDAS

Realizado con 16 pts sobre una base de tejido pt r

Vuelta 1 (lado derecho de la labor)**:** R1, d3, d2jun, d1, hsa, r2, hsa, d1, ddtdism, d3, r1.

Vuelta 2 y cada vuelta alt: D1, r6, d2, r6, d1.

Vuelta 3: R1, d2, d2jun, d1, hd, d1, r2, d1, hsa, d1, ddtdism, d2, r1.

Vuelta 5: R1, d1, d2jun, d1, hsa, d2, r2, d2, hsa, d1, ddtdism, d1, r1.

Vuelta 7: R1, d2jun, d1, hsa, d3, r2, d3, hsa, d1, ddtdism, r1.

Vuelta 8: D1, r6, d2, r6, d1.

Repita las vueltas 1 a 8 para formar la muestra.

USAR EL COLOR

EL USO DEL COLOR ES OTRA FORMA de mejorar formas sencillas. Se puede usar de forma discreta o atrevida, combinando tonos de forma más compleja.

La forma más sencilla de usar el color es hacer líneas horizontales e introducir un nuevo tono al principio de una vuelta. Para hacer rayas verticales, deberá usar un ovillo de hilo diferente para cada color y, al llegar al final de cada bloque, se tendrá que coger el nuevo hilo de tal forma que no aparezca un agujero en la unión.

Otra forma fácil y efectiva de añadir color es combinar dos hilos diferentes tejiéndolos juntos. También se puede bordar en colores sobre una base de punto jersey; para ello utilizaremos la técnica de zurcido suizo (ver página 58). Existen esquemas que muestran cómo realizar una pieza con hilo de colores. Los esquemas pueden ser coloreados o en blanco y negro. En este último caso, hay símbolos que representan los diferentes colores.

COMBINACIONES SENCILLAS DE COLOR

Las muestras sencillas pueden ser de un solo color en cada vuelta.

Muestra tipo jacquard

PUNTO TIPO JACQUARD

Cuando teje una muestra en la que necesite dos colores para una sola vuelta, deberá llevar el hilo que no usa por detrás del tejido.

Combinaciones sencillas de color

CARRETES

Cuando se teje con muchos colores diferentes de los que sólo se necesita una pequeña cantidad, utilice carretes de plástico o cartón para que los hilos de su labor no se enreden. Si escoge el cartón, haga un ranura en la parte superior para sujetar el hilo y si tan sólo necesita una pequeña cantidad de un color, corte una hebra corta de hilo para esa parte del dibujo.

INTARSIA

Estas complicadas muestras tienen un dibujo tejido entre una base monocolor.

Muestra tipo intarsia

CÓMO AÑADIR UN HILO NUEVO AL PRINCIPIO DE UNA VUELTA

Utilice esta técnica cuando teja rayas verticales. Si quiere usar de nuevo el color anterior, déjelo en el borde. Asegúrese de que todos los cabos se tejen pulcramente en el borde o detrás de la labor.

1 Introduzca la aguja derecha dentro del primer punto de la aguja izquierda y pase los dos hilos, el nuevo y el anterior, sobre ella. Teja el punto con los dos hilos.

2 Deje el hilo anterior y teja al derecho los dos puntos siguientes con las dos hebras del nuevo hilo.

3 Deje ahora el cabo corto del nuevo hilo y continúe tejiendo según la muestra de punto. En la vuelta siguiente, teja los 3 puntos dobles de forma habitual.

CÓMO AÑADIR EL HILO NUEVO Y REMATARLO POR DETRÁS

Cuando añada un color al principio de una vuelta, use este método para tejer los cabos de los hilos por el revés de la labor.

1 Corte el hilo que acaba de tejer dejando unos 7,5 cm. Teja a punto revés los 2 primeros hilos con el nuevo color. Coloque los cabos de los dos colores por encima de la aguja y teja el nuevo punto por debajo de estos cabos.

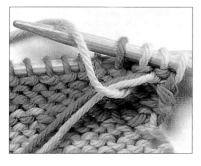

2 Deje los cabos colgando y teja, por encima de ellos, el nuevo punto al revés. Continúe hasta que los cabos estén rematados.

CÓMO AÑADIR UN HILO NUEVO DENTRO DE LA VUELTA

Utilice esta técnica cuando tenga que tejer de nuevo el primer color en la misma vuelta. Consulte la página 48 para saber cómo llevar el hilo por detrás de la labor.

1 Dejando el primer hilo detrás de la labor, introduzca la aguja derecha en el punto. Enrolle el nuevo hilo sobre la aguja y utilícelo para tejer el punto al derecho.

2 Teja al derecho los dos puntos siguientes utilizando las dos hebras del nuevo hilo.

3 Deje el cabo corto y continúe tejiendo con el nuevo hilo mientras lleva el primer hilo por el revés de la labor. En las vueltas siguientes teja los puntos dobles normalmente.

CÓMO HACER RAYAS VERTICALES O DIBUJOS

Ésta es una técnica llamada intarsia y es adecuada para tejer dibujos. Las instrucciones del dibujo se dan siempre en forma de esquema.

Para hacer rayas verticales o bloques de color independientes, deberá usar un ovillo o carrete de hilo para cada color. Deje el primer hilo y recoja el nuevo por debajo de él, de forma que los hilos se crucen; enlazando los hilos de esta manera impedirá que se abra un agujero en la labor (superior izquierda). Teja de la misma forma en las vueltas del revés (inferior izquierda).

CÓMO LLEVAR LOS COLORES POR DETRÁS DE LA LABOR

Cuando realice muestras multicolores, deberá alternar dos o más ovillos de hilo o lana. La lana que no se usa se ha de llevar por detrás de la labor hasta que se necesite. Se suelen utilizar dos técnicas: pasar hebras y tejerlas. Pasar hebras es adecuado para distancias cortas (de 5 o menos puntos); en cambio, es mejor tejerlas si la hebra ha de pasar por detrás de 6 o más puntos.

CÓMO PASAR HEBRAS

Las hebras, que también se llaman bastas, pueden dificultar el trabajo. Las bastas se han de llevar por detrás de la labor con la tensión correcta, ni demasiado flojas ni demasiado tirantes. Si utiliza más de dos hilos, tendrá que cogerlos y dejarlos a medida que los necesite.

Si sólo tiene dos colores en una vuelta a punto derecho, sujete uno en cada mano utilizando el método que le mostramos en la página 15 (*arriba izquierda*). Para las vueltas con punto revés (*abajo izquierda*), siga las instrucciones para sujetar el hilo que le damos en la página 16.

No haga hebras más largas que de 5 puntos, y procure que tengan la misma tensión que los puntos tejidos.

CÓMO TEJER HEBRAS

En este método, el hilo que se arrastra se lleva alternativamente arriba y abajo de cada punto que se hace, de forma que quede entretejido. Se teje mejor utilizando las dos manos. Puede combinar esta técnica con la de pasar hebras; por ejemplo, puede pasar una hebra hasta el tercer punto y entretejerla a partir de aquí, el tejido resultante será más elástico y de acabado más suave.

Hilo por encima del punto

Sujete una hebra en cada mano y teja un punto al derecho (*izquierda*) o uno al revés (*derecha*) con el primer color y, a la vez, lleve el segundo color sobre la punta de la aguja derecha.

Hilo por debajo del punto

Con una hebra en cada mano, teja un punto al derecho (*izquierda*) o uno al revés (*derecha*) con el primer color manteniendo el segundo color debajo del primero.

Cara derecha de la labor pasando hebras

Revés de la labor

Vista frontal de la labor con la técnica de hebras tejidas

Revés de la labor

TEJER A PARTIR DE UN ESQUEMA

LOS ESQUEMAS de puntos para tejer en color se dibujan a menudo sobre papel cuadriculado. Cada cuadrado representa un punto y cada línea horizontal de cuadrados, una vuelta. El más fácil es el esquema donde los cuadrados estén coloreados; tiene además la ventaja de dar una visión previa del resultado.

Pero muchos esquemas están impresos en blanco y negro, con diferentes símbolos para indicar los colores. Estos esquemas van acompañados de una clave, y tan sólo repiten una vez el dibujo. En el caso de un suéter multicolor, el esquema puede representar toda la prenda.

Los esquemas se leen de abajo arriba; suelen tomar como base el punto jersey, donde la primera y todas las vueltas impares se tejen de derecha a izquierda a punto derecho, y todas las vueltas pares, a punto revés de izquierda a derecha. El cuadrado inferior derecho es el primer punto de una muestra. Coloque una regla bajo cada vuelta para saber cuál es la que está tejiendo. Si teje en redondo (ver página 60), el lado derecho de la labor estará siempre de cara a usted, por lo que deberá leer el esquema de derecha a izquierda.

CLAVE

- ● Rojo
- △ Verde
- + Amarillo
- ☐ Azul

Los dibujos tipo
jacquard se suelen
representar con
esquemas

FLOR DE LIS ▶
Múltiplo de 6 pts más 3

Vueltas 1 y 3: D3 CP, *d1 CC, d5 CP; rep desde * hasta el final, llevando los hilos por detrás de la labor.
Vuelta 2: R1 CC, *r3 CP, r3 CC; rep desde * hasta los últimos 2 pts, r2 CP.

Vueltas 4 y 6: R2 CP, *r1 CC, r5 CP; rep desde * hasta el último pt, r1 cc.
Vuelta 5: D2 CC, *d3 CP, d3 CC; rep desde * hasta el último pt, d1 CP.
Repita las vueltas 1 a 6 para formar la muestra.

◀ MUESTRA DE PUNTOS Y CUADROS
Múltiplo de 7 pts más 4

Vuelta 1 (lado derecho de la labor): Con CP, d.
Vuelta 2: con CP, r.
Vuelta 3: con CC, d1, desl 2, *d5, desl 2; rep desde * hasta el último pt, d1.
Vuelta 4: con CC, r1, desl 2, *r5, desl 2; rep desde * hasta el último pt, r.
Vuelta 5: con CP, d3, *desl 2, d1, desl 2, d2; rep desde * hasta el último pt, d1.
Vuelta 6: con CP, r3, *desl 2, d1, desl 2, r2; rep desde * hasta el último pt, r1.
Vueltas 7 y 8: como vueltas 3 y 4.
Repita las vueltas 1 a 8 para formar la muestra.

CANALÉ BICOLOR ▼
Múltiplo de 4 pts

Vuelta 1: *D2 CP, r2 CC; rep desde * hasta el final, llevando los hilos por detrás de la labor.
Vuelta 2: *R2 CP, d2 CC; rep desde * hasta el final.
Repita las vueltas 1 a 2 para formar la muestra.

MUESTRA TIPO LLAVE GRIEGA ▲
Múltiplo de 10 pts más 2

Vuelta 1 (lado derecho de la labor): Con CP, d.
Vuelta 2: con CP, r.
Vuelta 3: con CC, d1, *d8, sl 2; rep desde * hasta el último pt, d1.
Vuelta 4 y cada vuelta alt: usando el mismo color de la vuelta anterior, teja al revés, deslizando todos los puntos deslizados en la vuelta anterior.
Vuelta 5: con CP, d1, *desl 2, d4, desl 2, d2; rep desde * hasta el último pt, d1.
Vuelta 7: con CC, d1, *d2, desl 2, d4, desl 2; rep desde * hasta el último pt, d1.
Vuelta 9: con CP, d1, *desl 2, d8; rep desde * hasta el último pas, d1.
Vuelta 11: con CC, d.
Vuelta 13: con CP, *d4, desl 2, d4; rep desde * hasta los últimos 2 pts, d2.
Vuelta 15: con CC, d2, *desl 2, d2, desl 2, d4; rep desde * hasta el final.
Vuelta 17: con CP, *d4, desl 2, d2, desl 2; rep desde * hasta los últimos 2 pts, d2.
Vuelta 19: con CC, *d6, desl 2, d2; rep desde * hasta los últimos 2 pts, d2.
Vuelta 20: como vuelta 4.
Repita las vueltas 1 a 20 para formar la muestra.

ZIGZAG ▼
Múltiplo de 12 pts más 3

Monte con CP y teja una vuelta.
Vuelta 1 (lado derecho de la labor): Con CC, d1, desl 1, d1, pptde, *d9, desl 2, d1, p2ptde; rep desde * hasta los últimos 12 pts, d9, d2jun, d1.
Vuelta 2: con CC, d1, *r1, d4 (d1, hsa, d1) en el pt siguiente, d4; rep desde * hasta los últimos 2 pts, r1, d1.
Vueltas 3 y 4: con CP, rep vueltas 1 y 2.
Repita las vueltas 1 a 4 para formar la muestra.

Este modelo tan cómodo está tejido a través, de puño a puño

SUÉTER MULTICOLOR

Este jersey multicolor se ha realzado con muestras asimétricas que lo hacen más personal y atractivo.
(ver página 228)

Los canalés bicolores no son muy elásticos, pero resultan un acabado muy atractivo para una prenda tejida con muestra. Tradicionalmente, se utiliza el punto tipo Jacquard.

◄ FLORENTINO
Múltiplo de 24 pts más 2

Monte con CP y teja una vuelta a punto revés.

Vuelta 1 (lado derecho de la labor): con CC, d1, *desl 1 , d2; rep desde * hasta el último pt, d1.

Vuelta 2: con CC, d1, *r2, desl 1; rep desde * hasta el último pt, d1.

Vuelta 3: con CP, d1, *d1, desl 1, [d2, desl 1] 3 veces, d3, [desl 1, d2] 3 veces, desl 1; rep desde * hasta el último pt, d1.

Vuelta 4: con CP, d1, *desl 1, [r2, desl 1] 3 veces, r3, [desl 1, r2] 3 veces, desl 1, r1; rep desde * hasta el último pt, d1.

Vuelta 5: con CC, d1, *d2, [desl 1, d2] 3 veces, desl 1, d1, desl 1, [d2, desl 1] 3 veces, d1; rep desde * hasta el último pt, d1.

Vuelta 6: con CC, d1, *r1, [desl 1, r2] 3 veces, sl 1, r1, desl 1, [r2, desl 1] 3 veces, r2; rep desde * hasta el último pt, d1.

Vueltas 7 y 8: con CP, rep vueltas 1 y 2.

Vueltas 9 y 10: con CC, rep vueltas 3 y 4.

Vueltas 11 y 12: con CP, rep vueltas 5 y 6.

Repita las vueltas 1 a 12 para formar la muestra.

DIBUJOS CON LANAS DE COLORES

TEJER CON HILOS DE COLORES puede ser tan sencillo o complicado como se quiera. Se puede copiar cualquier dibujo sobre papel cuadriculado para ser pasado después a tejido; pero cuantos más colores tenga en una vuelta, más práctica necesitará para dominar las técnicas de coger y unir el nuevo color, llevando los colores que no usa por detrás de la labor. En los esquemas más complicados se combinan las técnicas de pasar hebras y tejerlas con la intarsia. Un ejemplo lo encontrará en el dibujo Rosa antigua mostrado en la página 55.

Puede usar la mayoría de estos motivos solos o repetidos y colocarlos en fila o en diagonal. Para copiarlos, dibújelos en papel cuadriculado y páselos a la medida requerida.

Lazo grande

Puede utilizar un solo dibujo grande para ser tejido sobre un bolsillo o una cenefa sobre el borde de un suéter. Distancie los motivos a su gusto, pero ha de tener en cuenta que los colores que escoja afectarán al aspecto de la muestra; evite usar fondos demasiado fuertes.

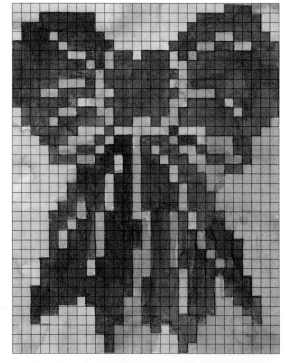

Lazos pequeños

Se puede tejer una línea de pequeños lazos que tengan el mismo color, colores alternados o una hilera con colores diferentes. Utilice una pequeña cenefa como ésta alrededor de las mangas y del borde de una chaqueta.

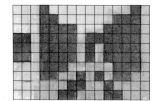

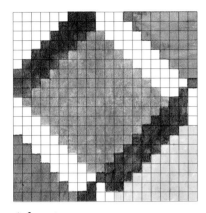

Arlequín

Los diamantes multicolores de la muestra están rodeados por un armazón que forma líneas blancas y negras entrelazadas. Utilícelo en chalecos, chaquetas y suéters en colores brillantes o apagados; creará una prenda que será un clásico moderno. Observe que al tejer la forma se ensancha.

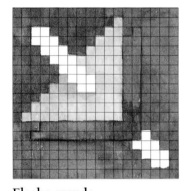

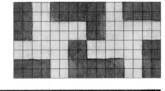

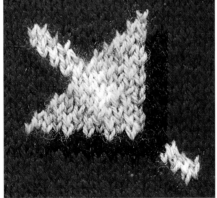

Flecha grande

Una forma geométrica bien marcada (*derecha*) puede utilizarse como dibujo aislado, pero también puede alternar flechas pequeñas y grandes en una labor o combinar diferentes motivos de la misma medida.

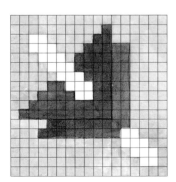

Flecha pequeña

Tejida con colores brillantes, este dibujo (*izquierda*) es ideal para jerseys infantiles. Puede utilizarla sola, o combinada con la Flecha grande.

Pata de gallo

Es una muestra tradicional (*arriba*) que se utiliza en tweeds, pero se puede adaptar fácilmente al tejido con agujas. Utilice tonos naturales para hacer los clásicos chalecos y suéters masculinos.

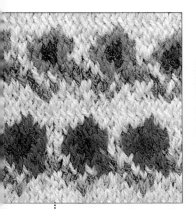
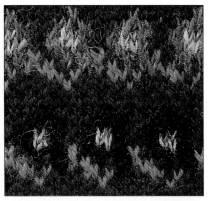
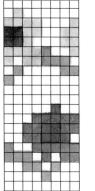
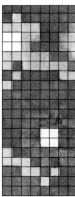

Flores bávaras

Las pequeñas y sencillas hileras tejidas repitiendo el esquema (*izquierda*) pueden utilizarse para toda una prenda. El uso de colores claros u oscuros determina el efecto final.

Amapolas galesas

Para conseguir una combinación de color más cálida, deberá tejer las flores en rojos brillantes. Este motivo (*abajo izquierda*) se aplica a chaquetas o rebecas.

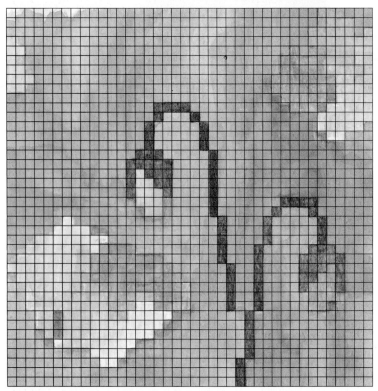

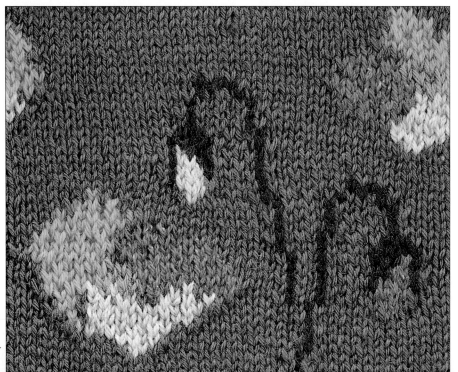

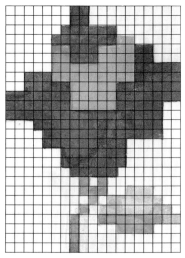

Flor púrpura

Al utilizar seis colores, la forma sencilla de esta bonita flor (*arriba*) adquiere una gran riqueza de matices.

Rosa antigua

Es un esquema de la
clásica Rosa antigua
(*derecha*) que nos recuerda
las antiguas tapicerías
con sus pétalos y hojas
cuidadosamente
matizados. Utilice este
motivo solo y tejido
sobre una rebeca de vestir.

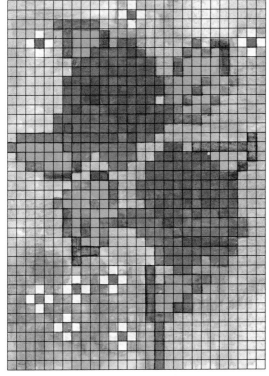

Anémona simple

Este motivo de flor y hojas
(*abajo*) se puede distribuir
sobre el fondo formando
líneas diagonales. Los bordes del dibujo se han de
tejer cuidadosamente.

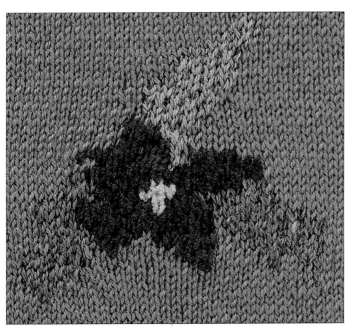

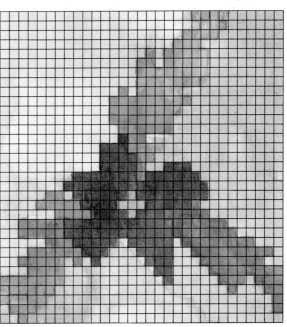

Cenefa de anémonas

Esta cenefa de flores
con pétalos que se
superponen (*derecha*)
se adapta para diferentes
tonos de color. Utilícelo
como borde sobre
una chaqueta para
realzar la muestra
Anémona simple.

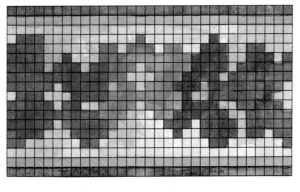

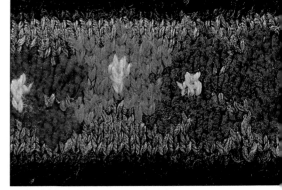

ROPA DE ABRIGO CON COLORIDO

LAS BUFANDAS Y SUÉTERS se suelen alegrar con puntos multicolores, pero el color se puede utilizar de formas diferentes. Aquí les mostramos un suéter, una chaqueta y una bufanda realizados con distintas técnicas. La muestra tipo Cabaña de troncos consiste en bloques de color tejidos con la técnica de intarsia. La chaqueta se ha tejido en un color base con puntos contrastados y se han bordado las flores al final. La bufanda es una labor excelente para un principiante: es de bandas multicolores y se ha realizado alternando franjas de punto de avellana doble entre ellas.

SUÉTER CON MUESTRA TIPO CABAÑA DE TRONCOS

Este jersey de cuello alto realizado con lana gruesa jaspeada será cómodo y cálido en invierno y es increíblemente rápido y fácil de hacer. La lana jaspeada alegra las sencillas mangas y la espalda del jersey (ver página 230).

Este cálido jersey se termina con un cuello vuelto realizado en punto canalé

El diseño conocido como Cabaña de troncos realza un jersey

REBECA BORDADA
CON LANA FINA

*Una rebeca clásica de cuello redondo
se transforma en una prenda elegante al
añadir alegres amapolas y hojas bordadas.
Esta prenda realizada a punto jersey
con lana gruesa es muy rápida de tejer
(ver página 230).*

El punto de avellana doble ha
añadido textura a esta cálida
bufanda rayada

Sobre esta rebeca azul lisa,
se ha utilizado lana de
bordar para las flores a
punto de satén corto
y largo; los contornos
son a punto de tallo

BUFANDA MULTICOLOR

*Confeccionada con lana gruesa de colores brillantes, se teje rápida-
mente y es una buena idea para utilizar los restos de lanas. Utilice
dos cabos de lana normal para conseguir el mismo aspecto que la
lana gruesa (ver la página 232).*

Punto de avellana doble
El punto de avellana doble es uno de los puntos en relieve más
conocidos y fáciles de hacer: tiene más textura que los botones.

Para realizar un punto de avellana doble:
D por delante y detrás del punto dos veces, deslice
entonces el 2.º, 3.º y 4.º pts sobre el primer punto.
El tamaño se puede variar al tejer más o menos
veces sobre un punto.

BORDADO DE PRENDAS TEJIDAS A MANO_i

UNOS SENCILLOS PUNTOS DE BORDADO enriquecen cualquier prenda añadiendo color y textura. A continuación, les mostramos cuatro de los puntos más populares: zurcido suizo, punto de cruz, largo y corto, y nudos entorchados o de carril.

El zurcido suizo sigue los mismos puntos que el punto jersey y se puede usar en lugar de tejer con colores distintos (ver página 46) para hacer dibujos o combinado con esta técnica, para añadir áreas de color. El punto de cruz es rápido y fácil de hacer y los nudos entorchados añaden una textura particular. Los puntos lanzados largos y cortos son útiles para rellenar espacios en bordado libre. Pero también puede experimentar con otros puntos, como el de cadeneta, el punto de margarita o las bastillas.

NOCIONES BÁSICAS PARA BORDAR SOBRE PUNTO

Es más fácil bordar antes de ensamblar la prenda, pero después de haberle dado forma (ver página 64). La regla de oro es seguir el tejido. No tense demasiado los puntos de bordado, porque el bordado tirará; teja siempre con una aguja de tapicería de punta roma o con una aguja lanera para evitar que los puntos tejidos se partan. Borde con una lana del mismo tipo y grosor que el tejido (si la lana con la que teje es demasiado fina, se hundirá entre los puntos tejidos y si es demasiado gruesa, tirará del punto y tendrá un aspecto abultado y tenso). En lugar de lana para tejer también se usan hilos tipo mouliné o lana de tapicería, que se pueden conseguir en pequeñas cantidades y resultan económicas, además de tener una amplia gama de bonitos colores. Tenga también en cuenta que puede necesitar varias hebras para igualar el grosor de la lana tejida.

El zurcido suizo sobre un bolsillo bordado se utiliza para dibujar iniciales o monogramas

Zurcido suizo sobre filas verticales en punto jersey

1 Lleve la aguja al lado derecho de la labor y hágala salir por la base de un punto tejido (base de la forma en V). Introduzca la aguja de derecha a izquierda por detrás del punto tejido encima y tire del hilo ajustándolo sobre el punto.

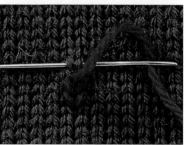

2 Inserte la aguja en el mismo lugar del que sacó el hilo para el primer medio punto. Saque la aguja por el lugar por donde se cruzan las hebras del punto superior.

Zurcido suizo sobre líneas horizontales en punto jersey

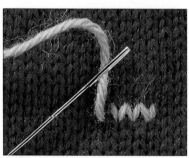

1 Saque la aguja por el lado derecho de la labor en el lugar donde se cruzan las hebras en la base de un punto tejido. Introduzca la aguja de derecha a izquierda por detrás del punto tejido encima y tire del hilo ajustándolo sobre el punto.

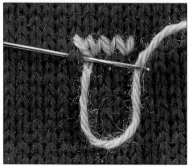

2 Inserte la aguja en el mismo lugar de donde sacó el hilo para el primer medio punto. Saque la aguja por el lugar donde se cruzan las hebras del siguiente punto de la izquierda.

Punto de cruz

1 Saque la aguja por el lado derecho de la labor y en la parte inferior de un punto tejido. Haga un punto diagonal hacia la derecha. Haga salir la aguja directamente debajo y tire del hilo ajustándolo al tejido.

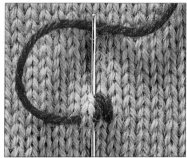

2 Para completar la cruz, introduzca la aguja directamente por encima de donde salió el primer hilo. Si desea hacer un segundo punto de cruz, saque la aguja por la parte inferior izquierda y vuelva al paso 1.

Punto de tallo

Teja de izquierda a derecha haciendo puntos atrás inclinados. El hilo debe salir siempre a la izquierda del punto anterior.

Puntos lanzados cortos y largos

1 Hilvane el borde exterior con un hilo de color contrastado (después se saca). Cuente las líneas de puntos verticales y saque la aguja por delante de la labor a unos dos puntos del borde.

2 Introduzca la aguja por el borde y sáquela a la izquierda del punto bordado anteriormente, pero un punto por debajo. Repita alternando puntos largos y cortos siguiendo el borde cuidadosamente. Teja los puntos de las líneas siguientes hasta recubrir el dibujo.

Nudo entorchado

1 Similar al Nudo francés (ver página 135), se puede tejer solo o en racimos. Saque el hilo por el lado derecho de la labor en el lugar escogido para el nudo. Haga un punto atrás de la medida necesaria para el nudo(s) y saque la aguja cerca del primer punto.

Enrolle el hilo alrededor de la punta de la aguja tantas veces como sea necesario para igualar la longitud del punto atrás.

2 Coloque el pulgar sobre el hilo enrollado y tire de la aguja a través de la espiral de hilo. Introduzca de nuevo la aguja en el lugar donde se insertó primero y tire del hilo por detrás de la labor hasta que el nudo entorchado quede plano.

Se pueden combinar varios puntos para conseguir el efecto deseado

Las flores se tejen con puntos lanzados cortos y largos, mientras que el centro está formado por nudos

TEJER EN REDONDO

TEJER EN REDONDO es una técnica más antigua que la de plano; la mayoría de las piezas antiguas y prendas tradicionales que verá en museos se han tejido de esta forma. Ya que se teje como una espiral continua, no hay costuras y la prenda es más resistente. Otra ventaja es que usted ve siempre el lado derecho de la labor, de forma que si teje una muestra con colores, puede verla claramente en todo momento. El punto jersey se simplifica porque teje siempre al derecho las vueltas en redondo. Tejiendo todas las vueltas a punto revés obtendremos el tejido punto revés.

Existen dos técnicas básicas para tejer en redondo: con una aguja circular flexible, o con cuatro o más agujas rectas de doble punta. Una aguja circular puede tener el triple de puntos que una recta, por lo que es la mejor forma de tejer prendas grandes, como jerseys. En cambio, las prendas pequeñas, como calcetines, cuellos y guantes, se suelen confeccionar con cuatro o más agujas rectas.

GUANTES Y GORRO NÓRDICOS

Los diseños nórdicos son muy populares para gorros y guantes cálidos. Al tejer en redondo la parte derecha del dibujo está siempre de cara (ver página 232).

Los guantes realizados con agujas de doble punta están decorados por delante y por detrás

Este gorro de esquí de tipo nórdico se ha decorado con un pompón

UTENSILIOS ESPECIALES

Se pueden encontrar agujas circulares de varias medidas. Las más cortas son adecuadas para tejer cuellos o tiras y las largas se usan para grandes piezas rectas. Los marcadores de colores son útiles para marcar el final de una vuelta. Las agujas de doble punta se compran en juegos de cuatro o más, en diferentes longitudes.

Marcadores de colores

Aguja circular

Juego de agujas de doble punta

CÓMO TEJER CON AGUJA CIRCULAR

Escoja una aguja circular que sea unos 5 cm más pequeña que la circunferencia, así se evita que los puntos queden estirados. Si no ha tejido nunca con este tipo de aguja, debe hacerlo como si cada punta fuera una aguja separada.

Deslice un marcador de color al principio de la primera vuelta

1 Monte los puntos que necesite y deslice un marcador entre el primer y último punto, de forma que vea donde empieza la primera vuelta. Sujete la punta de la aguja con el último punto montado en la mano derecha y la punta, con el primer punto montado en la izquierda. Compruebe que no hay puntos torcidos asegurándose de que el borde de los puntos montados mira hacia el centro de la aguja. Cuando teja el primer punto de la vuelta tire firmemente del hilo para evitar que se haga un agujero.

2 Siga tejiendo hasta llegar al marcador y deslícelo entonces. Después, empezará la segunda vuelta. Compruebe de nuevo que no haya puntos girados. Si los hubiera, deberá deshacer la primera vuelta, porque no se pueden corregir de ninguna otra forma.

Cómo tejer piezas planas con una aguja circular

El último punto montado está sobre la punta izquierda

Una aguja circular es ideal para tejer grandes piezas planas. Sujete la punta de la aguja que tiene el último punto montado en la mano izquierda y la punta con el primer punto montado, en la derecha. Teja la vuelta como si se tratase de agujas normales, siguiendo hasta el último punto; gire después la labor de forma que el lado del revés esté de cara a usted. Teja esta vuelta del revés. Continúe trabajando por delante y por detrás, alternando puntos al derecho y al revés.

CÓMO TEJER CON AGUJAS DE DOBLE PUNTA

Las agujas de doble punta se suelen comprar de cuatro en cuatro, pero algunas veces se usan seis agujas en una labor. La técnica es siempre la misma: se utiliza una aguja para tejer los puntos que están divididos por igual entre las otras agujas.

1 Para tejer con 4 agujas: tome 3 y monte una tercera parte de los puntos sobre cada una de ellas. Cuando complete los puntos sobre una aguja, mantenga la siguiente de forma paralela por encima y con la punta un poco más a la izquierda que la anterior (como alternativa, también puede montar todos los puntos sobre una aguja y dividirlos después entre las otras).

2 Coloque las 3 agujas formando un triángulo y asegurándose de que los bordes inferiores de todos los puntos están encarados hacia el centro. Sitúe el marcador después del último punto.

3 Utilice la cuarta aguja para tejer el primer punto montado. Tire firmemente del hilo en este punto para evitar que produzca un agujero en la labor. Cuando haya tejido todos los puntos de la primera aguja, utilícela para tejer los de la segunda, que deberá usar después para tejer los puntos de la tercera aguja.

El marcador señala dónde empieza la vuelta siguiente

4 Continúe tejiendo de esta forma, sujetando las 2 agujas con las que teje como lo hace de forma habitual y dejando las agujas que no usa por detrás de la labor. Cuando llegue al marcador, deslícelo y siga tejiendo.

OJALES

EXISTEN CUATRO tipos básicos de ojales: horizontales, verticales, redondos y presillas. El horizontal es resistente y también es más común, adecuado para prendas ligeras y de peso medio. El tipo vertical es preferible cuando se tira verticalmente del tejido, como en los bolsillos. Los ojales redondos son apropiados para botones pequeños o para ropa de bebé (ver ojetes en página 43). Los bucles se emplean en chaquetas gruesas, y se cosen en el borde del tejido.

Es esencial que la medida y posición del ojal sean los apropiados para el botón. En general, el ojal horizontal debe ser un punto más largo que el botón, mientras que el ojal redondo y la presilla son de la misma medida.

Ojal horizontal

Teja hasta llegar a la posición. Por el lado derecho de la labor, cierre el número de puntos que necesite y siga tejiendo. En la vuelta siguiente, llegue al punto anterior al ojal y téjalo por delante y por detrás. Monte un punto menos que los que ha cerrado. Siga tejiendo hasta el final de la vuelta.

Ojal vertical

Gire la labor al llegar a la base del ojal y coloque los puntos que no va a usar en una aguja suplementaria. Teja el primer grupo de puntos hasta conseguir la profundidad deseada, acabando con una vuelta por el lado derecho. Coja un nuevo hilo y en el segundo grupo de puntos, haga una vuelta menos que en el primer grupo. Deslícelos a la aguja original y siga tejiendo.

Presilla

Marque los dos puntos de fijación por el revés de la labor. Después, utilizando una aguja de punta roma, deberá fijar firmemente el hilo sobre uno de los puntos y hacer una lazada hasta la segunda marca asegurándola con un pequeño punto. Continúe haciendo lazadas hasta conseguir el grosor deseado. Cúbralas a punto de ojal.

Punto de ojal

Se utiliza para cubrir presillas (*arriba*) y rematar otros tipos de ojal. Teja desde la derecha usando una aguja de punta roma. Saque el hilo por el lado derecho de la labor, justo por debajo del borde. Haga un punto recto hacia abajo manteniendo el hilo por debajo de la aguja y tire hasta formar una lazada anudada en el borde del ojal. Repita confeccionando un punto junto a otro.

Margen para botones

En algunas prendas puede necesitar un margen para botones. Es el espacio donde éstos se cosen. Para tejer un margen, tan sólo deberá montar, al final de la vuelta, el número de puntos adicionales requeridos y tejerlos junto con los otros puntos hasta conseguir la profundidad deseada. Ciérrelos cuando termine.

Botones tejidos

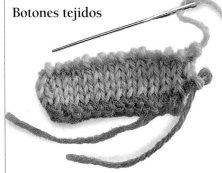

Monte 14 puntos con un resto de hilo y teja 5 vueltas con la lana para el botón, cortando la hebra a unos 20 cm. Pase ahora este cabo por los puntos de la última vuelta. No coja el resto de hilo. Pase a continuación otra hebra a través de los bucles, tire fuertemente de los dos cabos y átelos. Rellene estos botones con lana y cósalos; utilice hilo para hacerlo.

ADORNOS Y ACCESORIOS

UN ADORNO ADECUADO puede ser el detalle que dé personalidad a su prenda. Los pompones alegran un gorro infantil, unos flecos son el borde ideal de una bufanda y las borlas de adorno hacen que una chaqueta sea más bonita, o bien dan un acabado más profesional a la decoración de su hogar. Todos estos acabados se pueden hacer con el mismo hilo de la labor o con uno de color contrastado.

Pompones

1 Corte dos círculos de cartón a la medida deseada; en el centro, recorte un agujero de aproximadamente un tercio del diámetro total. Coloque los dos círculos juntos y enrolle el hilo como en la fotografía.

2 Continúe enrollando el hilo hasta que los agujeros centrales estén completamente llenos. Si se termina la lana enrolle la nueva hebra dejando el cabo en el borde exterior.

Ate firmemente el hilo entre los círculos de cartón

3 Corte la lana de los bordes, separe un poco los círculos de cartón y enrolle fuertemente una hebra de lana que habrá pasado varias veces alrededor de las hebras centrales; asegúrelas con un nudo firme. Saque el cartón y esponje el pompón, recortándolo con unas tijeras afiladas.

Flecos

1 Enrolle el hilo alrededor de un rectángulo de cartón que sea algo más ancho que el fleco. Corte a lo largo de un borde para hacer las hebras. Coja ahora varias hebras y dóblelas.

2 Con un ganchillo, pase las hebras por el punto del borde de la prenda y forme un bucle por el que deberá introducir los cabos del hilo hasta formar un nudo. Ajuste y recorte los flecos.

Borlas de adorno

1 Enrolle el hilo alrededor de un cartón de la longitud deseada. Pase un hilo por las hebras del borde superior y átelas firmemente, dejando un cabo largo. Corte las hebras por el borde inferior.

2 Esconda el nudo y el cabo corto entre las hebras de la borla. Tome el cabo largo enrollándolo alrededor de las hebras para formar la parte superior; con una aguja, pase este cabo hasta la punta de la borla. Recorte los bordes si es necesario.

Pompón acabado y recortado

DAR FORMA Y PLANCHAR

ANTES DE UNIR las partes de una prenda deberá darles la forma adecuada. Hay que hacer que la pieza tenga las medidas indicadas en el patrón. Este proceso también disimula cualquier irregularidad de los puntos y aplana los bordes enrollados. Antes de dar forma, deberá tejer todos los cabos sueltos. La belleza de una prenda reside en su apariencia de confección artesanal. Procure no plancharla demasiado porque este rasgo se perdería.

CÓMO DAR FORMA

Necesitará una superficie amplia, plana y ligeramente acolchada; puede utilizar una mesa cubierta con una manta doblada y una sábana blanca encima. Coloque cada pieza con el lado del revés hacia arriba, alísela y sujete los bordes con alfileres pinchados sobre el acolchado. Procure no tirar o distorsionar demasiado la forma primitiva y asegúrese de que las vueltas del tejido siguen una línea recta. Ahora, con una cinta métrica, deberá comprobar la longitud y la anchura de las piezas comparándolas con los patrones. Estire o encoja las piezas según convenga y vuelva a sujetar colocando alfileres a intervalos cortos y regulares. Los bordes deben quedar lisos: si cada alfiler tira de un punto, está estirando demasiado o ha colocado pocos alfileres.

CÓMO PLANCHAR

Si se trata de lana o algodón, después de sujetar la prenda con alfileres, utilice una plancha caliente para la prenda colocando una tela de algodón húmeda encima. Como alternativa, puede usar una plancha de vapor pasándola cerca del tejido, pero sin tocarlo. Déjelo hasta que esté completamente seco. En hilos sintéticos lea las instrucciones de la etiqueta.

Punto jersey y punto de musgo

Planche o vaporice cada parte del tejido. Si plancha, deberá levantar y volver a aplicar la plancha sobre la superficie, ya que si la moviera por los puntos se distorsionarían.

Dibujos gofrados

Mantenga la plancha de vapor o el vaporizador por encima del tejido. Si plancha, deberá utilizar una tela húmeda y sacar inmediatamente los alfileres; después, dé pequeños golpes por el revés de la muestra para devolverla a la forma original y evitar que quede aplastada.

Canalé

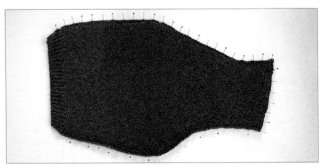

Dé forma a la pieza según las medidas de las instrucciones

Si toda la prenda está realizada en punto canalé, deberá sujetarla poco para que no quede tensa. No ponga alfileres en el canalé si forma el borde de una prenda a punto jersey. Inmediatamente después de planchar o vaporizar deberá sacar los alfileres de la prenda y dar la forma correcta al canalé.

COSTURAS

DESPUÉS DE HABER TEJIDO TODAS LA PIEZAS de una prenda deberá coserlas juntas. No se apresure, puesto que las costuras mal acabadas dan un aspecto deplorable a la más bonita de las prendas. Para coser costuras se utiliza una aguja lanera de punta redonda e hilo acorde con la prenda. Si el hilo utilizado para tejer no es suave, utilice un hilo liso del mismo color o ligeramente más oscuro que el primero, pero asegúrese de que las instrucciones de lavado sean las mismas para los dos. Para bordes rectos es recomendable la costura con punto de escalera, que puede ser prácticamente invisible. Las costuras realizadas con punto atrás forman un pequeño borde por el lado interno de la prenda. Para unir dos piezas de tejido horizontal, use el método de injerto.

INSTRUCCIONES PARA UNIR UNA PRENDA

Deberá seguir las instrucciones de ensamblaje que se incluyen en las instrucciones de la prenda (si existen), ya que las de algunos dibujos o patrones especiales pueden variar ligeramente con respecto a los pasos que indicamos a continuación:

1 Costuras de los hombros
2 Colocación de las mangas (*ver más abajo*)
3 Costuras de las mangas y laterales: cósalas formando una costura continua
4 Cuello: cosa el lado derecho del cuello sobre el revés de la línea de cuello haciendo coincidir el punto de "centro espalda" de las dos piezas
5 Tapetas para botones
6 Bolsillos
7 Dobladillos

Costura con punto atrás

Coloque las piezas con los lados derechos encarados, cuidando que las vueltas coincidan punto por punto. Sujételas con un hilván de color contrastado. Cosa a punto atrás siguiendo la costura y a unos 6 mm del borde, por el centro de cada punto y comprobando que los puntos sean los mismos en las dos piezas. Para hacer el punto atrás, saque la aguja un punto por delante del principio, introdúzcala un punto por atrás y sáquela despés un punto por delante de donde sale el hilo. Repita hasta el final y saque el hilván.

Costura con punto de escalera

Sujete las dos piezas con la mano izquierda, colocándolas borde a borde y con los dos lados derechos hacia usted. Haga que las vueltas de las dos piezas coincidan. Coja la hebra que hay entre el 1º y 2º puntos de un borde y después, la hebra entre el 1º y 2º puntos del otro. La tensión de la costura debe ser igual a la del tejido.

Cómo colocar las mangas

La copa de manga suele ser un poco más grande que la sisa. Siga las indicaciones siguientes para que se adapten bien. Doble la manga por la mitad y marque el centro de la copa. Hágala coincidir con la costura del hombro y sujétela con alfileres. Una las dos piezas adaptando la manga y sujete con alfileres. Cosa la manga en la sisa.

Uniones tipo injerto

Saque los puntos de las agujas; para evitar que se deslicen, deberá planchar ligeramente con una plancha de vapor o pasar un hilo por los puntos. Coloque las dos piezas sobre una superficie acolchada, con el lado derecho hacia arriba y los bordes encarados. Hilvane con una aguja de tapicería con una hebra de hilo o lana que sea tres veces más larga que la costura.

Introduzca la aguja desde atrás y hacia delante por el primer bucle de la pieza inferior.
*Inserte la aguja desde delante hacia atrás por el primer bucle de la pieza superior y después, de atrás hacia delante por el segundo bucle de arriba.

Introduzca la aguja desde delante hacia atrás en el primer bucle de abajo y después, de detrás hacia delante por el 2º bucle inferior. Repita desde * pasando siempre de delante hacia atrás a través de un bucle por el que ya haya pasado de atrás hacia delante.

TOMAR MEDIDAS

SI DESEA que el patrón de una prenda se adapte perfectamente, o si quiere variar el que existe, tendrá que tomar medidas exactas para compararlas después con las medidas que se indican al principio de las instrucciones de la prenda. Muchas instrucciones dan la medida del cuerpo y la medida final de la prenda una vez tejida; estos datos facilitan la adaptación. Compare sus medidas con las indicadas en las instrucciones. Después de tejer una muestra de tensión (ver página 24), tendrá toda la información necesaria para variar la holgura de la prenda, cambiar medidas o tejer la prenda con un punto diferente.

CÓMO TOMAR MEDIDAS

Para conseguir un mejor ajuste, las medidas se deben tomar en ropa interior. Si quiere tomarse usted las medidas, le recomendamos que pida a alguien que le ayude a sujetar la cinta métrica recta.

Medidas corporales básicas

Sisa: desde la punta del hueso del hombro hasta 2,5 cm por debajo de la axila.
Longitud de hombros: desde la base del cuello hasta la punta de un hombro.

Desde sisa a cintura: desde 2,5 cm por debajo de la axila hasta la cintura.
Manga: desde 2,5 cm por debajo de la axila hasta la muñeca tomando la medida con el brazo doblado. **Parte exterior del brazo:** desde la punta del hombro hasta la muñeca.
Longitud total de espalda: desde la base del cuello hasta la longitud requerida.

Muñeca: tome la medida alrededor del hueso de la muñeca.

Anchura de espalda: cruce la espalda midiendo la distancia entre punta y punta de hombros, 7,5 cm por debajo del cuello para un niño, 12,5 cm para una mujer y 15 cm para un hombre.

Pecho o busto: pase la cinta métrica recto por la espalda, debajo de los brazos y por la parte más ancha del frente.
Cintura: tome las medidas por la parte más estrecha. Procure que no sean demasiado ajustadas.
Cadera: tome las medidas por la zona más ancha que está a unos 22,5 cm por debajo de la cintura.

Para un sombrero

1 Circunferencia: tome las medidas rectas alrededor de la cabeza y a la altura de media frente.
2 Diámetro: tome medidas cruzadas de punta a punta de las orejas y desde media frente a la base del cráneo.

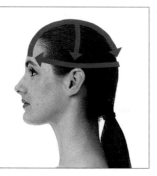

COMO CAMBIAR UN PATRÓN

Teja un cuadrado de muestra de la tensión necesaria y cuente los puntos por cada 2,5 cm. Por ejemplo, para que las prendas sean más anchas a la altura del pecho, deberá calcular los puntos adicionales que necesita. Añada entonces los puntos repartiéndolos por delante y por detrás de la prenda para obtener la medida requerida. Recuerde que algunas muestras necesitan unos puntos fijos para repetir el dibujo completo.
Si quiere tejer su prenda en un punto diferente, deberá comprobar primero que la tensión sea la misma que la original y si no lo es, tendrá que cambiar de aguja o hacer los ajustes de anchura y longitud necesarios.

CUIDAR LAS PRENDAS

LAS PRENDAS TEJIDAS A PUNTO pueden deformarse si no se lavan y secan con cuidado. Deberá manejarlas con cautela, sobre todo si están húmedas. Algunos hilos y lanas con un acabado especial pueden lavarse a máquina, pero la mayoría de los hilos saldrán ganando si los sacude ligeramente antes de colocarlos planos para secar. Compruebe primero las instrucciones en la etiqueta, pero si tiene alguna duda utilice el método que le mostramos a continuación.

CÓMO EVITAR PROBLEMAS

A continuación le damos algunas ideas para mantener sus prendas en condiciones óptimas:

- No se deben cortar los nudos. Con una aguja de tapicería deberá llevar el hilo hacia atrás, asegurándolo con unos cuantos puntos pequeños por el revés si es necesario.
- Algunos hilos tienden a hacer bolitas (pequeñas bolas de pelusa producidas por el roce). Coloque la prenda plana y retire las bolas cuidadosamente con la mano. También puede sacarlas al cepillar hacia abajo con la punta de una esponja sintética que sea fuerte y esté seca, o utilizar las pequeñas maquinillas que venden para eliminarlas.
- El aspecto del mohair se puede mejorar al cepillar con una perchadora metálica.
- Las manchas deben eliminarse inmediatamente. La mayoría se suprimen con agua fría: dé pequeños golpes con una esponja húmeda, o bien empape el área donde está la mancha, pero no frote. Las manchas de base aceitosa se pueden eliminar con un disolvente apropiado, aplicado por el revés y según las instrucciones del fabricante. Enjuague después.

CÓMO LAVAR A MÁQUINA

Hágalo sólo si se indica en la etiqueta. Vuelva la prenda del revés y lávela en el ciclo adecuado. Antes de lavarla, para evitar que se estire, deberá colocar la prenda dentro de una funda de almohada lo suficientemente ancha. Lave utilizando el programa para lanas. Saque la prenda cuando esté húmeda y colóquela sobre una superficie plana, lejos de una fuente de calor o luz del sol directos hasta que tome su forma original. Déjela hasta que esté completamente seca.

La funda de almohada impide que, al girar el tambor de la máquina, la prenda se estire

CÓMO LAVAR A MANO

Las prendas más grandes se han de lavar separadamente y en agua tibia, utilizando un detergente suave, especial para punto. Si cree que los colores fuertes pueden desteñir, humedezca una esquina y presiónela sobre una tela blanca. Si aparece una mancha, utilice agua fría para los siguientes lavados, hasta que no lo haga más.

1 Introduzca la prenda en agua y jabón apretando y presionando la prenda arriba y abajo. No la frote ni la retuerza. Aclare varias veces con abundante agua tibia.

2 Para escurrir, apriete a fin de sacar el exceso de agua y enrolle la pieza con una toalla limpia para que absorba toda la humedad posible. Repita con una segunda toalla si es necesario.

3 Extienda la prenda sobre una superficie limpia lejos de cualquier fuente directa de calor y así le devolverá la forma original. Déjela hasta que esté completamente seca.

CÓMO GUARDAR LAS PRENDAS

El polvo puede deteriorar las prendas tejidas. Para evitar este problema, almacene las prendas de punto planas en un armario o cajón, pero no sobre un estante abierto. Lávelas siempre antes de guardarlas. No cuelgue nunca las prendas de punto, porque se pueden estirar y deformarse.

GANCHILLO

Grueso y llamativo, o ligero y semejante al encaje, el ganchillo es una técnica versátil y útil que se presta a usos diversos. Además es fácil de transportar porque sólo se necesita un ganchillo y una madeja formada por hilo de hebra continua aunque se teje un solo punto cada vez. Si usa ganchillos grandes y lanas gruesas puede confeccionar jerseys y sombreros tupidos. En cambio, si escoje un ganchillo e hilo finos puede realizar labores tan delicadas como el encaje; son muestras adecuadas para ropa de casa, como colchas, o para decorar prendas de vestir. Es fácil de tejer en forma recta o dando vueltas formando muestras tan populares como los cuadros mosaico, ideales para usar restos de hilos, o los medallones de encaje, creados con algodón más fino.

El ganchillo es un arte antiguo que se practica en todo el mundo. Constantemente se crean nuevas muestras de punto, y año tras año, nuevas generaciones de diseñadores redescubren su atractivo, la infinidad de muestras y la gran cantidad de hilos utilizables, por lo que no es extraño que siga gozando de tanta popularidad.

HILOS Y GANCHILLOS

ENCONTRARÁ GANCHILLOS de todas las medidas y materiales. Hay ganchillos finos de acero y otros grandes de aluminio, plástico o madera. No teja con las versiones baratas de plástico porque pueden tener bordes ásperos. Los hilos se venden a peso y/o longitud, pero para los principiantes será más fácil utilizar un hilo suave y pesado que no tienda a enredarse. Como norma general, cuanto más basto es el hilo, más grueso debe ser el ganchillo. Algunas veces, se recomienda en la etiqueta del hilo el número apropiado de ganchillo: use este dato como guía, pero es esencial obtener la tensión que se recomienda para cada labor (ver página 83). Los hilos de fantasía se pueden tejer con un ganchillo más grueso que el hilo suave de peso similar. Si utiliza más de un hilo en una prenda, compruebe que tengan las mismas instrucciones de lavado.

HILOS

Hay unos términos estándar que se utilizan para describir los tipos de hilo más usuales y sus posibles usos. Estos hilos están formados por diferente número de cabos hilados juntos; 2, 3 y 4 cabos son los más habituales. A menudo se confunden estos términos, por lo que proporcionamos una guía para conocerlos:

El hilo fino o de 2 cabos se suele utilizar para calados y puntillas. Tiene la mitad (o menos) de grosor que el de 3 cabos. El de 3 cabos se utiliza para prendas delicadas y ropa de bebé. El de 4 cabos es el tipo medio, se utiliza para jerseys, chaquetas o chales y es la base estándar para los otros hilos. La lana doble –de dos fonturas– es adecuada para chaquetas y jerseys más gruesos y equivale a dos hebras de 4 cabos. El peso del Arán equivale a tres hebras de 4 cabos y se emplea en chaquetas gruesas. La lana gruesa es ideal para prendas de abrigo, equivale a cuatro hebras de 4 cabos o a dos hebras de lana doble.

Hilo fino

3 cabos

4 cabos

Lana doble

Arán

Gruesa

GANCHILLOS

Los ganchillos de acero y de aluminio se encuentran en una amplia gama de números, pero también se utilizan ganchillos de madera. Para el ganchillo tipo tunecino se emplea el ganchillo largo de la derecha.

MEDIDAS DE LOS GANCHILLOS

Ganchillos de plástico y aluminio

Número	mm
2	7.00
3	6.50
4	6.00
5	5.50
6	5.00
7	4.50
8	4.00
9	3.50
10	3.25
11	3.00
12	2.50
13	2.25
14	2.00

Ganchillos de acero

Número	mm
000	3.00
00	2.50
0	–
1	2.00
1 ½	1.75
2 ½	1.50
3	1.25
4	1.00
5	1.00
5 ½	0.75
6	0.75
6 ½	0.60
7	0.60

CÓMO EMPEZAR

EL GANCHILLO, como el punto, se teje con una hebra de hilo cóntinua, pero sólo se utiliza un ganchillo para realizar un punto cada vez. Para empezar a tejer deberá hacer un nudo deslizado y continuar haciendo bucles (llamados cadenetas) hasta formar la cadeneta base sobre la que hará la primera vuelta. Puede sujetar el ganchillo y el hilo como prefiera, pero aquí le mostramos las dos formas más habituales de hacerlo. La tensión del hilo se controla, bien con el corazón o con el índice; practicando aprenderá a controlar el hilo para lograr cadenas uniformes.

PARA AFICIONADOS ZURDOS

Las ilustraciones muestran las posiciones del hilo y el ganchillo para una persona diestra. Si es zurdo deberá sujetar el hilo con la mano derecha y el ganchillo como indicamos, pero con la mano izquierda. Si le es de utilidad, coloque el libro delante de un espejo, así verá las posiciones correctas.

Cómo hacer un nudo deslizado

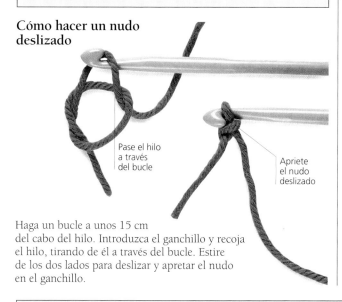

Pase el hilo a través del bucle

Apriete el nudo deslizado

Haga un bucle a unos 15 cm del cabo del hilo. Introduzca el ganchillo y recoja el hilo, tirando de él a través del bucle. Estire de los dos lados para deslizar y apretar el nudo en el ganchillo.

CÓMO SUJETAR EL GANCHILLO

Las dos formas son igualmente correctas, utilice la que le resulte más cómoda.

Posición tipo lápiz

Sujete la parte plana del ganchillo entre índice y pulgar y apóyelo en la mano como si fuera un lápiz.

Sujete el ganchillo como si fuese un lápiz

Posición tipo cuchillo

Sujete el ganchillo entre el pulgar y los otros dedos, con el pulgar sobre la parte plana y el cuerpo del ganchillo en la palma de la mano.

Sujete el ganchillo en la posición de un cuchillo

CÓMO SUJETAR EL HILO

Al sujetarlo, el hilo debe deslizarse fácilmente con la tensión correcta. Puede enrollar el hilo alrededor del dedo meñique, pasarlo sobre los dos dedos siguientes y cogerlo con el índice (el dedo corazón deberá controlar el hilo). También puede enrollar el hilo por el meñique, pasarlo bajo los dos dedos siguientes y por encima del índice (el índice controlará el hilo). Si el hilo es grueso debejá sujetarlo entre los dos últimos dedos. Utilice la forma que le resulte más cómoda.

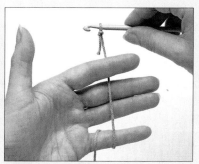

Método del dedo índice

Pase el hilo alrededor del meñique, por debajo de los dos dedos siguientes y por encima del índice. Introduzca el ganchillo en el bucle y sujete el nudo deslizado entre los dedos pulgar y corazón. Prepárese para hacer la primera cadeneta levantando el dedo índice.

Método del dedo corazón

Pase el hilo alrededor del meñique y por encima de los otros dedos. Introduzca el ganchillo por el bucle y sujete el nudo deslizado entre pulgar e índice de la mano izquierda; levante el dedo corazón para empezar la primera cadeneta.

PUNTO DE CADENETA (CAD)

En ganchillo, el punto de cadeneta se suele emplear para la base de la primera vuelta, pero también forma parte de muestras para separar puntos, para barras en calados (ver página 105) y para girar al empezar nuevas vueltas rectas/en redondo (ver página 76).

Cadeneta base

La cadeneta base se debe mantener floja y regular para que, en la primera vuelta, el ganchillo pueda entrar fácilmente en cada bucle. El ganchillo y la tensión determinan la medida de las cadenetas. No tire del hilo para que quede floja, porque apretaría las cadenetas anteriores; si la cadeneta queda demasiado apretada procure que el hilo corra fácilmente entre sus dedos o use un ganchillo más grueso que el que utilice para el resto de la labor. En las instrucciones de una labor encontrará la longitud de cadeneta necesaria para empezar.

Cómo hacer un punto de cadeneta

4
3
2
1

CÓMO CONTAR CADENETAS

Cada cadeneta (bucle) se cuenta como un punto. Para contar las cadenetas correctamente debe asegurarse de que no estén giradas y de que los frentes estén de cara. El bucle que está en el ganchillo no se cuenta como punto, y tampoco el nudo deslizado del principio. En el ganchillo siempre queda un bucle después de hacer un punto; se le llama bucle en ganchillo.

1 Sujete el ganchillo con la mano derecha. Mantenga tirante el hilo y retenga el nudo deslizado entre los dedos pulgar y corazón de la mano izquierda. Lleve el ganchillo hacia delante y, con un movimiento contrario al de las agujas del reloj, pase el ganchillo –con el gancho hacia abajo– por detrás y por delante de la hebra, sujetándola. Este movimiento se llama hilo sobre ganchillo –o *hag*.

2 Pase ganchillo e hilo a través del bucle para formar el primer punto de cadeneta.

PUNTO RASO, ENANO O DESLIZADO (PT RA)

Algunas de las labores de ganchillo más antiguas se realizaron en punto enano, también llamado raso o deslizado. En la actualidad, este punto se utiliza para unir vueltas (ver página 98), disminuir (ver página 85) y unir costuras (ver página 117).

1 Teja una cadeneta base.

2 Introduzca el ganchillo de delante hacia atrás y bajo la parte superior de la segunda cadeneta (cad) contando desde el ganchillo. Enrolle el hilo alrededor del ganchillo (hag).

3 Repita los pasos 1 y 2. Después de dar unos puntos, deberá mover la mano izquierda hacia arriba para sujetar la labor justo por debajo del ganchillo (y conseguir así el máximo control). Siga tejiendo.

3 Tire del hilo a través de los dos bucles en el ganchillo, hará un punto raso. Para seguir tejiendo a punto raso, introduzca el ganchillo en cada cadeneta y repita el paso 2 como se indica.

PUNTOS BÁSICOS DE GANCHILLO

LOS PUNTOS DE GANCHILLO son fáciles de aprender, porque se hacen siempre de la misma forma. Además de la cadeneta y del punto raso, hay cinco puntos básicos que cambian en altura (hay otros, pero se utilizan raramente). La diferencia de altura o longitud de estos puntos se debe al número de veces que se enrolla el hilo alrededor del ganchillo. Como los puntos son más planos por delante que por detrás, la labor de ganchillo tiene más textura cuando se teje en vueltas rectas que después se vuelven para continuar por detrás. En cambio, la superficie es más regular cuando se confecciona en vueltas redondas, porque siempre se ven los puntos de frente.

PUNTO BAJO

Es un punto simple y compacto que se utiliza en muchas muestras y forma una superficie firme y lisa.

PUNTO MEDIO ALTO

De una altura media entre el punto bajo y el punto alto, forma un atractivo cordoncillo y es menos compacto que el punto bajo.

PUNTO ALTO DOBLE

Tres veces más alto que el punto bajo, forma una textura más suelta.

Punto alto

Punto medio alto

Punto bajo

PUNTO ALTO

Es dos veces más alto que el punto bajo, se teje rápidamente y es el más habitual.

Punto alto doble

Punto alto triple

PUNTO ALTO TRIPLE

Este punto tan largo se suele emplear en muestras de fantasía, pero no suele ser el único punto en una prenda, excepto en puntos eslabonados (ver página 78).

REALIZAR LOS PUNTOS BÁSICOS

PARA REALIZAR los puntos básicos sobre la cadeneta de base, deberá introducir el ganchillo de delante hacia atrás por debajo del bucle superior de cada cadeneta. En las vueltas siguientes, si no se indica lo contrario, introduzca el ganchillo de delante hacia atrás por debajo de los dos bucles de cada punto. Al acabar una vuelta, deberá girar la labor y hacer unos puntos de cadeneta suplementarios para igualar la altura de los nuevos puntos (ver página 76). Según la muestra, las cadenetas de vuelta se pueden contar como puntos al principio de una vuelta. Los hemos contado al hacer los puntos básicos de este apartado.

Punto bajo (pb)

1 Teja la cadeneta base. Salte 2 cad e introduzca el ganchillo por debajo del bucle superior de 3ª cad (*derecha*). Hag y tire del hilo para que pase por la cadeneta (*más a la derecha*).

2 Hay 2 bucles en el ganchillo. Hag y pase a través de los dos bucles.

3 Ha realizado un punto bajo. Continúe tejiendo pb en las cadenetas siguientes hasta terminar la vuelta.

4 Gire la labor y cad 1. Se le llama cadeneta de vuelta (cad-v). Salte primer pt en la base de cad-v, teja 1 pb cogiendo los 2 bucles del 2º pt en la vuelta anterior. Haga 1 pb en cada pt hasta el final, incluyendo la cad-v.

Punto medio alto (pma)

1 Elabore la cadeneta base. Salte 2 pt, hag e introduzca el ganchillo debajo del bucle de la 3ª cad. Hag.

2 Pase el hilo sólo por el bucle de la cadeneta (ahora hay 3 bucles sobre el ganchillo). Hag.

3 Pase el hilo a través de los 3 bucles. Ha terminado un punto medio alto. Continúe con pma en las siguientes cad hasta terminar la vuelta.

4 Para realizar las vueltas siguientes en pma, deberá girar la labor y cad 2. La cadeneta de vuelta se cuenta como primer pma de la nueva vuelta. Salte primer pt que está en la base de la cad-v. Realice 1 pma, introduciendo el ganchillo debajo de los 2 bucles del 2º pt de la vuelta anterior. Efectúe 1 pma en cada uno de los siguientes pts hasta el final, incluyendo la cad-v.

Punto alto (pa)

1 Monte una base de punto cadeneta. Salte 3 cad, hag e introduzca el ganchillo bajo el bucle superior de la 4ª cad. Hag.

2 Pase el hilo sólo a través del bucle de la cad (hay 3 bucles en el ganchillo). Hag.

3 Pase el hilo sólo por 2 bucles (2 bucles sobre ganchillo). Hag.

4 Tire del hilo a través de estos 2 bucles. Ha realizado un punto alto. Continúe con pa en las cadenetas siguientes hasta terminar la vuelta.

5 Para hacer las siguientes vueltas de pa: gire la labor y 3 cad. Esta cad-v se cuenta como primer punto de la nueva vuelta. Salte el primer pt que es la base de la cad-v. Teja 1 pa introduciendo el ganchillo debajo de los 2 bucles del 2º punto de la vuelta anterior. Efectúe 1 pa en cada uno de los siguientes pts hasta el final, incluyendo la cad-v.

Punto alto doble (pad) (punto doble)

1 Monte una base de punto cadeneta. Salte 4 cad, hag dos veces e introduzca el ganchillo bajo el bucle superior de la 5ª cad. Hag.

2 Pase el hilo sólo a través del bucle de la cad (ahora hay 4 bucles en el ganchillo). Hag.

3 Pase el hilo sólo por 2 bucles (quedan 3 bucles sobre ganchillo). Hag.

4 Pase el hilo a través de sólo 2 bucles, hag de nuevo. Tire del hilo a través de los 2 bucles restantes. Ha terminado un punto alto doble. Continúe con pad en las siguientes cadenetas hasta terminar la vuelta.

5 Para hacer la siguiente vuelta de pad, gire la labor y cad 4. Esta cad-v se cuenta como primer pad de la nueva vuelta. Salte el primer pt, que es la base de cad-v. Dé 1 pad en cada pt hasta el final, incluyendo la cad-v.

Punto alto triple (pat) (punto triple)

1 Monte una base de punto cadeneta. Salte 5 cad, hag tres veces e introduzca el ganchillo bajo el bucle superior de la 6ª cad, hag y tire de él sólo a tráves del bucle cad (ahora hay 5 bucles en el ganchillo). *Hag.

2 Pase el hilo sólo por 2 bucles.

3 Repita tres veces desde *.

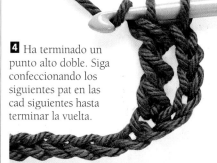

4 Ha terminado un punto alto doble. Siga confeccionando los siguientes pat en las cad siguientes hasta terminar la vuelta.

5 Para hacer las siguientes vueltas de pat, gire la labor y cad 5. Esta cad-v cuenta como primer pat de la nueva vuelta. Salte el primer pt que es la base de cad-v. Teja 1 pat introduciendo el ganchillo bajo los dos bucles superiores del 2º pt de la vuelta anterior. Haga 1 pat en cada pt hasta final, incluyendo la cad-v.

CADENETA DE VUELTA (CAD-V)

Para que el ganchillo esté a la misma altura de los puntos, añada cadenetas al empezar cada vuelta. Cada punto necesita una cantidad de cadenetas: este cuadro indica la cantidad necesaria cuando la cad-v se considera el primer punto (ver bordes rectos). Algunas instrucciones la indican como cad 2 y vuelta.

Punto	Añadir a cadeneta base	Saltar al principio de la cadeneta base (cuenta como 1ᵉʳ pt)	En cadeneta base cuenta como 1ᵉʳ pt
Pt bajo	1	2	1
Pt medio alto	1	2	2
Pt alto	2	3	3
Pt alto doble	3	4	4
Pt alto triple	4	5	5
Pt alto cuádruple	5	6	6

BORDES RECTOS

Para conseguir que el número de puntos sea constante y los bordes sean rectos, haga las cadenetas de vuelta de una de las dos formas que le indicamos. Es más común la primera, pero la segunda se utiliza en puntos muy cortos o para evitar el espacio vacío que se origina al utilizar la cadeneta de vuelta como punto. De todas formas, el segundo método origina unos bordes ligeramente irregulares. Cuando en una muestra se indica tejer "recto", significa sin aumentos ni disminuciones.

La cadeneta de vuelta cuenta como primer punto

Salte el primer punto de la vuelta anterior a la base de la cadeneta de vuelta. Cuando llegue al final de la vuelta realice un punto sobre la cad-v de la vuelta anterior.

La cadeneta de vuelta no cuenta como punto

Teja en el primer punto en la base de la cadeneta de vuelta. Cuando llegue al final de la vuelta, no haga ningún punto sobre la cad-v de la vuelta anterior.

CÓMO TEJER LAS VUELTAS

El ganchillo se suele tejer en vueltas a partir de la anchura requerida, y la labor se gira después de cada vuelta. El lado derecho de la labor no está siempre de cara.

La primera vuelta se realiza al tejer de derecha a izquierda sobre la cadeneta base (si es zurdo, de izquierda a derecha).

Gire la labor al final de la cadeneta base o de la vuelta, de forma que el hilo quede detrás del ganchillo y pueda hacer los nuevos puntos sobre los de la vuelta anterior.

CÓMO REMATAR LA LABOR

Será necesario que asegure los cabos para evitar que la labor se deshaga cuando esté terminada.

Complete el último punto, corte el hilo y páselo por el último bucle del ganchillo. Tire fuertemente del hilo hasta cerrar el bucle. Con una aguja lanera o de tapicería deberá pasar el cabo entre los hilos del revés de la labor.

CÓMO CONTAR PUNTOS

Para contar puntos cortos como el punto bajo (ver fotografía), lo más fácil es mirar los bucles superiores. En puntos más altos deberá contar las barras verticales; cada una es un punto.

VARIACIONES BÁSICAS

PUEDE CONSEGUIR interesantes texturas al tejer con los puntos básicos, pero introduciendo el ganchillo en un lugar que no sea bajo los dos bucles superiores y de cada punto. Coja el hilo bajo los bucles superiores, entre puntos o alrededor del cuerpo de un punto. Todos los puntos de ganchillo se pueden tejer con estas variaciones, causando diferentes efectos. Además de añadir textura a la superificie estos puntos hacen que una prenda sea más gruesa cálida. Para empezar con cualquiera de estas variaciones deberá hacer una cadeneta de base y tejer una vuelta en el punto deseado.

TEJER BAJO UN BUCLE

Tejer siempre sólo sobre el bucle de atrás (detrás bucle abreviado: dbu, como dbupb) puede crear una muestra con un efecto de bordes. Tejer sólo sobre el bucle de delante (frente bucle abreviado: fbu) crea un borde horizontal menos pronunciado. Esta técnica es adecuada para puntos cortos, como el punto bajo y el punto medio alto.

Cómo tejer sobre el bucle de atrás

A partir de la 2ª vuelta, deberá realizar el punto escogido en la forma habitual (por ejemplo pma, como en la fotografía), pero introduciendo el ganchillo en el bucle de atrás de cada punto.

Cómo tejer sobre el bucle de delante

A partir de la 2ª vuelta, deberá realizar el punto escogido de forma habitual (por ejemplo pb, como en la fotografía), pero introduciendo el ganchillo en el bucle de delante de cada punto.

Punto realizado sobre un bucle de atrás

Punto realizado sobre un bucle de delante

TEJER ENTRE DOS PUNTOS

Esta forma, que se realiza entre los puntos de la vuelta anterior, es fácil y rápida. El resultado es un tejido ligeramente más grueso y de aspecto más abierto.

Para tejer entre dos puntos

A partir de la 2ª vuelta, deberá realizar en la forma habitual el punto escogido (por ejemplo pa, como en la fotografía), pero introduciendo el ganchillo entre las barras y por debajo de todas las hebras horizontales que conectan los puntos.

CÓMO REALIZAR ESPIGAS

Las espigas son bucles de hilo en forma de flecha que aparecen en la superficie de la labor. Se crean al introducir el ganchillo más abajo de lo normal, por ejemplo en una o más vueltas por debajo de la anterior (las instrucciones de una muestra indican siempre el lugar).

Para hacer un punto bajo en espiga

Introduzca el ganchillo en la base del punto siguiente (*izquierda*), hag y tire del hilo hasta tener la altura de un punto bajo sobre esta vuelta (2 bucles en el ganchillo) (*derecha*). Hag y tire de él a través de los dos bucles. Ha terminado una espiga en pb.

TEJER ALREDEDOR DEL PUNTO (PUNTOS EN RELIEVE)

Se puede conseguir un efecto de relieve al tejer alrededor de las barras de los puntos de la vuelta anterior, ya sea por el frente (frente en relieve abreviado: fr) o por detrás (detrás en relieve abreviado: dr). Las vueltas se pueden realizar todas por delante (frente) o todas por detrás, o uno o más puntos por detrás y uno o más por delante. Obtendrá una gran variedad de muestras.

Cómo realizar puntos en relieve por delante (frente)

Realice una vuelta con el punto básico, como el de la fotografía. A partir de la 2ª vuelta, haga todos los puntos de la forma habitual, pero introduciendo el ganchillo por delante y de derecha a izquierda alrededor del punto anterior (*derecha*).

Punto en relieve por delante

Cómo realizar puntos en relieve por detrás

Teja como para los puntos en relieve por delante, pero introduzca el ganchillo por detrás y de derecha a izquierda alrededor del punto inferior (*derecha*).

Punto en relieve por detrás ya terminado

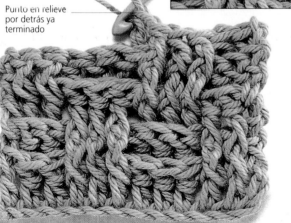

CÓMO TEJER PUNTOS ENCADENADOS

Los puntos más altos se pueden unir unos a otros para evitar el espacio entre los puntos. Parecen varias vueltas de puntos más cortos realizados a la vez y en la misma dirección.

Cómo realizar un punto alto doble encadenado

1 Introduzca el ganchillo por el bucle horizontal más alto y alrededor del cuerpo del último punto realizado; hilo alrededor del ganchillo.

2 Pase a través de un bucle e inserte el ganchillo en el bucle horizontal inferior del mismo punto, hag, pase a través de un bucle (quedan 3 bucles sobre el ganchillo).

3 Introduzca el ganchillo para el nuevo punto, hag, tire del hilo sólo a través del punto, [hag y páselo a través de 2 bucles cada vez] tres veces. El pad encadenado está terminado.

Para empezar una vuelta con un punto alto doble encadenado, haga la 2ª (*izquierda*) y 4ª cadenetas –contando desde el ganchillo– como los bucles horizontales superior e inferior del último punto realizado.

INDICACIONES PARA REALIZAR LAS MUESTRAS

LAS INSTRUCCIONES de este apartado indican de forma abreviada la cantidad y tipos de puntos necesarios, y dónde introducir el ganchillo para hacerlos. Se ha supuesto el conocimiento de los puntos y métodos básicos, y también sus abreviaciones.

Abreviaturas utilizadas

alt	alternativamente
aprox	aproximado (aproximadamente)
aum	aumentar
bu (s)	bucle (s)
cad esp	espacio (s) de cadeneta
cad (s)	cadeneta o puntos de cadeneta
cad-v	cadeneta de vuelta
cont	continuar
dbu	introducir ganchillo sólo por detrás del bucle. Ej. dbupb (detrás bucle punto bajo)
dism	disminuir
en sig	puntos elaborados en un mismo punto
entr	entre
esp (s)	espacio (s)
fbu	introducir ganchillo sólo por delante (frente) del bucle. Ej. fbupb (delante bucle punto bajo)
gr	grupo
hag	hilo alrededor del ganchillo
jun	juntos
muestr	muestra
nc	no cerrados (ver Piñas, página 102)
pa	punto alto
pa2jun	tejer 2 puntos altos juntos
pad	punto alto doble
pad2jun	tejer 2 pad juntos
pas	pasar (saltar)
pat	punto alto triple
pat2jun	tejer 2 puntos altos triples juntos
pb	punto bajo
pb2jun	tejer 2 pb juntos
pc	piquillos
piña	hacer piña
pma	punto medio alto
pma2jun	tejer 2 pma juntos
ptra	punto raso
pt (s)	punto (s)
rd	en relieve por detrás. Ej. rdpb (punto bajo en relieve por detrás)
red	redondo-en redondo
rep	repetir
rest	restantes
rf	en relieve por delante (frente). Ej. rfpb (punto bajo en relieve por delante)
seguir	seguir hasta el final de la vuelta
sig	siguiente (s)
*	siga las instrucciones indicadas después del * y repítalas como se indique (ver Repeticiones)
[ ]	tejer o repetir todas las instrucciones entre corchetes como se indica a continuación (ver Repeticiones)

Si no se especifica lo contrario:

• No gire la labor al terminar una vuelta.
• Considere la cadeneta de vuelta como un punto (ver página 76).
• Teja sobre el siguiente punto de la vuelta anterior.
• Introduzca siempre el ganchillo cogiendo los dos bucles superiores de los puntos, a menos que sea una cadeneta o un bucle.
• La instrucción *1 pb* significa que debe realizar un punto bajo en el punto siguiente, y *5 pa*: teja 1 pa en cada uno de los 5 pts siguientes.
• En una piña, la instrucción *pa3jun* o *pad5jun* significa que cada punto debe tejerse con un punto independiente antes de unirlos en una piña.
• Si toda la piña se ha de tejer en el punto siguiente, la instrucción sería *pa5jun en sig*.

Múltiplos

En las indicaciones para realizar un punto, se señalan así los puntos que se necesitan en una vuelta y las cadenetas necesarias en la cadeneta base: *múltiplo de 5 pts más 2, más 2 para cad base*. Esto significa hacer 9, 14, 19, etc cadenetas para tejer con 7, 12, 17, etc. puntos.

Corchetes [ ] o paréntesis ( )

Se usan de tres formas distintas:
• Para simplificar las repeticiones –ver Repeticiones.
• Para indicar al final de una vuelta el número total de puntos tejidos en esa vuelta. Por ejemplo: (*24 pb*) significa que toda la vuelta tiene 24 puntos bajos.
• Para informar sobre diferentes tallas o medidas.

Lado derecho/lado revés (LD/LR)

Aunque una muestra sea reversible, se suele señalar un lado derecho. Cuando teje en redondo el lado derecho suele estar de cara, pero si debe girar la labor al terminar una vuelta, las instrucciones le indican la primera vuelta del lado derecho. Si es necesario tejer filas siempre con el LD de cara, deberá rematar el hilo al final de cada vuelta y volverlo a unir al principio.

Repeticiones

Las instrucciones entre paréntesis se deben realizar el número de veces indicado, por ejemplo *[cad 1, pas 1 cad, 1 pa] 5 veces*. Un asterisco indica el principio de una secuencia de repeticiones. Por ejemplo *cad 1, pas 1 cad, 1 pb; rep desde * seguir*. Un asterisco doble indica una repetición más corta en la secuencia de repeticiones principal. La instrucción *rep desde * hasta último pt* significa realizar las repeticiones completas hasta que quede sólo un punto.

Al tejer alternativamente sobre los bucles de detrás y delante se forma una textura irregular

PUNTO MEDIO ALTO COGIDO POR DELANTE Y POR DETRÁS

Múltiplo de 2 pts, más 1 para cad base

Vuelta 1: saltar 2 cad, pma seguir, girar.
Vuelta 2: cad 2, *1 dbupma, 1 fbupma; rep desde * hasta el último pt, 1 pma, girar.
Repita la vuelta 2 para formar la muestra.

PUNTO MEDIO ALTO POR DETRÁS ▼

Cualquier cantidad de pts, más 1 para cad base

Vuelta 1: saltar 2 cad, pma seguir, girar.
Vuelta 2: cad 2, dbupma seguir, girar.
Repita la vuelta 2 para formar la muestra.

Al tejer con el bucle de detrás se forma sólo un cordoncillo

PUNTO MEDIO ALTO ENTRE DOS PUNTOS ▼

Cualquier número de pts, más 1 para cad base

Vuelta 1: saltar 2 cad, pma seguir, girar.
Vuelta 2: cad 2, *1 pma introduciendo el ganchillo en el arco entre las barras de los 2 sig pts por debajo de todas las hebras; rep desde * seguir, girar.
Repita la vuelta 2 para formar la muestra.

PUNTO BAJO COGIDO POR DELANTE Y POR DETRÁS ▲

Múltiplo de 2 pts, más 1 para cad base

Vuelta 1: saltar 2 cad, pb seguir, girar.
Vuelta 2: cad 1, *1 dbupb, 1 fbupb; rep desde * hasta último pt, 1 pb, girar.
Repita la vuelta 2 para formar la muestra.

VUELTAS ALTERNAS DE PUNTO ALTO POR DELANTE Y POR DETRÁS ▲

Cualquier número de pts, más 2 para cad base

Vuelta 1: saltar 3 cad, pa seguir, girar.
Vuelta 2: cad 3, dbupa seguir, girar.
Vuelta 3: cad 3, fbupa seguir, girar.
Repita las vueltas 2 y 3 para formar la muestra.

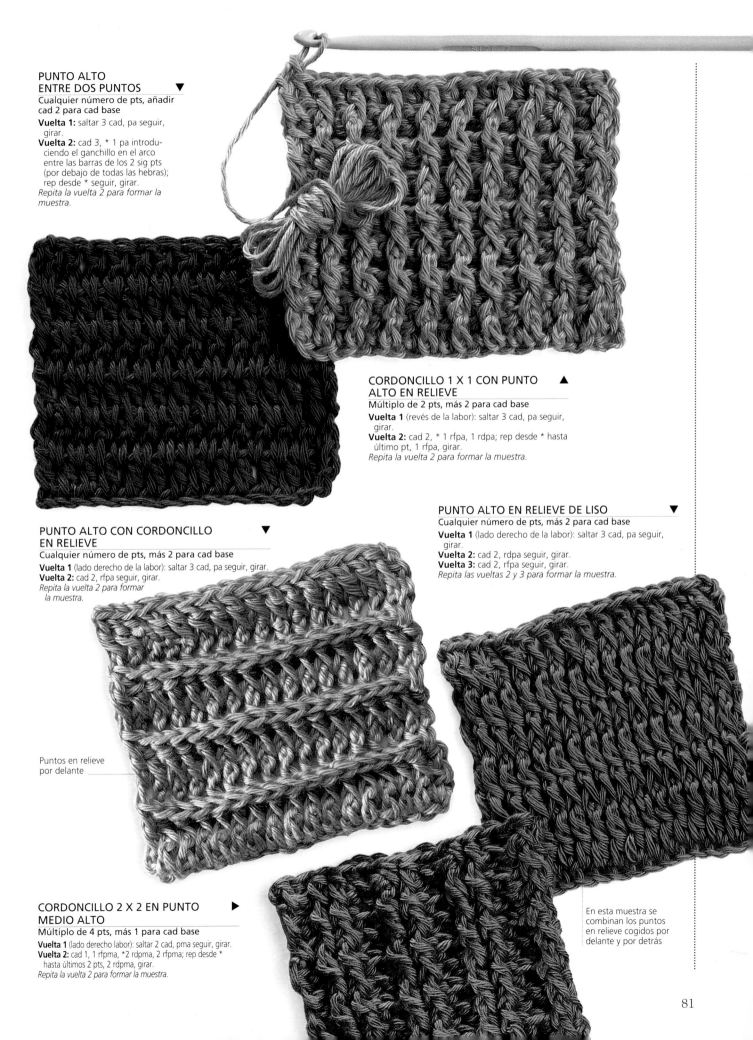

PUNTO ALTO ENTRE DOS PUNTOS ▼

Cualquier número de pts, añadir cad 2 para cad base

Vuelta 1: saltar 3 cad, pa seguir, girar.
Vuelta 2: cad 3, * 1 pa introduciendo el ganchillo en el arco entre las barras de los 2 sig pts (por debajo de todas las hebras); rep desde * seguir, girar.
Repita la vuelta 2 para formar la muestra.

CORDONCILLO 1 X 1 CON PUNTO ALTO EN RELIEVE ▲

Múltiplo de 2 pts, más 2 para cad base

Vuelta 1 (revés de la labor): saltar 3 cad, pa seguir, girar.
Vuelta 2: cad 2, * 1 rfpa, 1 rdpa; rep desde * hasta último pt, 1 rfpa, girar.
Repita la vuelta 2 para formar la muestra.

PUNTO ALTO EN RELIEVE DE LISO ▼

Cualquier número de pts, más 2 para cad base

Vuelta 1 (lado derecho de la labor): saltar 3 cad, pa seguir, girar.
Vuelta 2: cad 2, rdpa seguir, girar.
Vuelta 3: cad 2, rfpa seguir, girar.
Repita las vueltas 2 y 3 para formar la muestra.

PUNTO ALTO CON CORDONCILLO EN RELIEVE ▼

Cualquier número de pts, más 2 para cad base

Vuelta 1 (lado derecho de la labor): saltar 3 cad, pa seguir, girar.
Vuelta 2: cad 2, rfpa seguir, girar.
Repita la vuelta 2 para formar la muestra.

Puntos en relieve por delante

CORDONCILLO 2 X 2 EN PUNTO MEDIO ALTO ▶

Múltiplo de 4 pts, más 1 para cad base

Vuelta 1 (lado derecho labor): saltar 2 cad, pma seguir, girar.
Vuelta 2: cad 1, 1 rfpma, *2 rdpma, 2 rfpma; rep desde * hasta últimos 2 pts, 2 rdpma, girar.
Repita la vuelta 2 para formar la muestra.

En esta muestra se combinan los puntos en relieve cogidos por delante y por detrás

81

Una muestra sencilla en la que se han utilizado puntos bajos trabados

Al tejer los puntos altos dobles encadenados se cierran los espacios entre puntos

PUNTO BAJO TRABAJADO ALTERNO ▲
Múltiplo de 2 pts más 1, más 1 para cad base

Abreviaciones especiales
pb trabado (punto bajo trabado): introduzca el ganchillo en la base del pt; por ej. 1 vuelta más abajo, después teja el pb como siempre.
Vuelta 1 (lado derecho de la labor): saltar 2 cad, pb seguir, girar.

Vuelta 2: cad 1, 1 pb trabado, * 1 pb, 1 pb trabado; rep desde * hasta el último pt, 1 pb, girar.
Vuelta 3: cad 1, 1 pb, * 1 pb trabado,1 pb; rep desde * hasta el último pt 1 pb, girar.
Repita las vueltas 2 y 3 para formar la muestra.

▲ PUNTOS ALTOS DOBLES ENCADENADOS
Cualquier número de pts, más 3 para cad base
Abreviaciones especiales
Pad encadenado (ver página 78).
Vuelta 1 (lado derecho): saltar 4 cad, pad encadenado seguir, girar.
Vuelta 2: cad 4, pad encadenado seguir, girar.
Repita la vuelta 2 para formar la muestra.

PUNTO DE CESTO ▼
Múltiplo de 8 pts más 2, más 2 para cad base

Vuelta 1 (revés de la labor): saltar 3 cad, pa seguir, girar.
Vueltas 2, 3, y 4: cad 2, 4 rfpa, 4 rdpa; rep desde * hasta el último pt, 1 rfpa, girar.
Vueltas 5, 6, y 7: cad 2, *4 rdpa, 4 rfpa; rep desde * hasta el último pt, 1 rdpa, girar.
Repita las vueltas 2 a 7 para formar la muestra.

En esta muestra se han utilizado puntos trabados tejidos en el bucle de atrás

PUNTO BAJO TRABADO EN EL BUCLE DE ATRÁS ▶
Múltiplo de 4 pts más 1 para cad base

Abreviaciones especiales
pb trabado (punto bajo trabado): introduzca el ganchillo en la base del pt, por ej. 1 vuelta más abajo, después teja el pt como siempre.
Vuelta 1 (lado derecho): saltar 2 cad, pb seguir, girar.
Vuelta 2: cad 1, dbupb seguir, girar.
Vuelta 3: cad 1, *1 pb trabado, 3 dbupb; rep desde * seguir, girar.
Vuelta 4: como vuelta 2.
Vuelta 5: cad 1, *2 dbupb, 1 pb trabado, 1 dbupb; rep desde * seguir, girar.
Repetir las vueltas 2 a 5 para formar la muestra.

TENSIÓN

LA CANTIDAD de puntos necesarios para realizar una labor de ganchillo de medida determinada depende de cuatro elementos: el hilo, el número del ganchillo, la muestra de puntos y la forma de tejer de cada uno. La tensión se indica al principio de cada muestra, allí se señala la cantidad de puntos y vueltas en una medida dada. Toda la labor se basa en esta relación; para conse-guir un resultado perfecto deberá prestar atención a la tensión. Al tratarse de una técnica manual, cada persona teje de una forma diferente. Antes de empezar una labor, haga una prueba para comprobar que la tensión de su labor sea la misma que la indicada. Podrá cambiar el hilo y el punto, si se asegura primero de que la tensión de la muestra sea la misma.

CÓMO COMPROBAR LA TENSIÓN

Utilice hilo y ganchillo de la misma medida, y el punto indicado en las instrucciones. Realice una muestra de al menos 10 cm de lado. Coloque la muestra sobre una superficie plana, con el lado derecho de cara y sin deformarla.

Cómo medir los puntos

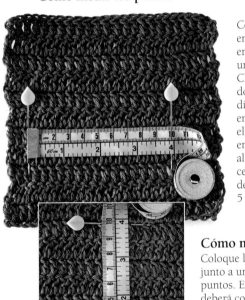

Coloque la regla por encima de la muestra en la parte inferior de una fila de puntos. Clave verticalmente dos alfileres a una distancia de 2,5 cm entre ellos. Cuente el número de puntos entre alfileres. Si un alfiler queda en el centro de un punto, deberá colocarlos a 5 cm de distancia.

Cómo medir las vueltas

Coloque la regla verticalmente junto a una columna de puntos. Evitando los bordes, deberá colocar los alfileres horizontalmente a una distancia de 10 cm. Cuente las vueltas entre los alfileres. Si un alfiler debe colocarse en el centro de una vuelta, colóque-los a 5 cm de distancia.

CÓMO HACER AJUSTES

Si la tensión de su muestra no corresponde con la de la muestra de orientación, utilice un ganchillo más pequeño o más grande para hacer otra. Menos puntos y vueltas que las indicadas significa que teje con poca tensión y debe probar con un ganchillo más pequeño. Más puntos y vueltas que las indicadas significará que está tejiendo de forma demasiado apretada; deberá probar con un ganchillo mayor. Algunas veces puede encontrar imposible igualar la tensión de los puntos y vueltas a la vez, entonces compense la tensión tejiendo más o menos vueltas que las indicadas.

RESULTADOS CON HILOS Y PUNTOS DIFERENTES

El peso del hilo utilizado y la muestra de puntos afecta a la tensión, por lo que siempre deberá tejer una muestra antes de cambiar las instrucciones indicadas. El hilo fino necesitará más puntos por centímetro que un hilo más grueso, como en el caso de un hilo utilizado con un ganchillo más pequeño.

Un hilo grueso y uno fino tejidos con el mismo número de ganchillo tienen una cantidad de puntos diferente por cm

Los mismos hilos y puntos tejidos con ganchillos de diferente medida tienen una tensión diferente

Diferentes puntos tejidos con el mismo hilo y ganchillo necesitan diferente cantidad de puntos por cm

AUMENTOS

LA MAYORÍA DE LAS LABORES REALIZADAS CON GANCHILLO están formadas por rectángulos tejidos rectos (ver página 76), pero a veces es necesario dar forma a la labor. Para ensanchar al tejido debe aumentar o añadir puntos; lo puede hacer al principio y/o al final de una vuelta, o en uno o más puntos en una vuelta.

CÓMO HACER AUMENTOS SIMPLES

Cuando se necesita aumentar un solo punto la forma más fácil es hacer dos puntos sobre el mismo punto base.

Al principio de una vuelta

Utilice uno de estos métodos cuando la cadeneta de vuelta se cuenta como un punto (*ver página 76*). Salte el primer pt como siempre y teja 2 pts en el 2º pt o haga 1 pt en el primer pt que normalmente salta.

Al final de una vuelta

Realice 2 pts en el último pt (será la cadeneta de vuelta si la cuenta como pt).

AUMENTOS SIMPLES REPETIDOS

Cuando realice aumentos simples uno encima de otro, teja cada par de puntos contiguos alternativamente, sobre el primer o segundo puntos del par anterior, para mantener verticales las líneas de aumento. Para inclinarlas hacia la derecha en una vuelta del lado derecho de la labor, deberá tejer cada par de aumentos en el primer punto del par anterior; para inclinarlos hacia la izquierda, téjalos sobre el segundo.

Dentro de una vuelta

Marque la posición de cada aumento. Normalmente las instrucciones de la labor le indicarán exactamente dónde hacerlos, pero si no es así, deberá repartirlos uniformemente. Añada 2 puntos sobre cada punto marcado.

AUMENTOS MÚLTIPLES

Para aumentar más de dos puntos en el borde deberá hacer pts de cadeneta adicionales. Es el mismo método para todos los puntos básicos. Aquí la cadeneta de vuelta se cuenta como un pt. Cuando se hacen varios puntos a la vez en el borde se crea un ángulo marcado.

Al principio de una vuelta

Añada los aumentos necesarios a la cantidad de cadenetas de vuelta. Por ejemplo, si teje en punto alto (pa) que necesita 2 cad-v, y quiere añadir 5 pts, necesitará hacer 7 cad. Salte 3 cad (se cuenta como 1 pa) y haga 1 pa en cada uno de los 4 pts cad restantes, haciendo 5 nuevos pts, que incluyen la cadeneta de vuelta.

Al final de una vuelta

Para hacer el primer punto adicional introduzca el ganchillo a través de la parte inferior del último punto realizado recogiendo la hebra vertical que aparece sola en la parte izquierda. Continúe introduciendo el ganchillo en la base del punto que acaba de realizar hasta hacer la cantidad necesaria de puntos adicionales.

DISMINUCIONES

PARA DAR FORMA a su labor de ganchillo puede ser necesario restar puntos. Estas disminuciones se hacen al principio y/o al final de una vuelta, o en varios puntos dentro de una vuelta. También es posible estrechar la labor saltando uno o más puntos, pero existe el riesgo de que aparezcan agujeros. A menos que quiera crear orificios decorativos, le recomendamos disminuir tejiendo dos o más puntos juntos.

DISMINUCIONES SIMPLES REPETIDAS

Cuando dentro de una vuelta realice disminuciones simples una sobre otra, deberá tejer consecuentemente la primera o segunda parte de la disminución en la parte superior de la disminución previa, para que la línea de disminuciones se mantenga vertical. (Ver aumentos simples repetidos, página 84.)

DISMINUCIONES MÚLTIPLES

Para disminuir más de dos o tres puntos deberá realizar disminuciones múltiples a ambos lados de una vuelta. La cad-v se cuenta como un punto. Este método crea un ángulo marcado. Aquí mostramos el punto alto (pa), pero esta técnica es aplicable a todos los puntos básicos.

Al principio de una vuelta

Teja un pt raso sobre cada pt que hay que disminuir. Haga después el número necesario de cadenetas de vuelta para formar un nuevo pt de borde y continúe tejiendo la vuelta en el punto habitual.

Al final de una vuelta

Confeccione la muestra hasta llegar a los puntos que se propone disminuir. Deje estos pts sin tejer gire y haga la cad-v para el primer pt de la vuelta siguiente.

CÓMO TEJER VARIOS PUNTOS JUNTOS COMO UNO (RACIMOS DE PUNTOS)

Para disminuir 1, 2, 3 pts, etc. teja 2, 3, 4 pts, etc. juntos. Al principio de una vuelta cuando la cad-v se cuenta como primer pt, teja juntos el 2º y 3º pts para hacer una disminución simple y el 2º, 3º y 4º pts juntos para una doble.

Al final de una vuelta

Teja juntos los últimos 2, 3 o 4 pts. Dentro de la vuelta deberá tejer juntos 1, 2 o 3 pts consecutivos en la posición adecuada (vea también el apartado de aumentos y disminuciones simples repetidas).

Al principio de una vuelta
Punto bajo

Disminución simple (pb2jun): haga 1 cad (se cuenta como 1 pb), salte primer pt, *introduzca el ganchillo en el 2º pt, hag y estire**; rep otra vez desde * en el 3º pt (3 bucles sobre el ganchillo) terminando hag y tirando del hilo a través de todos los bucles. Ha completado una disminución simple. Disminución doble (pb3jun): teja desde * como en la disminución simple, pero repita de * a ** en el 4º pt (4 bucles sobre ganchillo) antes de terminar.

Punto medio alto

Aumento simple (pma2jun): haga 2 cad (se cuentan como 1 pma), salte primer pt, *hag, introduzca ganchillo en sig (2º) pt, hag y tire del hilo**; Repita otra vez desde * en el sig (3º) pt (5 bucles sobre el ganchillo), terminando hag y estirando a través de todos los bucles. Disminución simple terminada. Disminución doble (pma3jun): teja desde * como en la disminución simple, pero rep otra vez desde * a ** en el sig (4º) pt (7 bucles sobre el ganchillo) antes de terminar.

Punto alto

Disminución simple (pa2jun): haga 3 cad (se cuenta como 1 pa), salte primer pt, *hag, introduzca el ganchillo en sig (2º) pt, hag y estire, hag y estire a través de sólo 2 bucles**; rep otra vez desde * en el sig (3º) pt (3 bucles sobre el ganchillo), acabando hag y tirando del hilo a través de todos los bucles. Disminución simple terminada. Disminución doble (pa3jun): teja desde * como en la disminución simple pero rep desde * a ** en el sig (4º) pt (4 bucles sobre el ganchillo) antes de terminar.

Punto alto doble

Es el mismo método para puntos de ganchillo más largos, como el punto alto doble.

Disminución simple en punto alto doble

TEJER CON COLORES

LOS HILOS DE COLOR se utilizan para crear franjas, muestras geométricas y dibujos simples de contrastes fuertes o gradaciones suaves. Los puntos de ganchillo suelen ser más grandes y variados que los tejidos con aguja (tricotados), y son perfectos para efectos de relieve y superpuestos o para abigarradas estructuras en línea.

Estos puntos se utilizan por su carácter exclusivo, atrevido e imaginativo. Se pueden utilizar hilos solos o hebras de más de uno que darán un color abigarrado y más calidez. Puede utilizar hilos de un solo color, de dos tonos o combinados –mezclas de textura, jaspeados o multicolores.

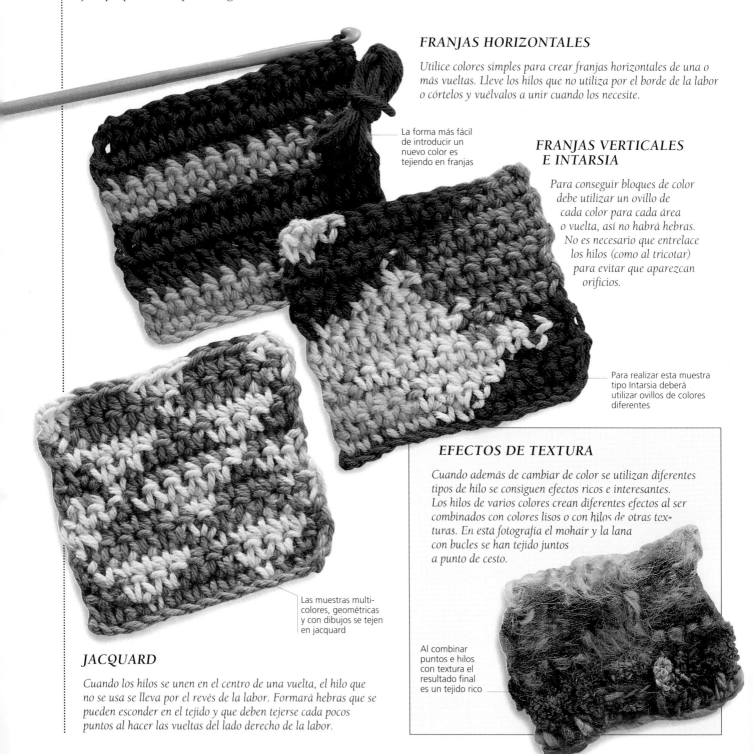

FRANJAS HORIZONTALES

Utilice colores simples para crear franjas horizontales de una o más vueltas. Lleve los hilos que no utiliza por el borde de la labor o córtelos y vuélvalos a unir cuando los necesite.

La forma más fácil de introducir un nuevo color es tejiendo en franjas

FRANJAS VERTICALES E INTARSIA

Para conseguir bloques de color debe utilizar un ovillo de cada color para cada área o vuelta, así no habrá hebras. No es necesario que entrelace los hilos (como al tricotar) para evitar que aparezcan orificios.

Para realizar esta muestra tipo Intarsia deberá utilizar ovillos de colores diferentes

EFECTOS DE TEXTURA

Cuando además de cambiar de color se utilizan diferentes tipos de hilo se consiguen efectos ricos e interesantes. Los hilos de varios colores crean diferentes efectos al ser combinados con colores lisos o con hilos de otras texturas. En esta fotografía el mohair y la lana con bucles se han tejido juntos a punto de cesto.

Las muestras multicolores, geométricas y con dibujos se tejen en jacquard

Al combinar puntos e hilos con textura el resultado final es un tejido rico

JACQUARD

Cuando los hilos se unen en el centro de una vuelta, el hilo que no se usa se lleva por el revés de la labor. Formará hebras que se pueden esconder en el tejido y que deben tejerse cada pocos puntos al hacer las vueltas del lado derecho de la labor.

LOS CABOS

Si puede hacerlos sin que se noten por el lado derecho, le recomendamos que los haga. Recuerde que al terminar una labor todos los hilos sueltos deberán ser tejidos por el revés.

ESQUEMAS

La mayoría de las muestras multicolores se presentan en forma de gráficos en los que cada cuadrado corresponde a un punto –normalmente punto bajo, ya que es el punto más pequeño y cuadrado. Hay dos normas principales para tejer a partir de un esquema en color: cambie siempre al nuevo color justo antes de completar el punto anterior y siga las vueltas impares de derecha a izquierda y las pares de izquierda a derecha (el esquema representa siempre el lado derecho de la labor).

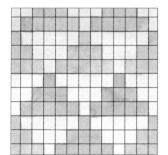 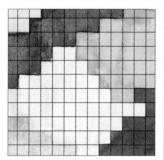

CÓMO AÑADIR UN NUEVO HILO

Cuando teja franjas horizontales deberá cambiar al nuevo hilo al final de la vuelta justo antes de completar el último punto. De esta forma el nuevo color estará preparado para la cadeneta de vuelta. Cuando teja en redondo realice el último punto con el color anterior y use el nuevo color para hacer el punto raso de unión.

1 Justo antes de coger por última vez el color anterior para hacer el último punto debe dejar caer el hilo anterior y tomar el nuevo hilo en su lugar.

2 Tire del nuevo hilo a través de los bucles para completar el punto anterior –el bucle que teje está listo en el nuevo color–. Esta muestra está realizada en pa, pero se aplica la misma técnica para todos los puntos.

Antes de tejer el punto siguiente asegúrese de que el hilo anterior está en el revés de la labor o bien se ha llevado sobre los siguientes puntos para que quede entretejido.

CÓMO CAMBIAR EL HILO

Deberá cambiar los hilos antes de completar el último punto con el primer color. Tire suavemente de la hebra en el nuevo color, asegurándose de que el primer hilo esté colocado correctamente. En la fotografía aparece en punto bajo, pero se usa el mismo método para los otros puntos básicos.

VOLVER A UNIR LOS HILOS

En alguna ocasión tendrá que añadir hilo a una pieza ya rematada para empezar de nuevo.

Introduzca el ganchillo en el lugar adecuado. Empiece con un punto raso (o una hebra si lo prefiere) y tire de él. Haga la cadeneta adecuada para el primer punto (cad 3 para 1 pa, como en la fotografía).

HEBRAS DE HILO

Para que la tensión de las hebras sea más uniforme, deberá entretejerlas cada pocos puntos. Cuando termine, corte las hebras demasiado largas por la mitad y remátelas.

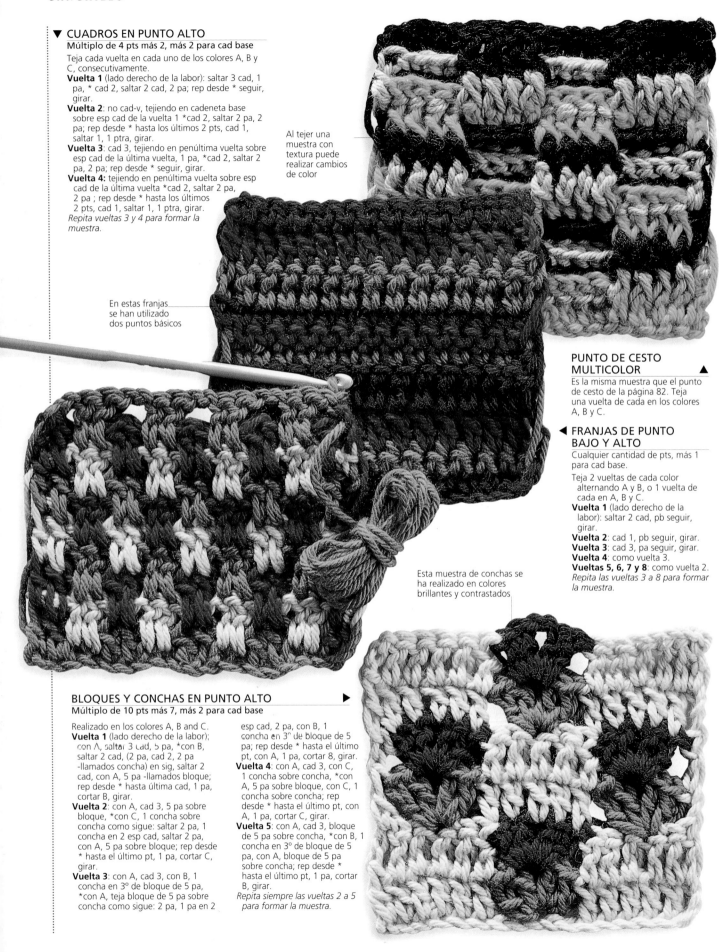

▼ CUADROS EN PUNTO ALTO

Múltiplo de 4 pts más 2, más 2 para cad base

Teja cada vuelta en cada uno de los colores A, B y C, consecutivamente.

Vuelta 1 (lado derecho de la labor): saltar 3 cad, 1 pa, * cad 2, saltar 2 cad, 2 pa; rep desde * seguir, girar.

Vuelta 2: no cad-v, tejiendo en cadeneta base sobre esp cad de la vuelta 1 *cad 2, saltar 2 pa, 2 pa; rep desde * hasta los últimos 2 pts, cad 1, saltar 1, 1 ptra, girar.

Vuelta 3: cad 3, tejiendo en penúltima vuelta sobre esp cad de la última vuelta, 1 pa, *cad 2, saltar 2 pa, 2 pa; rep desde * seguir, girar.

Vuelta 4: tejiendo en penúltima vuelta sobre esp cad de la última vuelta *cad 2, saltar 2 pa, 2 pa ; rep desde * hasta los últimos 2 pts, cad 1, saltar 1, 1 ptra, girar.

Repita vueltas 3 y 4 para formar la muestra.

Al tejer una muestra con textura puede realizar cambios de color

En estas franjas se han utilizado dos puntos básicos

► PUNTO DE CESTO MULTICOLOR ▲

Es la misma muestra que el punto de cesto de la página 82. Teja una vuelta de cada en los colores A, B y C.

◄ FRANJAS DE PUNTO BAJO Y ALTO

Cualquier cantidad de pts, más 1 para cad base.

Teja 2 vueltas de cada color alternando A y B, o 1 vuelta de cada en A, B y C.

Vuelta 1 (lado derecho de la labor): saltar 2 cad, pb seguir, girar.

Vuelta 2: cad 1, pb seguir, girar.

Vuelta 3: cad 3, pa seguir, girar.

Vuelta 4: como vuelta 3.

Vueltas 5, 6, 7 y 8: como vuelta 2.

Repita las vueltas 3 a 8 para formar la muestra.

Esta muestra de conchas se ha realizado en colores brillantes y contrastados

BLOQUES Y CONCHAS EN PUNTO ALTO ▶

Múltiplo de 10 pts más 7, más 2 para cad base

Realizado en los colores A, B and C.

Vuelta 1 (lado derecho de la labor); con A, saltar 3 cad, 5 pa, *con B, saltar 2 cad, (2 pa, cad 2, 2 pa -llamados concha) en sig, saltar 2 cad, con A, 5 pa -llamados bloque; rep desde * hasta última cad, 1 pa, cortar B, girar.

Vuelta 2: con A, cad 3, 5 pa sobre bloque, *con C, 1 concha sobre concha como sigue: saltar 2 pa, 1 concha en 2 esp cad, saltar 2 pa, con A, 5 pa sobre bloque; rep desde * hasta el último pt, 1 pa, cortar C, girar.

Vuelta 3: con A, cad 3, con B, 1 concha en 3º de bloque de 5 pa, *con A, teja bloque de 5 pa sobre concha como sigue: 2 pa, 1 pa en 2 esp cad, 2 pa, con B, 1 concha en 3º de bloque de 5 pa; rep desde * hasta el último pt, con A, 1 pa, cortar B, girar.

Vuelta 4: con A, cad 3, con C, 1 concha sobre concha, *con A, 5 pa sobre bloque, con C, 1 concha sobre concha; rep desde * hasta el último pt, con A, 1 pa, cortar C, girar.

Vuelta 5: con A, cad 3, bloque de 5 pa sobre concha, *con B, 1 concha en 3º de bloque de 5 pa, con A, bloque de 5 pa sobre concha; rep desde * hasta el último pt, 1 pa, cortar B, girar.

Repita siempre las vueltas 2 a 5 para formar la muestra.

PUNTO ALTO DOBLE
CON PIÑAS TRABADAS ▼

Múltiplo de 8 pts más 5, más 1 para cadeneta base
Abreviaciones especiales
piñatrab (piña trabada): sobre sig pt recoja 5 bucles
   trabados introduciendo el ganchillo como
   indicamos: 2 pts a la derecha y 1 vuelta por
   debajo, 1 pt a la derecha y 2 vueltas por debajo,
   directamente sobre siguiente pt y 3 vueltas por
   debajo; 1 pt a la izquierda y 2 vueltas por debajo,
   2 pts a izquierda y 1 vuelta por debajo (6 bucles
   en ganchillo); introducir ganchillo en sig pt de la
   vuelta que hacemos, hag y tire del hilo, pase hag
   por los 7 bucles del ganchillo.
Teja 4 vueltas en cada uno de los colores A, B y C.
Nota: cad-v no se cuenta como un punto.
Vuelta 1: (lado derecho de la labor): saltar 1 cad,
   pb seguir, girar.
Vuelta 2: cad 1, pb seguir, girar.
Vueltas 3 y 4: como vuelta 2.
Vuelta 5: cad 1, 4 pb, * 1 piñatrab, 7 pb; rep
   desde * hasta el último pt, 1 pb, girar.
Vueltas 6 a 8: como vuelta 2.
*Repita siempre las vueltas 5 a
8 para formar la muestra.*

PUNTO DE
CONCHAS ENTRELAZADAS ▼

Múltiplo de 6 pts más 1, más 1 para
cadeneta base

Teja una vuelta de cada en los colores A, B y C.
Vuelta 1 (lado derecho de la labor): saltar 1
   cad, 1 pb, *saltar 2 cad 5 pa en sig -
   llamados concha, saltar 2 cad, 1 pb;
   rep desde * seguir, girar.
Vuelta 2: cad 3, 2 pa en primer pt, * 1
   pb en 3er pa de concha, 1 concha en pb;
   rep desde * hasta última concha, 1 pb en
   3er pa de concha, 3 pa en pb, girar.
Vuelta 3: cad 1, * 1 concha en pb, 1 pb en 3er
   pa de concha; rep desde * seguir con último pb
   en cad-v, girar.
Repita las vueltas 2 y 3 para formar la muestra.

PUNTO EN RELIEVE
ALTERNADO ▲

Múltiplo de 2 pts más 1, más
2 para cad base

Teja una vuelta de cada en los
colores A, B y C.
Vuelta 1 (lado derecho de la
   labor): saltar 3 cad, pa seguir,
   girar.
Vuelta 2: cad 3, * 1 rf pad, 1 pa,
   rep desde * seguir, girar.
*Repita la vuelta 2 para formar la
muestra.*

Las conchas en franjas
de diferentes colores
son muy atractivas

El revés de esta muestra
también puede ser
utilizado como lado
derecho

YEMAS ENCAJADAS ▶

Múltiplo de 10 pts más 3, más 2 para cad base

Tejido con color A y con colores B y C para las yemas de flores.
Vuelta 1 (lado derecho de la labor): Con A, saltar 3 cad, 2 pa, *cad 3,
   saltar 3 cad, 1 pb, cad 3, saltar 3 cad, 3 pa; rep desde * seguir, girar.
Vuelta 2: cad 2, 2rdpa, *cad 3, saltar 3 cad, 1 pb en pb, cad 3, saltar
   3 cad, 3 rdpa; rep desde * seguir, girar.
Vuelta 3: cad 2, 2 rfpa, *cad 1, saltar 3 cad, 5 pa en pb, cad 1,
   saltar 3 cad, 3 rfpa; rep desde * seguir. No gire pero teja las
   yemas de flores alternativamente en B y C sobre cada grupo
   de 5 pa así: cad 3, pa4jun, cad 1. Asegure el hilo a medida
   que termine las yemas. Girar.
Vuelta 4: con A, cad 3, 2 rdpad, *cad 3, 1 pb encima de
   la yema, cad 3, saltar 1 cad, 3 rd rep desde * seguir,
   girar.
Vuelta 5: como vuelta 2.
Repita las vueltas 2 a 5 para formar la muestra.

VIVA EL COLOR

LOS HILOS Y LANAS DE COLORES nos ofrecen muchas posibilidades. Se pueden utilizar tanto en los tradicionales cuadrados multicolores tipo patchwork como en muestras geométricas de vivos colores. Los hilos sobrantes son ideales para hacer estos útiles y atractivos accesorios (ver páginas 233 a 237).

Este corazón tejido a ganchillo con hilo fino puede llevarse como colgante

LA CHAQUETA DE LA ABUELA

Esta chaqueta realizada con cuadrados tipo patchwork (mosaico) tiene un gran encanto. Teja cada cuadrado por separado y únalos después.

El amplio cuello se ha elaborado por separado

Los dibujos de estos cuadrados son fáciles de hacer. Se han tejido en redondo

MONEDEROS

*Estos medallones decorativos
son fáciles de hacer y resultan
adecuados para todas las edades,
alegran el vestuario y se pueden
utilizar como monederos*

La orilla de picos se ha
realizado directamente
sobre los bordes del
monedero, juntando los bordes.

Para realizar este brillante monedero en forma
de estrella tan sólo se ha
utilizado punto bajo

Si creía que los dibujos
a ganchillo estaban pasados
de moda, cambiará de opinión
al ver este cojín con sandía

Para este puf en
forma de molino de
viento deberá utilizar
colores brillantes

Este pequeño reposacabezas de
colores alegres queda bien con
cualquier decoración

COJINES

*Sirven como pretexto para experimentar
una gran variedad de formas, dibujos
y colores, y alegrarán cualquier habitación
de la casa. El reposacabezas a cuadros
es ideal para aprovechar los restos de hilos
en una sorprendente combinación
de colores.*

OTRAS VARIACIONES DE PUNTOS

UNA DE LAS GRANDES ventajas del ganchillo es la versatilidad de los puntos. Sólo cambiando la altura de los puntos conseguirá diferentes texturas y anchuras de franja. Dentro de una misma vuelta, los puntos de diferentes alturas crean formas de olas y una superficie texturada. Esta textura se puede aumentar al cruzar puntos para

conseguir el efecto de trenzas o tejiendo puntos en diferentes lugares. Si hace puntos largos –cogiéndolos por debajo del nivel de la vuelta anterior y recogiéndolos alrededor del cuerpo del punto– se consiguen puntos en relieve particularmente llamativos cuando se realizan en colores contrastados.

Punto cruzado simple

1 Para dar un par de puntos simples cruzados (*pa, mostrado arriba*) primero salte 1 y teja 1 pa en el punto siguiente (*izquierda*). Teja 1 pa, introduciendo el ganchillo en el punto que ha saltado antes (*derecha*).

2 El pa cruzado rodea el pa anterior (*ver página 93, Punto bajo cruzado*).

Punto de cuerda cruzado (detrás)

1 Para empezar la cuerda salte primero 3 pts y teja 3 pat de forma habitual (*en la fotografía, realizados en pa*).

2 Con el ganchillo por detrás de pts, introdúzcalo desde delante. Teja 1 pat en cada uno de los 3 pts saltados.

Punto de cuerda cruzado (delante)

Teja siempre por delante de los puntos previos (manteniéndolos por detrás si es necesario) después de introducir el ganchillo, para no rodear los puntos como en el Punto cruzado simple (*izquierda*).

PUNTOS DE SUPERFICIE EN RELIEVE

Hay muchas variantes de los puntos de superficie en relieve, pero se hacen de forma similar. El método que les mostramos a la izquierda requiere saltar puntos en el tejido base y tejerlos alrededor. Los puntos en la superficie deben ser más largos que los de la base. Cuando se origine un agujero al saltar el punto, deberá tejer el punto en relieve junto con el punto base, como al disminuir en piña (ver página 85). En este ejemplo, el fondo se ha tejido con vueltas alternas de pb y pa.

Salte pts en vuelta a pb y teja pts superficie en relieve alrededor del tallo del punto escogido. Hágalo desde delante alternando pts a izquierda y derecha e introduciendo ganchillo de derecha a izquierda.

Deje último bucle de cada punto en ganchillo y teja punto de superficie en relieve, después pb de fondo (ahora hay 3 bucles en ganchillo). Hag y pase el hilo por todos bucles para completar la piña.

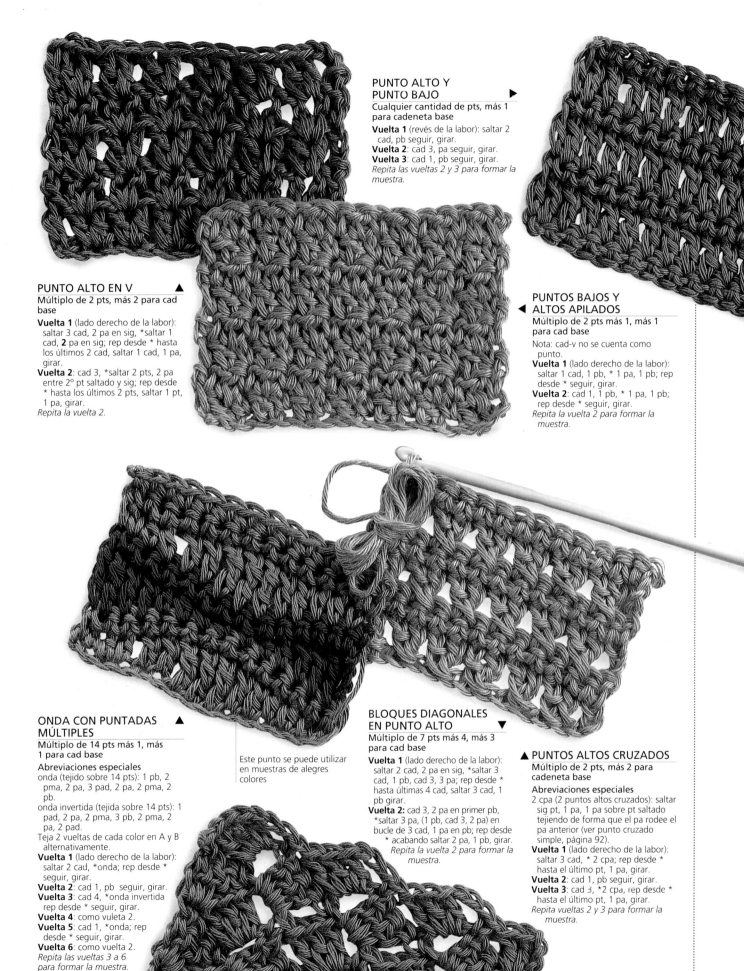

PUNTO ALTO Y PUNTO BAJO ▶

Cualquier cantidad de pts, más 1 para cadeneta base

Vuelta 1 (revés de la labor): saltar 2 cad, pb seguir, girar.
Vuelta 2: cad 3, pa seguir, girar.
Vuelta 3: cad 1, pb seguir, girar.
Repita las vueltas 2 y 3 para formar la muestra.

PUNTO ALTO EN V ▲

Múltiplo de 2 pts, más 2 para cad base

Vuelta 1 (lado derecho de la labor): saltar 3 cad, 2 pa en sig, *saltar 1 cad, **2** pa en sig; rep desde * hasta los últimos 2 cad, saltar 1 cad, 1 pa, girar.
Vuelta 2: cad 3, *saltar 2 pts, 2 pa entre 2° pt saltado y sig; rep desde * hasta los últimos 2 pts, saltar 1 pt, 1 pa, girar.
Repita la vuelta 2.

PUNTOS BAJOS Y ALTOS APILADOS ◀

Múltiplo de 2 pts más 1, más 1 para cad base

Nota: cad-v no se cuenta como punto.
Vuelta 1 (lado derecho de la labor): saltar 1 cad, 1 pb, * 1 pa, 1 pb; rep desde * seguir, girar.
Vuelta 2: cad 1, 1 pb, * 1 pa, 1 pb; rep desde * seguir, girar.
Repita la vuelta 2 para formar la muestra.

ONDA CON PUNTADAS MÚLTIPLES ▲

Múltiplo de 14 pts más 1, más 1 para cad base

Abreviaciones especiales
onda (tejido sobre 14 pts): 1 pb, 2 pma, 2 pa, 3 pad, 2 pa, 2 pma, 2 pb.
onda invertida (tejida sobre 14 pts): 1 pad, 2 pa, 2 pma, 3 pb, 2 pma, 2 pa, 2 pad.
Teja 2 vueltas de cada color en A y B alternativamente.
Vuelta 1 (lado derecho de la labor): saltar 2 cad, *onda; rep desde * seguir, girar.
Vuelta 2: cad 1, pb seguir, girar.
Vuelta 3: cad 4, *onda invertida rep desde * seguir, girar.
Vuelta 4: como vuelta 2.
Vuelta 5: cad 1, *onda; rep desde * seguir, girar.
Vuelta 6: como vuelta 2.
Repita las vueltas 3 a 6 para formar la muestra.

Este punto se puede utilizar en muestras de alegres colores

BLOQUES DIAGONALES EN PUNTO ALTO ▼

Múltiplo de 7 pts más 4, más 3 para cad base

Vuelta 1 (lado derecho de la labor): saltar 2 cad, 2 pa en sig, *saltar 3 cad, 1 pb, cad 3, 3 pa; rep desde * hasta últimas 4 cad, saltar 3 cad, 1 pb girar.
Vuelta 2: cad 3, 2 pa en primer pb, *saltar 3 pa, (1 pb, cad 3, 2 pa) en bucle de 3 cad, 1 pa en pb; rep desde * acabando saltar 2 pa, 1 pb, girar.
Repita la vuelta 2 para formar la muestra.

▲ PUNTOS ALTOS CRUZADOS

Múltiplo de 2 pts, más 2 para cadeneta base

Abreviaciones especiales
2 cpa (2 puntos altos cruzados): saltar sig pt, 1 pa, 1 pa sobre pt saltado tejiendo de forma que el pa rodee el pa anterior (ver punto cruzado simple, página 92).
Vuelta 1 (lado derecho de la labor): saltar 3 cad, * 2 cpa; rep desde * hasta el último pt, 1 pa, girar.
Vuelta 2: cad 1, pb seguir, girar.
Vuelta 3: cad 3, *2 cpa, rep desde * hasta el último pt, 1 pa, girar.
Repita vueltas 2 y 3 para formar la muestra.

ESPIGAS Y OTROS MOTIVOS

LOS PUNTOS BÁSICOS se pueden combinar con aumentos y disminuciones para crear zigzags, espigas y curvas. Si aumentamos y disminuimos a intervalos regulares en el mismo lugar de cada vuelta, un mismo punto creará una forma en zigzag. Si aumenta y disminuye de diferentes formas, podrá construir gran variedad de formas geométricas y formar motivos utilizables en labores tipo patchwork.

ESPIGAS SIMPLES

En este tipo de muestras se mantiene la misma forma y todas las vueltas son paralelas. Si las instrucciones indican seguir recto en una espiga significa que debe continuar aumentando y disminuyendo como se ha indicado para crear la espiga; se mantiene la cantidad de puntos en todas las vueltas y los bordes son rectos.

1 Aumente tejiendo puntos adicionales sobre el mismo punto.

2 Disminuya uniendo los puntos formando piñas.

Si la forma de las vueltas ha de cambiar (por ejemplo, que el zigzag alterne con vueltas rectas o ángulos invertidos), deberá aumentar y disminuir usando puntos de alturas graduadas .

En esta pieza se han combinado líneas rectas y en zigzag

TRIÁNGULOS

Hay muchas formas de combinar los triángulos para formar mantas o colchas. Este tipo de colchas son una de las labores de ganchillo más populares.

Triángulo en aumento

Empiece con un punto y aumente simultáneamente en los dos bordes. Haga una cadeneta base de 3 cad. Salte 2 cad, 2 pb en sig, gire (3 pts -lado derecho de la labor). Teja 11 vueltas más en pb, haciendo aumentos simples al final de cada vuelta y también al principio de la 4ª, 7ª y 10ª vueltas (17 pts al final de la vuelta 12).

Triángulo en disminución

Empiece con una cadeneta base de la longitud deseada como base del triángulo y disminuya un punto en cada borde a la vez. Teja una cadeneta base de 18 cad. Salte 2 cad, pb seguir hasta últimas 2 cad, pb2jun, girar (16 pts – lado derecho de la labor). Haga 11 vueltas más en pb, con una disminución simple al final de cada vuelta y también al principio de la 3ª, 6ª y 10ª vueltas (1 pt al final de vuelta 12).

Este diamante se ha confeccionado con un triángulo en aumento seguido de un triángulo en disminución

BOTONES

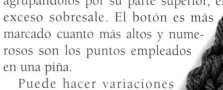

EL GANCHILLO SE DESARROLLÓ principalmente para satisfacer la demanda de encajes del siglo XIX. Pero también se puede emplear para crear efectos con textura. Los botones que les mostramos a continuación són fáciles de hacer y emplean los aumentos y disminuciones que ya conoce.

Al tejer un punto más alto que los de alrededor se crea un efecto de relieve, por ejemplo, un punto alto doble en una vuelta de punto bajo; el punto más alto no queda plano, sino que sobresale. De la misma forma, si teje más de un punto sobre la misma base y los une agrupándolos por su parte superior, el exceso sobresale. El botón es más marcado cuanto más altos y numerosos son los puntos empleados en una piña.

Puede hacer variaciones combinando diferente cantidad de puntos e introduciendo el ganchillo en posiciones distintas.

Avellanas sobre punto bajo

Punto de avellana doble

Teja 5 puntos juntos (*izquierda*). Saque el ganchillo del bucle e introdúzcalo de delante hacia atrás bajo los dos bucles superiores del primer punto del grupo. Recoja el bucle que estaba en el ganchillo y tire de él a su través. Para hacer el punto de avellana doble desde el revés de la labor, introduzca el ganchillo de atrás hacia delante (*derecha*).

Esponjas (Punto esponjoso)

El punto esponjoso está casi completo

Haga una piña de pma (*arriba*). Hag, introduzca ganchillo en pt, hag, pase el hilo holgado a su través. Repita 4 veces sin apretar los otros bucles en ganchillo. Hag y pase a través de todas las hebras en ganchillo (*derecha*). Para asegurar, deje el último de los 11 bucles sobre ganchillo, hag y tire a través de los 2 bucles que quedan.

Botón o avellana

Teja una piña de disminución de 5 pa (o los que desee) juntos, dentro de una vuelta de pb (*izquierda*). *Hag, introduzca ganchillo en pt, hag, pase a través de un bucle, hag, pase a través de 2 bucles; repita desde * 4 veces más introduciendo siempre el ganchillo en el mismo punto (6 bucles en ganchillo). Hag y pase el hilo a través de todos los bucles para completar (*derecha*). El botón será más marcado si se teje en el revés de la muestra.

Punto entorchado

1 Hag 7 veces como para un punto largo. Introduzca el ganchillo, hag y pase a través pt. Hag, pase por todos los bucles.

2 Deje bastante hilo para que pueda pasar por todos los bucles dejando tanto espacio como alto quiera el punto. Hag otra vez, procurando que el cuerpo del punto entorchado no quede apretado, y pase a su través para completar el punto (*derecha*).

AVELLANAS DOBLES VERTICALES CON PUNTOS ALTOS ▼ DOBLES EN RELIEVE

Múltiplo de 11 pts más 3, más 2 para cad base

Abreviatura especial

Aved: avellana doble realizada con 5 pad (ver página 95).

Vuelta 1 (lado derecho de la labor): saltar 3 cad, 2 pa, *cad 2, saltar 3 cad, 1 aved, cad 1, 1 aved, cad 1, saltar 3 cad, 3 pa; rep desde * seguir, girar.

Vuelta 2: cad 3, 1 rdpad, 1 pa, *cad 3, saltar (1 cad, 1 aved), 2 pb en esp cad, cad 3, saltar (1 aved, 2 cad), 1 pa, 1 rdpad, 1 pa; rep desde * seguir, girar.

Vuelta 3: cad 3, 1 rfpad, 1 pa, *cad 2, saltar 3 cad, 1 aved, cad 1, 1 aved, cad 1 , saltar 3 cad, 1 pa, 1 rfpad, 1 pa; rep desde * seguir, girar.

Repita las vueltas 2 y 3 para formar la muestra.

ESPONJA TRABADA EN DIAGONAL ▲

Múltiplo de 3 pts más 2, más 2 para cad base

Abreviatura especial

esptrab (esponja trabada): hag, introducir ganchillo en sig pt, hag, pasar a través, hag, pasar a través 2 bucles, (hag, introducir ganchillo desde delante en 3er punto anterior, hag, pasar flojo a través) dos veces (6 bucles en ganchillo), hag, pasar a través todos los bucles.

Vuelta 1 (lado derecho de la labor): saltar 3 cad, *2 pa, 1 esptrab; rep desde * hasta el último pt, 1 pa, girar.

Vuelta 2: cad 3, *2 pa, 1 esptrab; rep desde * hasta el último pt, 1 pa, girar.

Repita la vuelta 2.

PANEL DE PUNTOS ESPONJA Y CRUCES DE RELIEVE ▶

Tejido con 11 pts sobre una base de pa

Abreviatura especial

Esponja. Realizada como pma5jun pinchados en mismo lugar (ver página 95).

nc (no cerrado): ver Piñas en página 102.

Vuelta 1 (lado derecho de la labor): 11 pa.

Vuelta 2 (revés de la labor): * 1 rdpad, 1 esponja,1 rdpad**, 1 pa; rep desde* una vez más y de nuevo desde * a **.

Vuelta 3: *1 panc en primero, saltar esponja, 1 rfpadnc alrededor sig (3 bucles en ganchillo), hag, pasar a través de todos bucles, 1 pa en esponja, 1 panc en sig, 1 rfpadnc alrededor pt antes esponja anterior cruzando por delante de de rfpad anterior, hag, y pase a través 3 bucles como antes**, 1 pa; rep desde * una vez más y de nuevo desde * a **.

Repita las vueltas 2 y 3 para formar la muestra.

AVELLANAS DOBLES Y PUNTO ALTO ▲

Múltiplo de 6 pts más 1, más 2 para cad base

Abreviatura especial

aved: avellana doble realizada con 5 pa (ver página 95).

Teja una vuelta de cada en los colores A, B y C.

Vuelta 1 (lado derecho de la labor): saltar 3 cad, pa seguir, girar.

Vuelta 2: cad 1 (no se cuenta como pt), *1 pb, cad 1, saltar 1; rep desde * hasta el último pt, 1 pb, girar.

Vuelta 3: cad 3, *saltar (1 cad, 1 pb), (1 aved, cad 1, 1 pa, cad 1, 1 aved) en sig esp cad, saltar (1 pb, 1 cad), 1 pa; rep desde * seguir, girar.

Vuelta 4: como vuelta 2.

Vuelta 5: cad 3, pa seguir, girar.

Repita las vueltas 2 a 5 para formar la muestra.

◀ PANEL DE AVELLANAS

Tejido con 13 pts sobre una base de alt pa (lado derecho de la labor) y vueltas a pb.

Abreviatura especial

ave (avellana): pa5jun en mismo lugar (ver página 95)

Nota: teja cada rfpad alrededor del pa de 2 vueltas más abajo

Vuelta 1 (lado derecho de la labor): 13 pa.

Vuelta 2 (revés de la labor): 4 pb, 1 ave, 3 pb, 1 ave, 4 pb.

Vuelta 3: 1 rfpad, 1 pa, 1 rfpad, 7 pa, 1 rfpad, 1 pa, 1 rfpad.

Vuelta 4: 6 pb, 1 ave, 6 pb.

Vuelta 5: como vuelta 3.

Repita las vueltas 2 a 5 para formar la muestra.

ESPONJAS Y PUNTO BAJO ▲

Múltiplo de 4 pts más 1, más 1 para cad base

Abreviatura especial
esponja: realizada como pma4jun pinchados en mismo lugar (ver página 95).
Vuelta 1 (lado derecho de la labor): saltar 2 pb seguir, girar.
Vuelta 2: cad 1, 1 pb, * 1 esponja, 3 pb; rep desde * seguir, dejar 1 pb sin hacer al final de última rep, girar.
Vuelta 3: cad 1, pb seguir, girar.
Vuelta 4: cad 1, *3 pb, 1 esponja; rep desde * hasta los últimos 4 pts, 4 pb, girar.
Vuelta 5: como vuelta 3.
Repita las vueltas 2 a 5 para formar la muestra.

ONDAS EN PUNTO ENTORCHADO ▶

Múltiplo de 10 pts más 2, más 1 para cad base

Abreviatura especial
ent(s): punto entorchado(s) hecho (hag) 10 veces (ver página 95).
Nota: cad-v se cuenta como punto sólo por las vueltas en derecho de la labor (de punto entorchado).
Vuelta 1 (revés de la labor): saltar 1 cad, pb seguir, girar.
Vuelta 2: cad 3, *5 pa, 5 ents; rep desde * hasta último pt, 1 pa, girar.
Vuelta 3: cad 1, pb seguir, girar.
Vuelta 4: cad 3 *5 ents, 5 pa; rep desde * hasta el último pt, 1 pa, girar.
Vuelta 5: como vuelta 3.
Repita las vueltas 2 a 5 para formar la muestra.

PANEL DE PUNTOS
▼ ALTOS TRIPLES CRUZADOS

Tejidos con 19 pts sobre una base de pb

Nota: ver página 92 para puntos cruzados.
Vuelta 1 (revés de la labor): 19 pa.
Vuelta 2 (lado derecho de la labor): 1 rfpad, 1 pa, saltar 3, 3 pat, ir por detrás de últimos 3 pat pero sin encajarlos, teja 3 pat en los 3 pts saltados, 1 pa, 1 rfpad.
Vuelta 3 (revés de la labor): como vuelta 1, pero teja rdpad en vez de rfpad sobre 1º, 10º y 19º pts para que queden bordes en relieve por el lado derecho de la labor.
Repita las vueltas 2 y 3 para formar la muestra.

ENTORCHADOS DOBLES ▼

Múltiplo de 6 pts más 2, más 1 para cad base

Abreviatura especial
ent(s): punto(s) entorchado(s) realizado con (hag) 7 veces (ver página 95).
Nota: cad-v se cuenta como punto solo en las vueltas del derecho (punto entorchado) de la labor.
Vuelta 1 (revés de la labor): saltar 1 cad, 1 pb, cad 1, saltar 1 cad, 1 pb, * cad 2, saltar 2 cad, 1 pb; rep desde * hasta últimas 2 cad, cad 1, saltar 1 cad, 1 pb, girar.
Vuelta 2: cad 3, 1 pa en esp cad, * 1 pa, 2 ents en 2 esp cad, 1 pa, 2 pa en 2 esp cad; rep desde * seguir, trabajando último pa en último pb, girar.
Vuelta 3: cad 1, 1 pb, cad 1, saltar 1, 1 pb, *cad 2, saltar 2, 1 pb; rep desde * hasta los últimos 2 pts, cad 1, saltar 1, 1 pb, girar.
Vuelta 4: cad 3, 1 ent en sig esp cad, 1 pa, 2 pa en sig esp cad, 1 pa **, 2 ents en 2 esp cad; rep desde * hasta últimos 6 pts y desde * a ** de nuevo, 1 ent en sig esp cad, 1 pa, girar.
Vuelta 5: como vuelta 3.
Repita las vueltas 2 a 5 para formar la muestra.

AVELLANAS A PUNTO ALTO ▼

Múltiplo de 4 pts más 1, más 2 para cad base

Vuelta 1 (lado derecho de la labor): saltar 3 cad, pa seguir, girar.
Vuelta 2: cad 1, 1 pb, *pa5jun en sig, 3 pb; rep desde * hasta los últimos 3 pts, pa5jun en sig, 2 pb, girar.
Vuelta 3: cad 3, pa seguir, girar.
Vuelta 4: cad 1, *3 pb, pa5jun en sig, rep desde * hasta los últimos 4 pts, 4 pb, girar.
Vuelta 5: como vuelta 3.
Repita las vueltas 2 a 5 para formar la muestra.

97

TEJER EN REDONDO

ESTA TÉCNICA SE utiliza para hacer motivos o piezas más grandes, como manteles y tapetes. A diferencia del ganchillo normal se tejerá alrededor de una anilla central y se aumentará regularmente en cada vuelta para que la labor quede plana. Si aumenta demasiado o demasiado poco, la labor se enrollará. Tejiendo en redondo se puede crear cualquier forma, según la posición de los aumentos.

Existe una gran cantidad de labores tipo patchwork que se componen de motivos. Los puntos se encaje se pueden utilizar en los bonitos tapetes que mostramos a continuación (instrucciones para el tapete con cuentas en la página 233).

TAPETES DE ENCAJE TIPO VICTORIANO

Estos bonitos tapetes de estilo antiguo son útiles y decorativos a la vez. El tapete con cuentas se puede utilizar para una jarra. Para hacer el saquito de hierbas, coloque un puñado de potpurrí en muselina, átelo y colóquelo en el centro del tapete de encaje. Una los bordes con cintas. Teja estos tapetes en hilo de algodón fino del número 20 y serán un bonito recuerdo para las futuras generaciones.

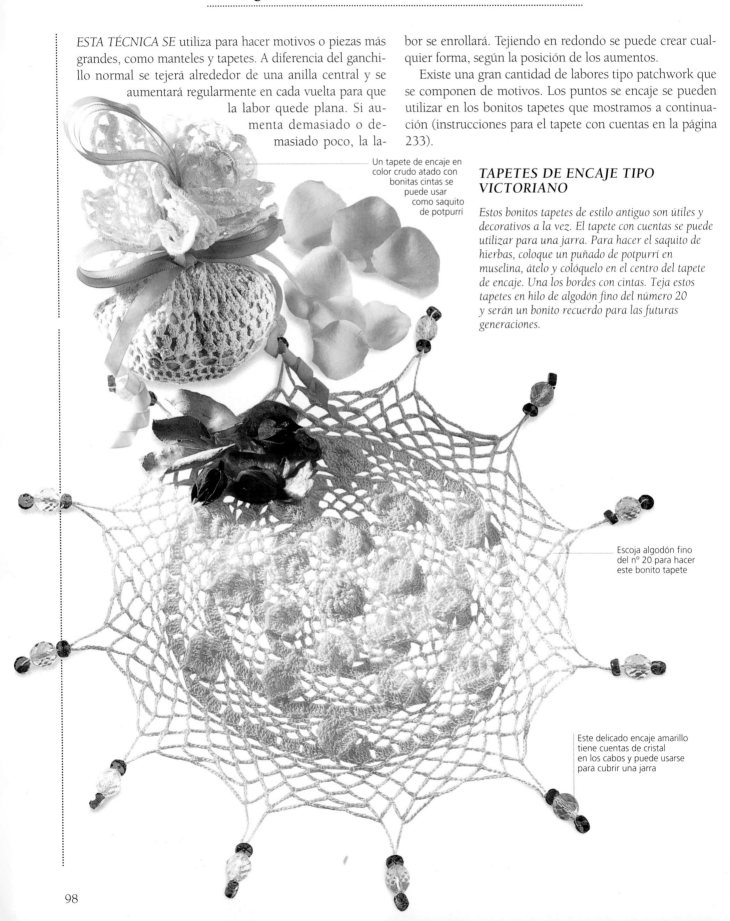

Un tapete de encaje en color crudo atado con bonitas cintas se puede usar como saquito de potpurrí

Escoja algodón fino del nº 20 para hacer este bonito tapete

Este delicado encaje amarillo tiene cuentas de cristal en los cabos y puede usarse para cubrir una jarra

ANILLA BASE

Cualquier labor en redondo empieza con una anilla base; la más usada es la que se cierra con un punto raso en la primera cadeneta (primer método, más abajo). Use el segundo método cuando sea necesario cerrar la anilla central.

Anilla base de cadenetas

1 Haga una cadeneta base corta, como se indica en las instrucciones de la muestra; por ejemplo, cad 5. Introduzca el ganchillo en la primera cadeneta.

La anilla base se cierra al tejer en la primera cadeneta

2 Cierre la anilla con un punto deslizado (hag y pase a través).

Anilla base de hebra

1 Haga un bucle en el hilo. Sujete la parte inferior del bucle con los hilos que normalmente sujetan la labor. Introduzca ganchillo en bucle, hag y pase a través. Haga la cadeneta de vuelta necesaria (cad 1 para pb) y teja la primera vuelta dentro del bucle, envolviendo el cabo corto.

2 Cierre la vuelta con un punto raso. Cierre el centro de la anilla tirando fuerte del cabo corto de hilo. Téjalo por el revés de la labor para asegurarlo.

MOTIVOS

En el glosario de puntos que encontrará a continuación y si no se indica lo contrario:
1 Cierre la anilla base de cadenetas con un punto raso en la primera cadeneta.
2 Al principio de cada vuelta teja una cadeneta de vuelta para colocarse como primer punto de la primera repetición (ver tabla en la página 76).
3 Cierre el final de cada vuelta con un punto raso sobre el primer punto.
4 No gire al terminar una vuelta –el lado derecho está siempre de cara a usted.

CÓMO TEJER EN REDONDO

Hay dos métodos básicos para tejer en redondo: haciendo una espiral continua o bien series de vueltas unidas. En este último caso, cada vuelta se completa y une con un punto raso, pero antes de empezar una nueva vuelta debe hacer una cadeneta de vuelta para igualar la altura de los puntos siguientes (aunque no se gire la labor entre dos vueltas). Consulte la página 76 para la tabla de cadenetas de vuelta.

1 Haga el número correcto de cadenetas para la cadeneta de vuelta, por ejemplo, cad 4 para pad.

Las cadenetas de vuelta se tejen después de la anilla base

Cómo tejer en el centro de la anilla base

2 Introduzca el ganchillo en el centro de la anilla base; teja los puntos necesarios para la primera vuelta.

3 Para cerrar la vuelta debe tejer un punto raso en la parte superior de la cadeneta de vuelta.

Dentro de la anilla base se han tejido todos los puntos

4 Antes de tejer otra vuelta deberá hacer el número necesario de cadenetas de vuelta.

Al principio de cada vuelta se teje una cadeneta de vuelta

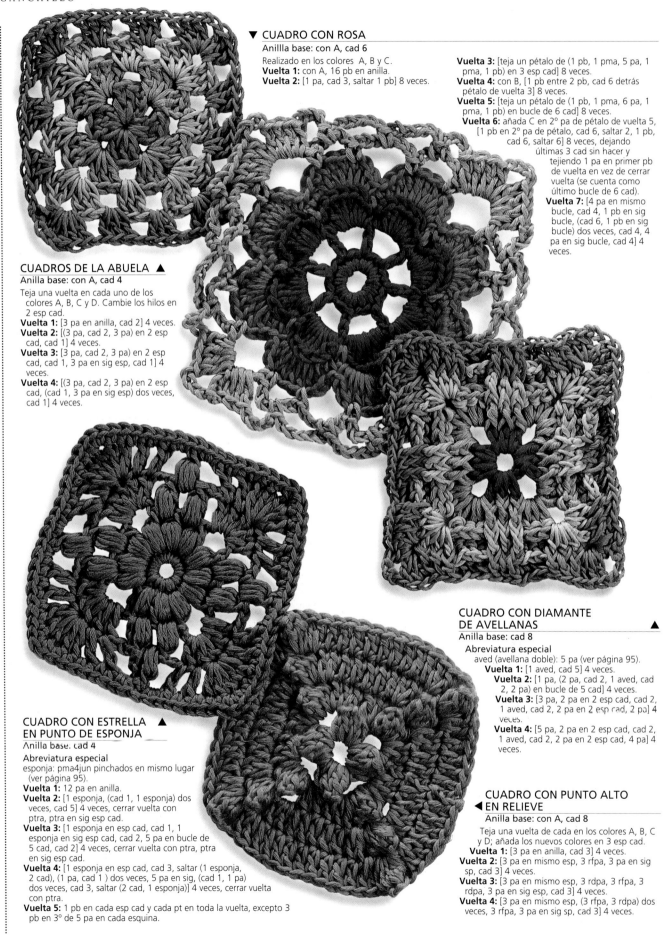

▼ CUADRO CON ROSA

Anilla base: con A, cad 6.
Realizado en los colores A, B y C.
Vuelta 1: con A, 16 pb en anilla.
Vuelta 2: [1 pa, cad 3, saltar 1 pb] 8 veces.

Vuelta 3: [teja un pétalo de (1 pb, 1 pma, 5 pa, 1 pma, 1 pb) en 3 esp cad] 8 veces.
Vuelta 4: con B, [1 pb entre 2 pb, cad 6 detrás pétalo de vuelta 3] 8 veces.
Vuelta 5: [teja un pétalo de (1 pb, 1 pma, 6 pa, 1 pma, 1 pb) en bucle de 6 cad] 8 veces.
Vuelta 6: añada C en 2º pa de pétalo de vuelta 5, [1 pb en 2º pa de pétalo, cad 6, saltar 2, 1 pb, cad 6, saltar 6] 8 veces, dejando últimas 3 cad sin hacer y tejiendo 1 pa en primer pb de vuelta en vez de cerrar vuelta (se cuenta como último bucle de 6 cad).
Vuelta 7: [4 pa en mismo bucle, cad 4, 1 pb en sig bucle, (cad 6, 1 pb en sig bucle) dos veces, cad 4, 4 pa en sig bucle, cad 4] 4 veces.

CUADROS DE LA ABUELA ▲

Anilla base: con A, cad 4

Teja una vuelta en cada uno de los colores A, B, C y D. Cambie los hilos en 2 esp cad.
Vuelta 1: [3 pa en anilla, cad 2] 4 veces.
Vuelta 2: [(3 pa, cad 2, 3 pa) en 2 esp cad, cad 1] 4 veces.
Vuelta 3: [3 pa, (cad 2, 3 pa) en 2 esp cad, cad 1, 3 pa en sig esp, cad 1] 4 veces.
Vuelta 4: [(3 pa, cad 2, 3 pa) en 2 esp cad, (cad 1, 3 pa en sig esp) dos veces, cad 1] 4 veces.

CUADRO CON ESTRELLA EN PUNTO DE ESPONJA ▲

Anilla base: cad 4

Abreviatura especial
esponja: pma4jun pinchados en mismo lugar (ver página 95).
Vuelta 1: 12 pa en anilla.
Vuelta 2: [1 esponja, (cad 1, 1 esponja) dos veces, cad 5] 4 veces, cerrar vuelta con ptra, ptra en sig esp cad.
Vuelta 3: [1 esponja en esp cad, cad 1, 1 esponja en sig esp cad, cad 2, 5 pa en bucle de 5 cad, cad 2] 4 veces, cerrar vuelta con ptra, ptra en sig esp cad.
Vuelta 4: [1 esponja en esp cad, cad 3, saltar (1 esponja, 2 cad), (1 pa, cad 1) dos veces, 5 pa en sig, (cad 1, 1 pa) dos veces, cad 3, saltar (2 cad, 1 esponja)] 4 veces, cerrar vuelta con ptra.
Vuelta 5: 1 pb en cada esp cad y cada pt en toda la vuelta, excepto 3 pb en 3º de 5 pa en cada esquina.

CUADRO CON DIAMANTE DE AVELLANAS ▲

Anilla base: cad 8

Abreviatura especial
aved (avellana doble): 5 pa (ver página 95).
Vuelta 1: [1 aved, cad 5] 4 veces.
Vuelta 2: [1 pa, (2 pa, cad 2, 1 aved, cad 2, 2 pa) en bucle de 5 cad] 4 veces.
Vuelta 3: [3 pa, 2 pa en 2 esp cad, cad 2, 1 aved, cad 2, 2 pa en 2 esp cad, 2 pa] 4 veces.
Vuelta 4: [5 pa, 2 pa en 2 esp cad, cad 2, 1 aved, cad 2, 2 pa en 2 esp cad, 4 pa] 4 veces.

CUADRO CON PUNTO ALTO ◀ EN RELIEVE

Anilla base: con A, cad 8

Teja una vuelta de cada en los colores A, B, C y D; añada los nuevos colores en 3 esp cad.
Vuelta 1: [3 pa en anilla, cad 3] 4 veces.
Vuelta 2: [3 pa en mismo esp, 3 rfpa, 3 pa en sig sp, cad 3] 4 veces.
Vuelta 3: [3 pa en mismo esp, 3 rdpa, 3 rfpa, 3 rdpa, 3 pa en sig esp, cad 3] 4 veces.
Vuelta 4: [3 pa en mismo esp, (3 rfpa, 3 rdpa) dos veces, 3 rfpa, 3 pa en sig sp, cad 3] 4 veces.

HEXÁGONO EN ESPIRAL

Anilla base: cad 5

Nota: esta muestra se teje como una espiral continua sin uniones entre vueltas. Sugerencia: marque el último pb de cda vuelta con hilo de color contrastado.

Vuelta 1: [cad 6, 1 pb en anilla] 6 veces.
Vuelta 2: [cad 4, 1 pb en sig esp] 6 veces.
Vuelta 3: [cad 4, 1 pb en sig esp, 1 pb en sig pb] 6 veces.
Vuelta 4: [cad 4, 1 pb en sig esp, 2 pb] 6 veces.
Vuelta 5: [cad 4, 1 pb en sig esp, 3 pb] 6 veces.
Rep tantas veces como desee, aumentando la cantidad de pb en cada una de las 6 secciones de cada vuelta como indicado. A partir de la vuelta 10 teja 5 en lugar de 4 in cada esp. Acabe con esp cad y 1 ptra en sig pb.

FLOR EN DISCO ▲

Anilla base: cad 5

Vuelta 1: 12 pb en anilla.
Vuelta 2: [2 pa, cad 3] 6 veces.
Vuelta 3: ptra en pa y en sig cad, [(pa3jun, cad 4, pa3jun) en esp cad, cad 4] 6 veces.
Vuelta 4: [(2pb, cad 3, 2 pb) en esp cad] 12 veces.

FLOR ▼

Anilla base: cad 6

Vuelta 1: 12 pb en anilla.
Vuelta 2: [1 pb, cad 7, saltar 1] 5 veces, 1 pb, cad 3, saltar 1, 1 pad sobre el primer pb (se cuenta como 6º 7 bucles de cad).
Vuelta 3: [5 pa en bucle de cad, cad 3] 6 veces.
Vuelta 4: [5 pa, cad 3, 1 pb en bucle de cad, cad 3] 6 veces.
Vuelta 5: [pa5jun, (cad 5, 1 pb en sig bucle) dos veces, cad 5] 6 veces.
Vuelta 6: ptra en cada una de 3 cad sig, [1 pb en bucle de cad, cad 5] 18 veces.
Vuelta 7: ptra en cada una de 3 cad sig, [1 pb en bucle de cad, cad 5, 1 pb en bucle de cad, cad 3, (5 pa, cad 3, 5 pa) en bucle de cad, cad 3] 6 veces.

◄ MEDALLÓN CON PUNTOS TRABADOS

Anilla base: con A, cad 6

Tejido en colores A y B.
Abreviaturas especiales
pbtrab2 (punto bajo trabado dos vueltas más abajo): introducir ganchillo 2 vueltas por debajo pt indicado, p.ej. en la parte superior de vuelta 1, hag, pasar bucle a través y llevar a la altura de la vuelta actual, hag, pasar a través dos bucles en ganchillo (ver Puntos trabados, página 77).
pc (picot -piquillo-): cad 3, ptra en primer pb primer tejido.
Vuelta 1: con A, 16 pb en anilla.
Vuelta 2: con B, [2 pb, (1 pb, cad 9, 1 pb) en sig, 1 pb] 4 veces.
Vuelta 3: [1 pb, saltar 2 pb, (2 pma, 17 pa, 2 pma) en arco 9 cad, saltar 2 pb] 4 veces.
Vuelta 4: añadir otra vez A en pb, [1 pbtrab2, cad 5, saltar 5, 1 pb, 1 pc, (cad 5, saltar 4, 1 pb, 1 pc) dos veces, cad 5, saltar 5] 4 veces.

HEXÁGONO CON PIÑAS EN PUNTO ALTO ▲

Anilla base: con A, cad 6. Teja 1 vuelta de cada color en colores A, B, C, D y E; añada el nuevo color en esp cad

Vuelta 1: [pa3jun en anilla, cad 3] 6 veces.
Vuelta 2: [(pa3jun, cad 3, pa3jun) en 3 esp cad, cad 3] 6 veces.
Vuelta 3: añada C en 3 esp cad, uniendo 2 pares de piñas, [(pa3jun, cad 3, pa3jun) en esp 3 cad, cad 3, pa3jun en sig esp, cad 3] 6 veces.

Vuelta 4: añada D en esp 3 cad entre 1º par de piñas, [(3 pa, cad 2, 3 pa) en esp 3 cad, (3 pa en sig esp 3 cad) dos veces] 6 veces.
Vuelta 5: añada E en esp 3 cad, [2 pb en esp 3 cad, 12 pb] 6 veces.

CONCHAS, PIÑAS Y ENCAJES

AL AGRUPAR LOS PUNTOS formando conchas o piñas se consiguen muestras muy atractivas. Las conchas se forman al tejer un grupo de puntos en el mismo lugar, mientras que una piña se obtiene al unir varios puntos adyacentes por su parte superior. Puede tejerlos muy apretados, pero para un efecto delicado deberá aumentar el espacio entre ellos.

CONCHAS

Pueden ser del mismo punto o de puntos con alturas diferentes que creen formas asimétricas. Las conchas se pueden tejer con cadenetas que forman espacios. Si no se saltan puntos, al realizar más de un punto en el mismo lugar se consigue un aumento (ver página 84). No se aumentan puntos si los grupos se tejen a intervalos con otras conchas entre ellos. (Ver Punto de Conchas entrelazadas, página 89.)

PIÑAS

Una piña es un grupo de puntos tejidos sobre un punto o espacio que se unen después en la parte superior. Una concha y una piña en combinación pueden formar una estrella.

1 Teja la cantidad necesaria de puntos dejando el último bucle de cada uno en el ganchillo (*ver derecha*). Algunas veces se les denomina "no cerrados" (nc).

2 Hag; pase el hilo a través de todos los bucles como en las Estrellas a punto alto (*ver página 103*).

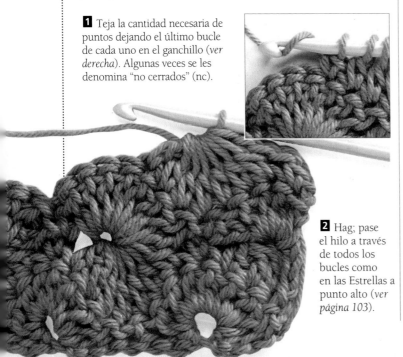

ENCAJE

Además de las mallas, la labor de tipo encaje también incluye conchas y piñas (ver página 104), cadenetas, arcos o bucles y también piquillos. Hay dos técnicas para tejer sobre las cadenetas. Tejer en el espacio debajo de la cadeneta es más fácil y rápido, use pues el segundo método a menos que se indique lo contrario.

Introduzca el ganchillo entre las hebras de una cadeneta, como en la muestra de Conchas con calado.

Introduzca el ganchillo en el espacio bajo una cadeneta o bucle de cadeneta, como en las Conchas superpuestas.

PIQUILLOS

Son cadenetas sencillas o múltiples que se fijan como decoración. Suelen aparecer en las redes de ganchillo de encaje tipo irlandés (ver página 104) y se usan a menudo como borde (ver página 114).

En las muestras (p. ej. en Concha con piquillos) encontrará las sencillas instrucciones para tejerlos: *1 pb en esp cad, (cad 3, ptra en 3ª cad desde ganchillo -forma piquillo).*

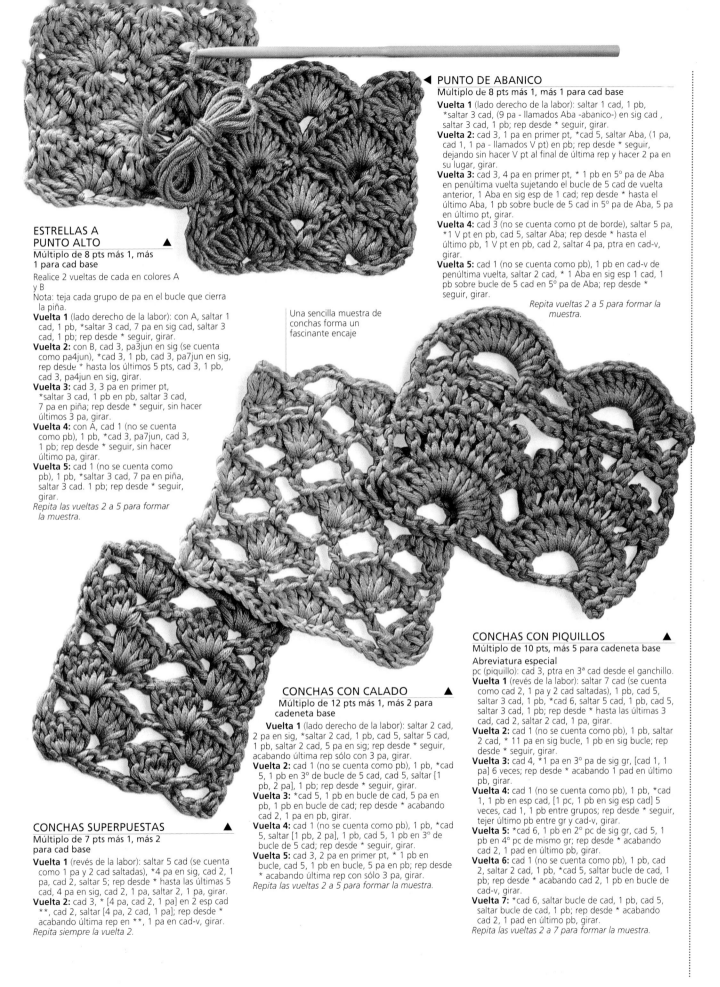

ESTRELLAS A PUNTO ALTO ▲

Múltiplo de 8 pts más 1, más
1 para cad base

Realice 2 vueltas de cada en colores A
y B

Nota: teja cada grupo de pa en el bucle que cierra
la piña.

Vuelta 1 (lado derecho de la labor): con A, saltar 1
cad, 1 pb, *saltar 3 cad, 7 pa en sig cad, saltar 3
cad, 1 pb; rep desde * seguir, girar.

Vuelta 2: con B, cad 3, pa3jun en sig (se cuenta
como pa4jun), *cad 3, 1 pb, cad 3, pa7jun en sig,
rep desde * hasta los últimos 5 pts, cad 3, 1 pb,
cad 3, pa4jun en sig, girar.

Vuelta 3: cad 3, 3 pa en primer pt,
*saltar 3 cad, 1 pb en pb, saltar 3 cad,
7 pa en piña; rep desde * seguir, sin hacer
últimos 3 pa, girar.

Vuelta 4: con A, cad 1 (no se cuenta
como pb), 1 pb, *cad 3, pa7jun, cad 3,
1 pb; rep desde * seguir, sin hacer
último pa, girar.

Vuelta 5: cad 1 (no se cuenta como
pb), 1 pb, *saltar 3 cad, 7 pa en piña,
saltar 3 cad. 1 pb; rep desde * seguir,
girar.

*Repita las vueltas 2 a 5 para formar
la muestra.*

Una sencilla muestra de
conchas forma un
fascinante encaje

◄ PUNTO DE ABANICO

Múltiplo de 8 pts más 1, más 1 para cad base

Vuelta 1 (lado derecho de la labor): saltar 1 cad, 1 pb,
*saltar 3 cad, (9 pa – llamados Aba -abanico-) en sig cad ,
saltar 3 cad, 1 pb; rep desde * seguir, girar.

Vuelta 2: cad 3, 1 pa en primer pt, *cad 5, saltar Aba, (1 pa,
cad 1, 1 pa - llamados V pt) en pb; rep desde * seguir,
dejando sin hacer V pt al final de última rep y hacer 2 pa en
su lugar, girar.

Vuelta 3: cad 3, 4 pa en primer pt, * 1 pb en 5° pa de Aba
en penúltima vuelta sujetando el bucle de 5 cad de vuelta
anterior, 1 Aba en sig esp de 1 cad; rep desde * hasta el
último Aba, 1 pb sobre bucle de 5 cad in 5° pa de Aba, 5 pa
en último pt, girar.

Vuelta 4: cad 3 (no se cuenta como pt de borde), saltar 5 pa,
*1 V pt en pb, cad 5, saltar Aba; rep desde * hasta el
último pb, 1 V pt en pb, cad 2, saltar 4 pa, ptra en cad-v,
girar.

Vuelta 5: cad 1 (no se cuenta como pb), 1 pb en cad-v de
penúltima vuelta, saltar 2 cad, * 1 Aba en sig esp 1 cad, 1
pb sobre bucle de 5 cad en 5° pa de Aba; rep desde *
seguir, girar.

*Repita vueltas 2 a 5 para formar la
muestra.*

CONCHAS CON PIQUILLOS ▲

Múltiplo de 10 pts, más 5 para cadeneta base

Abreviatura especial

pc (piquillo): cad 3, ptra en 3ª cad desde el ganchillo.

Vuelta 1 (revés de la labor): saltar 7 cad (se cuenta
como cad 2, 1 pa y 2 cad saltadas), 1 pb, cad 5,
saltar 3 cad, 1 pb, *cad 6, saltar 5 cad, 1 pb, cad 5,
saltar 3 cad, 1 pb; rep desde * hasta las últimas 3
cad, cad 2, saltar 2 cad, 1 pa, girar.

Vuelta 2: cad 1 (no se cuenta como pb), 1 pb, saltar
2 cad, * 11 pa en sig bucle, 1 pb en sig bucle; rep
desde * seguir, girar.

Vuelta 3: cad 4, *1 pa en 3° pa de sig gr, [cad 1, 1
pa] 6 veces; rep desde * acabando 1 pad en último
pb, girar.

Vuelta 4: cad 1 (no se cuenta como pb), 1 pb, *cad
1, 1 pa en esp cad, [1 pc, 1 pb en sig esp cad] 5
veces, cad 1, 1 pb entre grupos; rep desde * seguir,
tejer último pb entre gr y cad-v, girar.

Vuelta 5: *cad 6, 1 pb en 2° pc de sig gr, cad 5, 1
pb en 4° pc de mismo gr; rep desde * acabando
cad 2, 1 pad en último pb, girar.

Vuelta 6: cad 1 (no se cuenta como pb), 1 pb, cad
2, saltar 2 cad, 1 pb, cad 5, saltar bucle de cad, 1
pb; rep desde * acabando cad 2, 1 pb en bucle de
cad-v, girar.

Vuelta 7: *cad 6, saltar bucle de cad, 1 pb, cad 5,
saltar bucle de cad, 1 pb; rep desde * acabando
cad 2, 1 pad en último pb, girar.

Repita las vueltas 2 a 7 para formar la muestra.

CONCHAS CON CALADO ▲

Múltiplo de 12 pts más 1, más 2 para
cadeneta base

Vuelta 1 (lado derecho de la labor): saltar 2 cad,
2 pa en sig, *saltar 2 cad, 1 pb, cad 5, saltar 5 cad,
1 pb, saltar 2 cad, 5 pa en sig; rep desde * seguir,
acabando última rep sólo con 3 pa, girar.

Vuelta 2: cad 1 (no se cuenta como pb), 1 pb, *cad
5, 1 pb en 3° de bucle de 5 cad, cad 5, saltar [1
pb, 2 pa], 1 pb; rep desde * seguir, girar.

Vuelta 3: *cad 5, 1 pb en bucle de cad, 5 pa en
pb, 1 pb en bucle de cad; rep desde * acabando
cad 2, 1 pb en pb, girar.

Vuelta 4: cad 1 (no se cuenta como pb), 1 pb, *cad
5, saltar [1 pb, 2 pa], 1 pb, cad 5, 1 pb en 3° de
bucle de 5 cad; rep desde * seguir, girar.

Vuelta 5: cad 3, 2 pa en primer pt, * 1 pb en
bucle, cad 5, 1 pb en bucle, 5 pa en pb; rep desde
* acabando última rep con sólo 3 pa, girar.

Repita las vueltas 2 a 5 para formar la muestra.

CONCHAS SUPERPUESTAS ▲

Múltiplo de 7 pts más 1, más 2
para cad base

Vuelta 1 (revés de la labor): saltar 5 cad (se cuenta
como 1 pa y 2 cad saltadas), *4 pa en sig, cad 2, 1
pa, cad 2, saltar 5; rep desde * hasta las últimas 5
cad, 4 pa en sig, cad 2, 1 pa, saltar 2, 1 pa, girar.

Vuelta 2: cad 3, * [4 pa, cad 2, 1 pa] en 2 esp cad
**, cad 2, saltar [4 pa, 2 cad, 1 pa]; rep desde *
acabando última rep en **, 1 pa en cad-v, girar.

Repita siempre la vuelta 2.

MALLAS Y FILET (PUNTO DE RED)

MUCHAS LABORES DE GANCHILLO contienen redes compuestas de cuadrados o diamantes, y pueden formar tejidos tupidos o calados. No sólo las conchas (ver pági-na 102) y los piquillos (ver página 114) pueden adornar una malla; también existen los nudos múltiples y los espacios rellenos de encaje tipo filet.

NUDOS TIPO CLON

Toman el nombre de una antigua población irlandesa que fue famosa por sus encajes.

PUNTO DE RED (GANCHILLO TIPO FILET)

Sobre una base de cuadrados regulares, los dibujos se forman al llenar algunos espacios (bloques o puntos de red llenos) y dejar otros abiertos (espacios). Pueden formar diseños simples o representaciones detalladas de flores y pájaros. Esta técnica se utiliza tanto para cenefas como en tapetes, cortinas y prendas de vestir.

El ganchillo tipo filet se rellena con bloques, barras y lazos de fantasía

1 Para hacer el nudo: cad 3, *hag, llevar ganchillo bajo bucle de cad acabado de hacer, hag, sacar el ganchillo otra vez por detrás de bucle cad; repetir 4 veces más desde * (habrá 9 bucles sobre el ganchillo).

2 Hag y pase hilo a través de todos los bucles, ptra en 1° de 3 cad.

DIAGRAMAS

Las instrucciones suelen estar impresas sobre papel. A menos que se indique lo contrario, recuerde que las vueltas impares de un diagrama se leen de derecha a izquierda y las pares, de izquierda a derecha. Normalmente podrá adaptar cualquier esquema dibujado a cuadros para crear un dibujo en punto de red.

En los diagramas de ganchillo filet, los espacios se representan por cuadros vacíos y los bloques, por los rellenos. El punto vertical básico suele ser el punto alto y el horizontal, las barras de 2 esp cad. Algunas veces las barras y los lazos de fantasía se representan también por su aspecto.

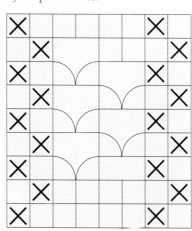

CÓMO HACER UNA MALLA A PUNTO DE RED

Para la cadeneta base debe montar un múltiplo de 3 cad para cada cuadro necesario (será también un múltiplo de la cantidad de cuadros que se repiten en la muestra), más 1. Añada 4 si el primer cuadro debe ser un espacio y sólo 2 si es un bloque.

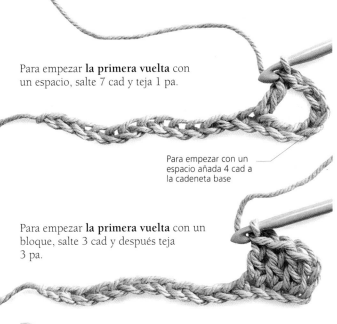

Para empezar **la primera vuelta** con un espacio, salte 7 cad y teja 1 pa.

Para empezar con un espacio añada 4 cad a la cadeneta base

Para empezar **la primera vuelta** con un bloque, salte 3 cad y después teja 3 pa.

Se teje el último bloque de la vuelta

Después teja cada espacio como sigue: cad 2, saltar 2, 1 pa. Y después en cada bloque: 3 pa.

Alternando bloques y espacios se crea una malla fileteada a punto de red

Desde la vuelta 2 y al principio de cada vuelta, cad 3 cuenta como el punto de borde (pa), saltar el primer pa y después para cada espacio, cad 2, saltar 2 cad (o sig 2 pa de un bloque), 1 pa en sig pa, y para cada bloque, teja 2 pa en 2 esp cad (o en sig 2 pa de un bloque), 1 pa en sig pa.

BARRAS Y PUNTO DE RED ENREJADO (LAZOS DE FANTASÍA)

Cada estructura ocupa dos cuadros y se suele tejer en vueltas alternas.

El punto de red enrejado es una variación

punto de red enrejado – cad 3, saltar 2, 1 pb, cad 3, saltar 2, 1 pa.

Normalmente se teje una barra sobre los bordes superiores de cada pto de red enrejado en la malla

barra – cad 5, saltar pto de red enrejado (o 2 cuadros), 1 pa.

Punto de Red – Variación 1

Algunas veces los diagramas se interpretan con 1 cad en los espacios. Los cuadros son entonces más estrechos.

Punto de Red – Variación 2

Otro bonito efecto se produce en una malla con 1 esp cad y cuadros superpuestos, es decir, con puntos verticales (pa) en los espacios de cadeneta de la vuelta anterior.

Variación 1

Variación 2

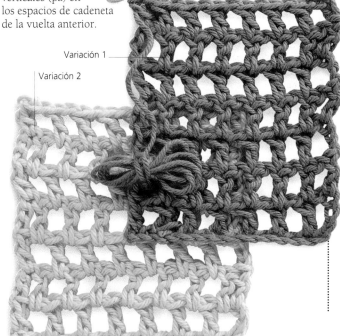

105

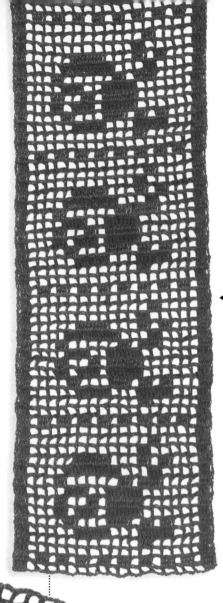

PUNTO DE ARCOS EN RELIEVE ▶

Múltiplo de 3 pts más 1, más 1 para cad base

Abreviatura especial

Pt V relieve: [pma3jun, cad 3, pma3jun] pinchados en mismo lugar (ver página 85).

Vuelta 1 (lado derecho de la labor): saltar 1 cad, 1 pb, *cad 3, saltar 2 cad, 1 pb; rep desde * seguir, girar.

Vuelta 2: cad 4, 1 pb en bucle de cad, *cad 3, 1 pb bucle de cad; rep desde * seguir, acabando cad 1, 1 pa en último pt, girar.

Vuelta 3: cad 3, *1 pt V relieve en pb; rep desde * seguir, acabando 1 pa bucle cad-v, girar.

Repita vueltas 2 y 3 para formar la muestra.

◀ ENTREDÓS DE ROSAS

Base: cad 60

Vuelta 1 (lado derecho de la labor): saltar 3 cad, 3 pa, [cad 2, saltar 2, 1 pa] 17 veces, 3 pa, girar (19 cuadros).

Siga el diagrama desde vuelta 2 para dibujo, repita vueltas 3 a 16 como indicado.

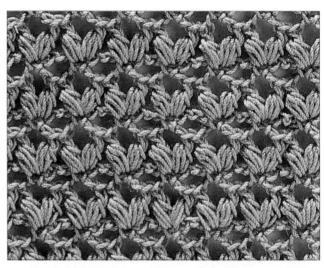

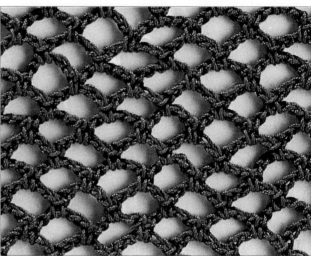

PUNTOS DE ARCO ▶

Múltiplo de 4 pts más 2, más 4 para cad base

Vuelta 1 (lado derecho de la labor): saltar 5 cad, 1 pb, *cad 5, saltar 3 cad, 1 pb; rep desde * seguir, girar.

Vuelta 2: *cad 5, 1 pb en bucle de 5 cad; rep desde * seguir, girar.

Repita la vuelta 2.

MARIPOSAS A PUNTO DE RED ▼

Múltiplo de 54 pts (18 cuadros) más 7 (2 cuadros más 1 pt), más 4 para cad base

Vuelta 1 (lado derecho de la labor): saltar 7 cad, 1 pa, *cad 2, saltar 2, 1 pa; rep desde * seguir, girar.

Siga el esquema a partir de la 2ª vuelta, repitiendo las vueltas 2 a 33 según indicado.

Estas delicadas mariposas se han tejido combinando puntos de red llenos y espacios

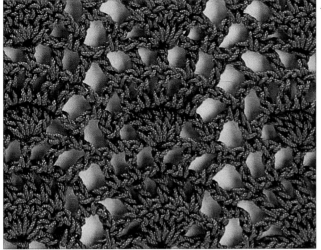

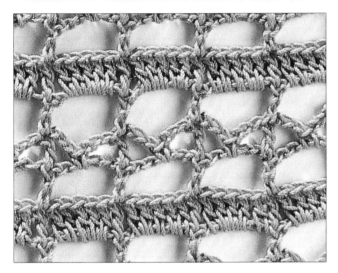

◀ ## MALLA DE ABANICOS CALADOS

Múltiplo de 12 pts más 5, más 1 para cad base

Vuelta 1 (lado derecho de la labor): saltar 1 cad, 1 pb, *cad 5, saltar 3 cad, 1 pb, cad 2, saltar 3 cad, 5 pa en sig, cad 2, saltar 3 cad, 1 pb; rep desde * hasta últimas 4 cad, cad 5, saltar 3 cad, 1 pb, girar.

Vuelta 2: cad 5 (se cuenta como 1 pa y cad 2), *1 pb en 5 bucle de cad, cad 2, saltar 2 cad, 1 pa en pa, [cad 1, 1 pa] 4 veces, cad 2, saltar 2 cad; rep desde * hasta último bucle de 5 cad, 1 pb en bucle de 5 cad, cad 2, 1 pa en pb, girar.

Vuelta 3: cad 4 (se cuenta como 1 pa y cad 1), 1 pa en primer pt, *saltar [2 cad, 1 pb, 2 cad], 1 pa en pa, [cad 2, saltar 1 cad, 1 pa] 4 veces; rep desde * acabando saltar [2 cad, 1 pb, 2 cad], [1 pa, cad 1, 1 pa] en bucle cad-v, girar.

Vuelta 4: cad 1 (no se cuenta como pb), 1 pb, saltar [1 cad, 2 pa], *cad 5, 1 pb en esp 2 cad, cad 2, saltar [1 pa, 2 cad], 5 pa en pa, cad 2, saltar [2 cad, 1 pa], 1 pb en esp 2 cad; rep desde * acabando cad 5, 1 pb en bucle cad-v, girar.

Repita las vueltas 2, 3 y 4 para formar la muestra.

CENEFA DE DIAMANTES EN PUNTO DE RED ▶

Base: cad 36

Nota: para aumentos y disminuciones múltiples volver a páginas 84 y 85.

Vuelta 1 (lado derecho de la labor): saltar 3 cad, 3 pa, [cad 2, saltar 2, 1 pa] dos veces, 3 pa, [cad 2, saltar 2, 1 pa] 5 veces, [3 pa] dos veces, girar.

Siga el diagrama a partir de la 2ª vuelta y repita las vueltas 2 a 12 como indicado.

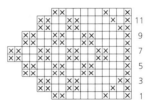

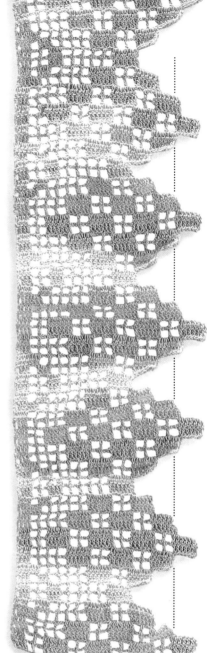

BLOQUES, BARRAS Y PUNTO DE RED ENREJADO ▲

Múltiplo de 6 pts más 1, más 2 para cad base

Vuelta 1 (lado derecho de la labor): saltar 3 cad, pa seguir, girar.

Vuelta 2: cad 3, saltar primer pa, *cad 5, saltar 5, 1 pa; rep desde * seguir, girar.

Vuelta 3: cad 3, saltar primer pa, *cad 3, 1 pb en bucle de cad, cad 3, - llamado punto de red enrejado, 1 pa en pa; rep desde * seguir, girar.

Vuelta 4: cad 3, saltar primer pa, *cad 5, pt red enrejado, 1 pa; rep desde * seguir, girar.

Vuelta 5: cad 3, *5 pa en bucle de cad, 1 pa en pa; rep desde * seguir, girar.

Repita vueltas 2 a 5 para formar la muestra.

RED DE FANTASÍA EN PUNTO BAJO ▶

Múltiplo de 8 pts más 1, más 1 para cad base

Nota: cad-v no se cuenta como pt, excepto en vueltas 4, 10, etc.

Vuelta 1 (lado derecho de la labor): saltar 1 cad, 3 pb, *cad 5, saltar 3 cad, 5 pb; rep desde * seguir, dejando 2 pb sin hacer de los 5 de última rep, girar.

Vuelta 2: cad 1, 1 pb, *1 pb, cad 3, 1 pb en bucle de 5 cad, cad 3, saltar 1 pb, 2 pb; rep desde * seguir, girar.

Vuelta 3: cad 1, 1 pb, *cad 3, 1 pb en esp 3 cad, 1 pb, 1 pb en esp 3 cad, cad 3, saltar 1 pb, 1 pb; rep desde * seguir, girar.

Vuelta 4: cad 5 (se cuenta como 1 pa y 2 cad), * 1 pb en esp 3 cad, 3 pb, 1 pb en esp 3 cad **, cad 5; rep desde * al 2º de último esp 3 cad y de nuevo desde * a **, cad 2, 1 pa en último pb, girar.

Vuelta 5: cad 1, 1 pb, *cad 3, saltar 1 pb, 3 pb, cad 3, saltar 1 pb, 1 pb en bucle de 5 cad; rep desde * seguir, girar.

Vuelta 6: cad 1, 1 pb, *1 pb en esp 3 cad, cad 3, saltar 1 pb, 1 pb, cad 3, saltar 1 pb, 1 pb en esp 3 cad, 1 pb; rep desde * seguir, girar.

Vuelta 7: cad 1, 1 pb, * 1 pb, 1 pb en esp 3 cad, cad 5, 1 pb en esp 3 cad, 2 pb; rep desde * seguir, girar.

Repita vueltas 2 a 7 para formar la muestra.

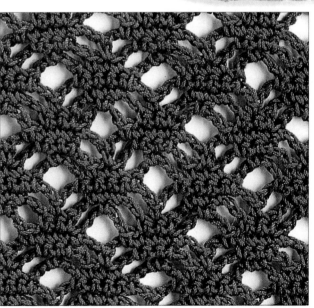

SENSACIONES DE VERANO

LOS PUNTOS CALADOS dan un toque fresco y veraniego a las chaquetas y jerseys añadiendo además un toque romántico a las prendas. Esta técnica también puede convertir el más sencillo de los cojines en una verdadera obra de arte.

El acabado tipo encaje en cuello y bordes realza la muestra empleada

El mismo borde tipo encaje se ha empleado alrededor de los paneles calados y ha añadido carácter al cuerpo y mangas de la prenda

CHAQUETA CALADA

Esta bonita chaqueta es ideal para llevar sobre vestidos de verano o dar un toque femenino a una camiseta (ver página 237).

Estas bonitas
conchas se crean
al variar las
alturas de
los puntos

Se han cosido tres
cuadros para
formar el motivo
frontal

CONCHAS DE GANCHILLO

*Este jersey de algodón
se puede llevar encima
o debajo de una prenda.
Es perfecto para
una bonita falda,
pero también es
apropiado con tejanos
(ver página 236)*

El borde de encaje
da un toque femenino

Este panel de malla
tiene las esquinas
caladas

COJINES

*Las delicadas decoraciones
tipo encaje de los cojines
se tejen de la misma
forma que los meda-
llones. Los encajes
se pueden coser
sobre cojines de
cualquier color
(ver
página 238).*

Con la muestra
de capullo de
flor se crea un
sugerente
motivo

GANCHILLO TUNECINO

EL GANCHILLO TUNECINO (a veces llamado punto afgano) se teje de la forma tradicional con un ganchillo especial, más largo de lo normal, pero de diámetro uniforme y una protuberancia (a veces otro ganchillo) en el otro lado. Es una técnica entre el punto de media y el ganchillo; el aspecto final es semejante al del punto de media, pero con puntos más firmes y gruesos. Necesitará un ganchillo de, como mínimo, dos números más que el ganchillo normal. Las vueltas impares se tejen de derecha a izquierda, cuando las hebras se recogen y mantienen sobre el ganchillo. En las vueltas pares las hebras salen de izquierda a derecha.

VUELTA BASE

Con el ganchillo tunecino se pueden efectuar gran cantidad de puntos lisos, texturados, multicolores y calados. La mayoría de las muestras se realiza con los dos puntos que indicamos más abajo. La labor no se gira nunca y el lado derecho está siempre de cara (a menos que teja con un ganchillo de doble gancho).

Haga una cadeneta base con la misma cantidad de cadenetas que los puntos necesarios en la vuelta, más 1 para girar.

Primera vuelta (hacia delante)

Saltar 1 cad, *introducir ganchillo en sig cad, hag, pasar la hebra sólo por cad y dejar sobre el ganchillo; rep desde * seguir. No gire la labor.

Segunda vuelta (hacia atrás)

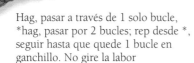

Hag, pasar a través de 1 solo bucle, *hag, pasar por 2 bucles; rep desde *, seguir hasta que quede 1 bucle en ganchillo. No gire la labor

La vuelta base terminada es la base de la mayoría de las muestras en ganchillo tunecino.

PUNTO TUNECINO BÁSICO

Realice la vuelta base hacia delante y hacia atrás como se indica.

Hacia delante (vuelta 3 y todas las vueltas impares): cuente el bucle sobre el ganchillo como primer pt y empiece en 2º pt. * Introducir ganchillo por delante y de derecha a izquierda alrededor del hilo vertical que está solo y por delante, hag, pasar a través y colocar sobre ganchillo; rep desde * y seguir. No gire.
Hacia atrás (vueltas pares): como en vuelta dos.

PUNTO DE TEJIDO TUNECINO

Realice la vuelta base hacia delante y hacia atrás como se indica.

Hacia delante: cuente el bucle sobre el ganchillo como primer pt y empiece en 2º pt. *Introducir ganchillo desde delante a través del tejido y debajo de cad formadas en la vuelta hacia atrás (anterior) entre las hebras derecha e izquierda del pt vertical, hag, pasar a través y mantener sobre el ganchillo; rep desde * seguir. No gire.
Hacia atrás: como en vuelta dos.

Los bordes con punto de avellana doble forman también las bandas de unión entre los paneles de ganchillo tunecino

Este fondo en ganchillo tunecino se ha bordado en colores contrastados en punto de cruz, de contorno, puntos lanzados y nudos franceses

Colores invertidos

CÓMO ESCOGER LOS COLORES

El aspecto de una muestra cambia al invertir los colores y emplear una base más oscura. El brillante contraste entre las flores blancas y la base recalca la frescura de la combinación de azules y blanco. Pruebe con varios diseños de color para ver los efectos que se consiguen con los mismos colores utilizados de formas diferentes.

MANTAS

PARA REALIZAR ESTAS TRES MANTAS
se han utilizado puntos básicos de ganchillo,
por lo que son rápidas de terminar. Colóquelas
sobre su sillón o sofá favorito, o sobre
la cama en las frías noches de invierno.

TRADICIONALES Y MODERNAS A LA VEZ

*Esta muestra de puntos que forman abanicos se ha realizado
en delicados tonos de suave mohair y tiene un aire nostálgico
que nos recuerda los abanicos de las damas del siglo XIX;
colóquelo en una habitación de colores pastel (ver página 239).*

*Teja a ganchillo la pieza con dibujo de rosas antiguas
o el caleidoscopio, y utilice una lana gruesa y suave tipo Arán o
similar. El fondo azul y la rosa grande crean un aspecto
romántico y femenino, mientras que los círculos de colores
con un borde de triángulos sugieren un aire más actual.
Envuélvase en una de ellas en una noche fría y sentirá
orgullo por su habilidad (ver páginas 139 y 240).*

Unas conchas completan
la forma de abanico y
crean un cuadrado

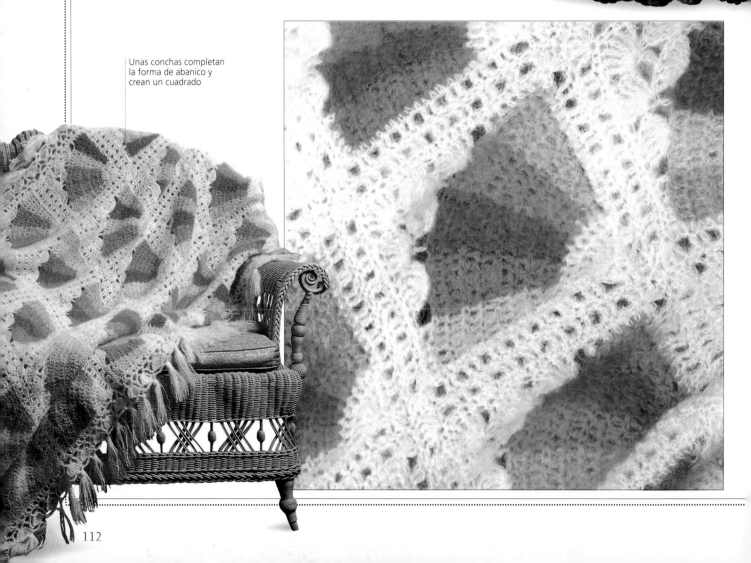

Los cuadrados de color liso
se han tejido con el
motivo Rosa antigua

Un fondo rojo
realza los círculos
tejidos en nueve
colores contrastados
que producen un efecto
de caleidoscopio
multicolor

BORDES

UNA LABOR DE GANCHILLO queda normalmente más plana y mejor acabada si se le añade un borde. Para terminar una labor se pueden utilizar bordes y ribetes de ganchillo. Si los bordes y ribetes son la base de la labor principal, deberá hacerlos primero, pero si quiere unirlos después los debe hacer por separado. Para tejer un borde deberá utilizar un ganchillo más pequeño que el utilizado en la pieza principal: hará que el borde tenga un acabado más firme.

BORDE A PUNTO BAJO

Este borde básico se teje por el lado derecho de la labor y sirve para desbastar y reforzar el tejido, ya que puede cubrir bastas y rematar cabos sueltos (las dos vueltas de la izquierda se han tejido en color contrastado para que sean más claras). También es una buena base para bordes más decorativos.

OJALES

En los bordes podrá crear espacios para botones si salta la cantidad necesaria de puntos y teje cadenetas en su lugar. Si necesita más vueltas después de los ojales, deberá tejer pb dentro de los espacios.

REMATE A PUNTO DE CANGREJO

Es un borde muy útil que se suele tejer después de una vuelta de pb y con el lado derecho de cara. Teja en pb, pero de izquierda a derecha.

REMATE DE PIQUILLOS

De diferente altura y complejidad, los piquillos son uno de los bordes característicos. Para hacer esta muestra simple de 3 piquillos deberá tejer [cad 3, ptra en 3ª cad desde ganchillo] 3 veces, después ptra sobre el último pb realizado (ver Piquillo triple más abajo).

CÓMO TEJER REMATES Y ESQUINAS

Normalmente se teje un punto sobre cada punto de la vuelta anterior o de la cadeneta base, pero ahora deberá hacer 3 puntos en las esquinas y añadir un punto a cada lado del tejido, normalmente 1 pt por vuelta. Como guía: necesitará añadir 1 y 2 pts alternativamente, en una vuelta de pma, 2 puntos en las vueltas de pa, 3 puntos en las de pad, etc.

Cómo hacer un remate a punto de cangrejo

* Teja de izquierda a derecha e introduzca el ganchillo en el siguiente punto de la derecha, hag. Pase el bucle por la labor y manténgalo en el ganchillo (*izquierda*). Hag y pase la hebra por los dos bucles para completar 1 punto de cangrejo (*derecha*). Repetir desde *.

PIQUILLO TRIPLE ▲
Múltiplo de 5 pts

Nota: todas las vueltas con el lado derecho de cara.
Vuelta 1: con hilo del mismo color que el tejido base, pb.
Vuelta 2: con hilo de color contrastado, 5 pb, [cad 3, ptra en 3ª cad desde ganchillo] 3 veces, ptra sobre el último pb hecho; rep desde *.
Aquí, una vuelta de pa representa el tejido base.

PUNTO DE BORLA ▲
Múltiplo de 2 pts

Nota: todas las vueltas con el lado derecho de cara.
Vuelta 1: con hilo del mismo color que el tejido base, pb.
Vuelta 2: con color contrastado: trabaje de izquierda a derecha introduciendo el ganchillo de delante hacia atrás * cad1, saltar 1, pma3jun; rep desde * acabar con un ptra.
Aquí, una vuelta de pa representa el tejido base.

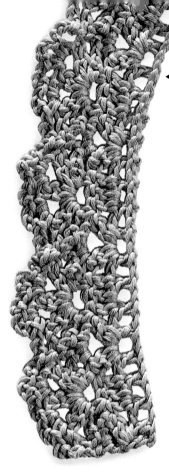

◄ ONDA DE PIQUILLOS

Múltiplo de 8 pts más 1, más 2 para cad base

Vuelta 1 (lado derecho de la labor): saltar 3 cad, 1 pa, *cad 1, saltar 1, 1 pa, rep desde * hasta última cad, 1 pa, girar.

Vuelta 2: cad 5 (se cuenta como 1 pa, cad 2), pa2jun en primero, *saltar [1 pa, 1 cad], 3 pa, saltar [1 cad, 1 pa], [pa2jun, cad 4, pa2jun - llamados 2piña] en esp cad; rep desde * seguir, dejar sin hacer las últimas 2 cad y pa2jun desde última 2piña y tejer 1 pa en mismo bucle, girar.

Vuelta 3: cad 3 (se cuenta como 1 pma, cad 1), 1 pb en 2 esp cad, *saltar piña, [cad 3, 1 pb - llamados piquillo], saltar 1, 1 pc, 2 pc en bucle de 4 cad; rep desde * seguir, dejar sin hacer 2º pb al final de última rep y trabajar cad 1, 1 pma en mismo bucle, girar.

Vuelta 4: cad 1 (no se cuenta como pb), 1 pb, *cad 1, saltar 1 pc, [pa2jun, (cad 3, pa2jun dos veces) en sig pc], cad 1, saltar 1 pc, 1 pb en sig pc; rep desde * seguir, girar.

Vuelta 5: cad 1 (no se cuenta como pb), 1 pb, saltar 1 cad, *[2 pc en sig bucle de 3 cad] dos veces, saltar 1 cad, 1 pc en pb; rep desde * seguir.

TIRAS DE TRÉBOLES ▲

Base: con A, cad 19

Teja 2 vueltas de cada uno de los colores A, B, C y D.

Vuelta 1 (revés de la labor): Con A, saltar 5 cad, 1 pa, cad 1, saltar 1, 2 pa, cad 8, saltar 9, [1 pa, (cad 3, 1 pa) 3 veces] en última cad, girar

Vuelta 2: [en esp 3 cad trabaje (1 pb, 1 pma, 3 pa, 1 pma, 1 pb - llamados pétalo)] 3 veces, cad 6, saltar 6 cad, 1 pa en cada una de últimas 2 cad de bucle (2 pa - llamados blk), [cad 1, saltar 1, 1 pa] dos veces, girar.

Vuelta 3: con B, cad 4 (se cuenta como 1 pa, cad 1), saltar 1 cad, 1 pa, cad 1, saltar 1, (4 pa - llamados blk), 1 pa en cada una de sig 2 cad, cad 8, en centro pa del 2º pétalo trabaje [1 pa, (cad 3, 1 pa) 3 veces], girar.

Vuelta 4: como vuelta 2, pero trabaje blk de 6 pa.

Vuelta 5: con C, como vuelta 3, pero trabaje blk de 8 pa.

Vuelta 6: como vuelta 2, pero trabaje blk de 10 pa.

Vuelta 7: con D, cad 4 (se cuenta como 1 pa, cad 1), saltar 1 cad, 1 pa, cad 1, saltar 1, 2 pa, cad 8, saltar 9, (1 pa, [cad 3, 1 pa] 3 veces) en último pa, girar.

Repita las vueltas 2 a 7 para formar la muestra.

CONCHAS DEL MAR ▼

Base: cad 11

Vuelta 1 (lado derecho de la labor): saltar 3 cad, 2 pa, cad 2, saltar 2, 1 pa, cad 2, saltar 2, [1 pa, cad 3, 1 pa] en último cad, girar.

Vuelta 2: cad 5, [3 pa, cad 1, 3 pa] en 3 esp cad, cad 2, saltar 2 cad, 1 pa, cad 2, saltar 2 cad, 3 pa, girar.

Vuelta 3: cad 3, 2 pa, cad 2, saltar 2 cad, 1 pa, cad 2, saltar 2 cad, [1 pa, cad 3, 1 pa] en 1 esp cad *, cad 2, (1 pa, [cad 1, 1 pa] 7 veces) en 5 bucle de cad **, 1 pad en 1ª cad de la base, girar.

Vuelta 4: cad 2, saltar 2, 1 pb en esp cad, [cad 3, 1 pb en esp cad] 6 veces, cad 2, saltar 2 cad, [3 pa, cad 1, 3 pa] en 3 esp cad, cad 2, saltar 2 cad, 1 pa, cad 2, saltar 2 cad, 3 pa, girar.

Vuelta 5: como vuelta 3 hasta *, girar.

Vuelta 6: como vuelta 2.

Vuelta 7: como vuelta 3 hasta **, 1 pb en esp 2 cad de la antepenúltima vuelta.

Vuelta 8: como vuelta 4.

Repita las vueltas 5 a 8 para formar la muestra.

ESPIRALES ENTORCHADAS ►

Base: cad 12

Abreviatura especial

Ent (punto entorchado): ver página 95, hecho con hag 10 veces.

Vuelta 1 (lado derecho de la labor): saltar 3 cad, 1 pa, saltar 3 cad, (1 pa, [1 Ent, 1 pa] 3 veces - llamados concha) en sig, saltar 3 cad, (3 pa, cad 2), 3 pa llamados pt V) en sig, girar.

Vuelta 2: cad 7, saltar 3 cad, [3 pa en sig] 4 veces, pt V en esp 2 cad, cad 3, 1 pb en centro Ent de concha, cad 3, 1 pa en cada uno de 2 pts últimos, girar.

Vuelta 3: cad 3, 1 pa, saltar 3 cad, concha en pb, saltar 3 cad, pt V en esp 2 cad, girar.

Repita las vueltas 2 y 3 para formar la muestra.

ARCOS CON PIQUILLOS ▲

Múltiplo de 8 pts más 1, más 1 para cad base

Vuelta 1 (lado derecho de la labor): saltar 2 cad, pb seguir, girar.

Vuelta 2: cad 1, pb seguir, girar.

Vuelta 3: cad 1 (no se cuenta como pb), 1 pb, *cad 3, 2 pa en sig, saltar 2, 1 pb; rep desde * seguir, girar.

Vuelta 4: cad 4 (se cuenta como 1 pa, cad 1), 1 pa en primer, * 1 pb en bucle de 3 cad, cad 6, 1 pb en bucle de 3 cad, (1 pa, cad 3, 1 pa - llamados pt V) en pb; rep desde * dejando sin hacer 2 de 3 cad en último pt V, girar.

Vuelta 5: cad 1, 1 pb en 1 esp cad, *[5 pa, cad 5, ptra en 5ª cad desde el ganchillo, 5 pa] en 6 bucle de cad, 1 pb en sig bucle de cad; rep desde * seguir.

BOTONES, CORDONCILLOS Y ACABADOS

CON HILOS DEL MISMO COLOR o de colores contrastados puede realizar algunos detalles de acabado. Los botones y cordeles alegrarán una prenda infantil o accesorios de señora (monederos, etc.). Al añadir un punto deslizado a la superficie de la pieza terminada se crea un efecto de tejido.

BOTONES

Son fáciles de hacer y son una forma alegre y colorista de realzar las prendas y accesorios hechos a mano. Vea la página 114 para realizar los ojales.

Botón redondo

Base: cad 2. Nota: cierre cada vuelta con ptra sobre primer pb.
Vuelta 1 (lado derecho de la labor): 6 pb en 2ª cad desde ganchillo.
Vuelta 2 (cad 1, 2 pb en cada pa (12 pts).
Vuelta 3: cad 1, 1 pb en cada pb (superior, derecha).
Vuelta 4: cad 1, (1pb, saltar 1) 6 veces (6 pts). Llene el botón con un poco de hilo (inferior, derecha).
Vuelta 5: cad 1, (1pb, saltar 1) 3 veces. Cortar suficiente hilo para cerrar la abertura y coser el botón.

CORDELES

Las cintas y cordeles son fáciles y rápidos de realizar. Si se confeccionan en colores contrastados alegran las ropas infantiles y los accesorios realizados con punto a mano o en ganchillo.

Cordel redondo

Anilla base: cad 5 (o las necesarias para el grosor del cordel). Teja en espiral alrededor de la anilla y siga: 1 ptra en bucle superior de cada cad y después de cada ptra, hasta que alcance la longitud deseada. Para que sea más rápido de hacer teja en pb o pa.

Cordel plano

Cad 2, 1 pb en 2ª cad desde ganchillo, girar y tejer 1 pb en cad detrás de pb terminado, *girar y realizar 1 pb, introduciendo ganchillo por debajo a través de 2 bucles detrás del que ha terminado; rep desde * hasta la longitud deseada.

CADENETAS SUPERPUESTAS

Los cuadros suelen ser laboriosos, pero los tejidos a ganchillo se pueden adornar muy fácilmente con líneas verticales y horizontales.

Cómo hacer cadenetas superpuestas

1 Haga un nudo deslizado con un nuevo hilo. De cara o al revés (según la muestra), introduzca el ganchillo a través de la cadeneta escogida. Hag por debajo, tire de la hebra y deje el bucle sobre el ganchillo.

2 Introduzca el ganchillo a través del siguiente espacio cadeneta o en posición escogida, hag por detrás del tejido, hebra a través del tejido y bucle en el ganchillo; repetir desde * como indicado.

Haga una cadeneta alrededor del borde de la labor y asegure. Es importante tejer flojo para no distorsionar los puntos de base. Puede ser útil usar un ganchillo más grueso que para el tejido base. Los cabos del hilo se deben tejer en cualquier vuelta adyacente o rematarse por detrás de la labor.

Lado derecho de la labor

Revés de la labor

TERMINAR UNA LABOR

PARA CONSEGUIR UN ASPECTO profesional debe tener especial cuidado en unir y terminar su labor, porque la apariencia y resistencia dependen de ello. Asegúrese de que todos los cabos están tejidos y rematados por el revés. Las costuras se pueden coser o unir a ganchillo, como le enseñamos a continuación.

UNIONES A GANCHILLO

Las costuras realizadas a ganchillo son fuertes y rápidas de hacer. El punto raso es el más invisible y el punto bajo permite hacer un borde que se puede mostrar en el lado derecho de la labor. En cada vuelta se deben realizar los mismos puntos que para un borde (ver página 114).

Costura con punto deslizado

Coloque las piezas con los lados derechos encarados. * Introduzca el ganchillo a través de los dos puntos del borde, hag y pase el hilo hasta completar 1 ptra; rep desde *. Teja flojo.

Costura de punto bajo

Coloque las piezas con los lados derechos encarados (o reveses juntos para una costura visible) y teja como en la costura a punto deslizado pero utilizando punto bajo en vez de deslizado.

Con punto bajo y cadena

Es una variación de la costura de punto bajo. Se usa cuando se necesitan menos grosor y/o más flexibilidad. Teja 1 pb y 1 cad, alternativamente.

Costura plana con punto raso

Coloque las piezas borde a borde con el revés hacia arriba. Teja 1 ptra, alternativamente en cada borde. (Ver también la alternativa de la derecha.)

CÓMO UNIR MOTIVOS

Los bordes rectos se pueden unir en la forma habitual. Pero cuando hay piezas y se trata, sobre todo, de triángulos y rectángulos, es recomendable unir los motivos a pares con una costura continua para evitar los remates a intervalos regulares.

Costura plana alternativa (con punto raso)

Si se utiliza la parte superior de los puntos se crea una costura plana y desbastada, como en los motivos tejidos en redondo. Coloque las piezas borde a borde con los lados derechos hacia arriba. Introduzca el ganchillo a través del bucle superior de cada par de puntos correspondientes y únalos con un punto raso.

Los motivos de relleno unen y decoran a la vez

Muchos motivos tienen una vuelta final de piquillos o bucles que pueden ser usados para unir los puntos unos a otros a medida que se teje la vuelta. La cadeneta central de un bucle se suele sustituir por un ptra o pb tejido en el bucle del motivo contiguo.

Después de hacer la unión se pueden tejer pequeños motivos entre los espacios, reforzarán la labor y serán decorativos. La Flor en disco forma los motivos de la derecha (*ver página 101*). Para los motivos de relleno: anilla base cad 5. Vuelta 1: [1 pb en la anilla, cad 2, ptra en motivo, cad 2, 1 pb en anilla] 4 veces.

CÓMO DAR FORMA Y PLANCHAR

Normalmente, las labores de encaje con hilo de algodón se sujetan con alfileres y se planchan para que mantengan su forma. En cambio, otras piezas de ganchillo —sobre todo si son texturadas— casi no precisan cuidados. Sujete la pieza con alfileres, humedezca con un aerosol y deje que se seque de forma natural. Los alfileres deben ser de acero inoxidable.

EL BORDADO

*L*a decoración de tejidos con puntos es un arte muy antiguo. Hay una gran variedad de puntos e innumerables maneras de aplicarlos y combinarlos. Conseguir un trabajo de gran originalidad, ya sea sobre tejidos lisos o estampados, está al alcance de cualquiera de nosotros. Hoy son muchas las personas aficionadas que disfrutan con labores de punto de cruz, pero podemos decorar nuestros vestidos con puntos mucho más ambiciosos. Cuellos, puños y bolsillos ofrecen la posibilidad de mostrar nuestras habilidades en monogramas o puntos decorativos e incluso podremos atrevernos con piezas de mayor envergadura, como la ropa de cama o de mesa. Los museos de todo el mundo están llenos de muestras de bordado. Una buena colección ha de contener chalecos y trajes de bautizo, muestrarios, cuadros, cajas bordadas y piezas para el altar. No contentos con utilizar hilos de seda, lana o algodón, los bordadores especializados usaban además cuentas y lentejuelas. Los efectos especiales en el bordado fueron, y continúan siendo, muy valiosos y buscados, tanto en el vestir como en el hogar.

UTENSILIOS Y MATERIALES

HAY UNA GAMA MUY AMPLIA de tejidos de base y de hilos para cualquier proyecto de bordado. Los que usted elija determinarán el resultado de su trabajo. Cuando escoja, ha de tener en cuenta que el tejido debe ser el adecuado para el producto final; debe ser,

por ejemplo, resistente y lavable para una funda de cojín. Asegúrese también de que la aguja y el hilo pasan fácilmente a través del tejido sin partir los hilos. Otro elemento esencial para su equipo son unas tijeras pequeñas y afiladas.

TEJIDOS

Tanto los tejidos lisos como los que tienen muestra (pautados) son adecuados para bordar. Los tejidos con pautas tejidas o geométricas son especialmente útiles para aquellos puntos que necesitan de una referencia para mantener un tamaño regular. Hay una amplia gama de tejidos con trama regular utilizados para técnicas de hilos contados (como el punto de cruz). Una tela tejida regularmente tiene el mismo número de hilos por centímetro en la trama y el urdido. Por ejemplo: densidad 18 significa que hay 18 hilos por cada 2,5 cm. Uno de los tejidos utilizados más comúnmente para cuadros bordados es la tela Aida de densidad 14. También es posible encontrarla con hilo-guía de color que facilita el trabajo con esquemas. Los hilos-guía se sacan una vez terminado el trabajo.

HILOS DE BORDAR

Existe una amplia gama de colores. A continuación, indicamos algunos de los tipos de hilo más populares, pero no deje de experimentar con otros, utilizados en el punto de media, ganchillo, o cañamazo.

Hilo Mouliné
Hilo de 6 cabos. De baja torsión y fácilmente divisible en hebras sueltas.

Algodón perlado (perlé)
Hilo brillante fuerte. Hilo torcido no divisible en hebras.

Hilo de bordar
Hilo fino de acabado brillante, no divisible.

Hilo mate de algodón
Hilo grueso, suave y fuertemente torcido.

Hilo de estambre
Lana fina o hilo acrílico de 2 cabos. Se usa también en tapicería.

Lana persa
Hilo de lana o acrílico, de torsión floja y fácilmente divisible.

AGUJAS

Hay una amplia gama de medidas; cuanto más alto sea el número, más fina será la aguja.

Aguja de estambre o de bordar
De punta fina y gran ojo por donde pasar el hilo, es la más usada para bordar.

Aguja lanera
Es parecida a la de bordar, pero más ancha, adecuada para trabajar con hilos bastos en una tela de base gruesa.

Aguja de tapicería
Es gruesa, con un gran ojo y una punta redondeada; se usa para puntos de calado y para trabajos de hilos sacados.

Aguja ensartadora de cuentas
Aguja fina y larga para coser pequeñas cuentas.

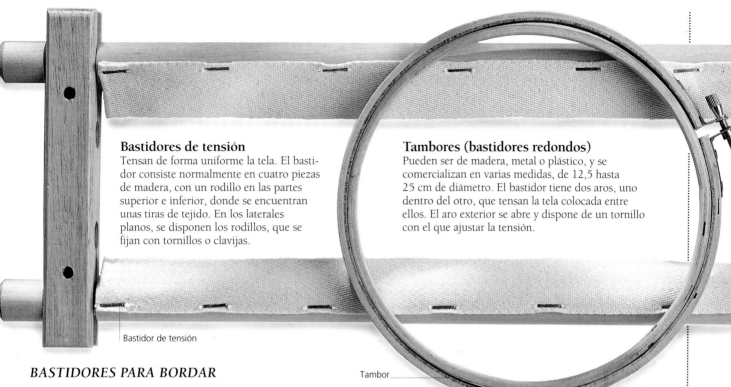

Bastidores de tensión

Tensan de forma uniforme la tela. El bastidor consiste normalmente en cuatro piezas de madera, con un rodillo en las partes superior e inferior, donde se encuentran unas tiras de tejido. En los laterales planos, se disponen los rodillos, que se fijan con tornillos o clavijas.

Tambores (bastidores redondos)

Pueden ser de madera, metal o plástico, y se comercializan en varias medidas, de 12,5 hasta 25 cm de diámetro. El bastidor tiene dos aros, uno dentro del otro, que tensan la tela colocada entre ellos. El aro exterior se abre y dispone de un tornillo con el que ajustar la tensión.

Bastidor de tensión

Tambor

BASTIDORES PARA BORDAR

Sujetan el tejido mientras se trabaja. No es esencial para pequeños bordados, pero facilita y acelera el proceso. Ya que el tejido tiene una tensión uniforme, también los puntos son más igualados. Además, el hecho de sujetar el bastidor y no la tela hace que el trabajo se mantenga más limpio.

Hay dos tipos básicos de bastidor: el redondo (llamado tambor) y el de bordes rectos. El redondo es el más habitual ya que es ligero, fácil de llevar y tan sólo se precisan unos segundos para colocar correctamente el tejido. En los bastidores rectangulares o de tensión se necesita más tiempo para montar el trabajo, pero tienen un rodillo en sus partes superior e inferior que permite

mover el tejido hasta la posición deseada. Cualquiera de los dos tipos de bastidor se puede obtener además con unos soportes que permiten trabajar con las manos libres.

OTROS INSTRUMENTOS ÚTILES

Tijeras afiladas: unas grandes y otras pequeñas son esenciales para cortar el tejido y el hilo. También puede necesitar papel carbón de sastre y lápices especiales para pasar los diseños al tejido. Otros elementos necesarios son un alfiler, enhebrador de agujas y cinta adhesiva para impedir que los bordes del tejido se deshilachen.

Dedal

Tijeras de bordar

Cinta adhesiva para sujetar los bordes del tejido

Tijeras de sastre

Papel carbón de sastre para pasar los dibujos al tejido

Lápiz marcador para dibujar sobre el tejido

Enhebrador de agujas

Lápiz para calcar dibujos con la plancha

PREPARAR EL BASTIDOR

LOS BASTIDORES REDONDOS y ligeros son ideales para piezas pequeñas de tela, mientras que los bastidores de bordes rectos o de tensión son adecuados para las grandes.

Estos últimos necesitan más tiempo de preparación ya que el tejido debe asegurarse con puntadas a las cintas de los bordes superior e inferior y también a los laterales.

BASTIDORES

Antes de colocar el tejido, afloje la tensión del tornillo del lado externo del bastidor. Podrá modificar la colocación del bastidor sobre el tejido cada vez que finalice una parte del bordado.

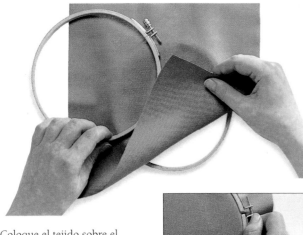

Coloque el tejido sobre el aro interior, con la cara a bordar hacia fuera; asegúrese de que está liso. Coloque el aro exterior sobre él y empuje ligeramente. Afiance el aro superior y apriete el tornillo de forma que el tejido quede tenso como un tambor y sujeto firmemente en su posición (*derecha*).

Formas irregulares

1 Hilvane la figura irregular sobre una pieza de mayor tamaño colocando las dos telas con la misma dirección de hilo

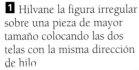

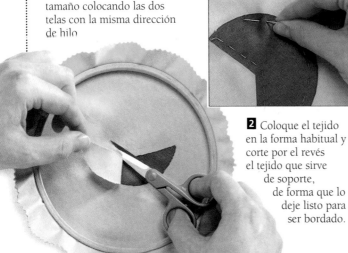

2 Coloque el tejido en la forma habitual y corte por el revés el tejido que sirve de soporte, de forma que lo deje listo para ser bordado.

PROTEJA SU LABOR

Puede ribetear su tambor para impedir que los tejidos finos se cedan o pierdan su forma mientras cose. Cuando se trata de una pieza grande, cambie la posición del tambor cada vez que complete una sección. Asegúrese entonces de proteger los puntos bordados con una capa de papel de seda.

Envuelva una cinta de tela alrededor del aro interior del tambor (*ver figura*) y asegúrela con unos puntos. Coloque el tejido en el aro inferior y ponga papel de seda encima. Coloque el tejido y el papel; separe después este último.

BASTIDORES RECTANGULARES

Antes de montar el tejido, deberá hacer un dobladillo en todos los ejes, o ribetearlos con una cinta de algodón de 2 cm. En los bordes inferior y superior deberá marcar el centro del tejido.

Haga coincidir los centros del tejido con los del rodillo y empiece a coser desde el centro, uniéndolos con punto de escapulario (*arriba*). Colóquelo en las ranuras de los laterales y tense el tejido ajustando el bastidor. Una los laterales del tejido y los del bastidor con puntadas amplias de hilo fuerte. Tire del hilo por ambos lados, ajuste el bastidor y haga varios nudos para asegurarlo (*izquierda*).

TÉCNICAS DE BORDADO

UNA VEZ haya pasado su dibujo al tejido, estará listo para empezar a bordar. Si la trama de la tela es muy abierta y amplia, deberá ribetear los bordes para que no se deshilachen. Use alguno de los métodos propuestos a continuación.

Mientras borde, trate de mantener el revés de la labor tan limpio como sea posible evitando dejar hebras largas entre puntos y escondiendo los cabos de los hilos detrás de los puntos ya realizados.

CORTAR Y RIBETEAR EL TEJIDO

Debe cortar el tejido dejando 5 cm de margen adicional. Pero, si lo que quiere es montar el tejido sobre un bastidor, deberá añadir el doble: 10 cm. Debe cortar el tejido a recto hilo, siguiendo la trama y el urdido del mismo.

El ribete impide que los bordes se deshilachen mientras cose y es esencial hacerlo en tejidos de trama amplia. Puede realizarlo ribeteando los bordes con cinta adhesiva o con un punto zigzag hecho a máquina. Otra posibilidad es doblar los bordes y coserlos.

PREPARAR LOS HILOS

Debemos trabajar con hilos de 45 cm como máximo. Si son más largos se enredan, pierden su brillo y se deshilachan.

Cuando deba bordar una gran zona con el mismo color, corte madejas en tramos de 45 cm antes de empezar. Doble la madeja por la mitad y ate un hilo alrededor del final doblado; saque cada hilo a medida que lo necesite.

Tanto el hilo mouliné como el hilo mate de algodón o la lana persa son hilos de torsión floja que pueden separarse en hebras más finas. Lo mejor es separarlas a medida que las necesite.

CÓMO EMPEZAR Y TERMINAR UNA LABOR

Cuando empieza o termina una hebra de hilo no debe hacer nudos porque se notan y dan una apariencia irregular a la labor.
En su lugar, debe utilizar un pequeño pespunte (ver página 129) o pasar el hilo por la parte de atrás de la labor, a través de puntadas ya existentes.

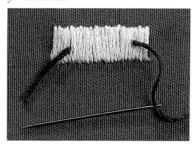

Empiece con un nuevo hilo pasando la aguja por la parte de atrás de algunos puntos y dejando un pequeño cabo de unos 4 cm. Pase después la aguja al lado derecho de la labor y continúe.

Para asegurar la hebra de hilo al terminar, pase la aguja unos 4 cm por detrás de los puntos ya realizados y corte el hilo.

PARA BORDAR UN DIBUJO

Trabaje siempre con buena luz y en una posición cómoda. Siga cuidadosamente las líneas del dibujo pinchando la punta de la aguja alrededor de cada línea, de forma que ninguna de ellas se vea una vez terminada la labor.

Escoja la aguja adecuada para el tejido y el hilo y trate de mantener la tensión de éste uniforme. Pinche la aguja recta y tire del hilo con cuidado. A medida que vaya bordando, el hilo se irá retorciendo, sobre todo si lo que está haciendo son puntos de nudo. Cuando pase, deje colgar la aguja hasta que el hilo quede tenso.

No haga puntadas demasiado largas, especialmente si lo que está haciendo se va a usar a menudo. Cuando el bordado esté terminado verá que los puntos largos tienden a engancharse y romperse si se enredan en otros objetos. Por esta misma razón, si en el revés de la labor quedan hebras de más de 2 cm entre dos puntos, debe rematar el primero y empezar el segundo con una nueva hebra.

AMPLIAR Y REDUCIR

LA INSPIRACIÓN PARA LOS DISEÑOS de un bordado se puede encontrar por doquier. Podemos inspirarnos en un viejo bordado, postales artísticas, fotografías, ilustraciones de libros o incluso en un simple papel de pared. Qui- zá el dibujo no tenga la medida adecuada y sea necesario ampliarlo o reducirlo. La manera más fácil de hacerlo es usando una fotocopiadora, pero también puede usar una cuadrícula, como le mostramos a continuación. Con este método transpasaremos los trazos del dibujo base de una cuadrícula a otra de diferente tamaño. Necesitaremos un buen papel de calcar, regla y escuadra.

IDEAS PARA UN DIBUJO

Puede encontrar ideas para nuevos diseños en todo tipo de objetos ya sean platos, azulejos, conchas o flores. Los objetos antiguos suelen tener una decoración que puede ser copiada fácilmente para un bordado. Si el diseño escogido tiene muchos detalles, trate de simplificarlos de acuerdo con la escala a la que quiere copiar.

Para ampliar un dibujo

1 Dibuje las formas en papel de calco y repase después todas las líneas con un lápiz grueso. Ponga el dibujo dentro de un rectángulo y dibuje una línea diagonal desde la esquina inferior izquierda hasta la esquina superior derecha.

2 Coloque el rectángulo que ha dibujado sobre una hoja de papel lo bastante grande para contener el dibujo final. Alinee los bordes inferior e izquierdo de las dos hojas. Siga la diagonal que había realizado y trácela también en la hoja de papel.

3 Quite el papel de calco y complete la diagonal. Marque la altura del nuevo dibujo y, con una escuadra, dibuje una línea horizontal hasta cruzar la diagonal. Desde este punto, dibuje una línea vertical que llegue al borde inferior.

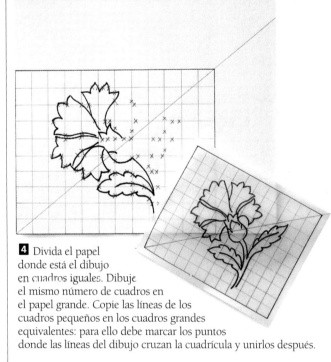

4 Divida el papel donde está el dibujo en cuadros iguales. Dibuje el mismo número de cuadros en el papel grande. Copie las líneas de los cuadros pequeños en los cuadros grandes equivalentes: para ello debe marcar los puntos donde las líneas del dibujo cruzan la cuadrícula y unirlos después.

Para reducir un dibujo

Consulte el punto 1 de las instrucciones para la ampliación. Recorte después un pequeño trozo de papel en la parte inferior izquierda del dibujo. Trace entonces una línea diagonal que se corresponda con la del dibujo. Siguiendo las instrucciones del paso 3 deberá marcar la anchura y altura que necesite para su nuevo diseño. Divida el papel de calcar en cuadros y, después, haga el mismo número de divisiones en el segundo papel. Reproduzca entonces el dibujo como hemos indicado en el paso número 4.

PARA CALCAR EL DIBUJO

HAY CINCO métodos para pasar un dibujo original a tejido. La elección del método dependerá del tipo de dibujo y la textura del tejido a bordar. Planche primero el tejido y córtelo después a la medida deseada (ver página 123). Coloque cuidadosamente el dibujo sobre el tejido antes de utilizar el método escogido.

Dibujar a mano

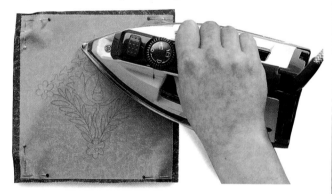

Puede dibujar directamente el diseño sobre la tela. Para ello debe utilizar un lápiz o un rotulador para bordados (de punta fina y de tinta soluble en agua). Si quedan líneas marcadas después de bordar, se eliminan humedeciéndolas con agua. Si quiere dibujar sobre tejidos muy finos y transparentes como organdí, muselina o voile, deberá dibujar el diseño sobre papel y repasar las líneas con un rotulador negro de punta media. Cuando la tinta esté seca, coloque la tela sobre el papel y dibuje el diseño sobre el tejido.

Reproducir el dibujo con la plancha

Copie su dibujo en papel de calcar, gire el papel y trace las líneas con un lápiz para calcar dibujos. Coloque el papel sobre el tejido, con el lado dibujado hacia abajo y sujételo con alfileres. Presione con la plancha a baja temperatura; no mueva la plancha porque podría manchar el tejido. Antes de sacar los alfileres, levante una esquina del papel de calcar para comprobar que el dibujo esté marcado sobre el tejido.

Hilvanar sobre papel

Es un método muy adecuado para tejidos gruesos. Dibuje el diseño en papel de seda y sujételo con alfileres. Hilvane sobre las líneas con puntos pequeños y uniformes que atraviesen el papel y el tejido y saque cuidadosamente el papel. Si el papel no sale fácilmente, utilice una aguja y raye el papel por debajo del hilván. Cuando termine el bordado, podrá sacar los hilvanes con unas pinzas.

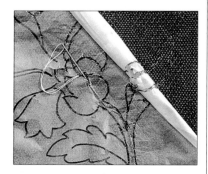

Copiar con papel carbón de sastre

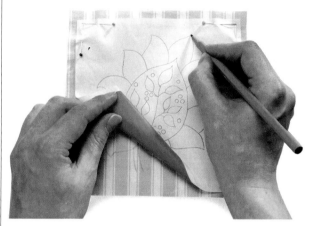

Es un tipo de papel carbón especial para tejidos. Es la mejor técnica para tejidos suaves. Utilice un color claro en tejidos oscuros y uno oscuro para tejidos claros. Dibuje el diseño en un papel delgado. Coloque el papel carbón entre el tejido y el dibujo con el lado tintado hacia abajo. Sujete colocando alfileres en las esquinas o con una mano. Repase todas las líneas del dibujo con una rueda de marcar o un objeto puntiagudo, presionando firmemente. Compruebe que no ha olvidado marcar ninguna línea antes de retirar el papel.

Dibujar con plantillas

Es la técnica más adecuada para reproducir formas sencillas. Puede utilizarse en cualquier tipo de tejido y es particularmente útil cuando se trata de motivos repetidos. Dibuje el diseño en un papel de calcar grueso y corte cada una de las piezas separadamente. Sujete con alfileres sobre el tejido. Dibuje siguiendo las formas, si el tejido es fino, o pase hilvanes alrededor si se trata de un tejido grueso. Utilice de nuevo la plantilla si es un motivo repetitivo. Para que la plantilla sea más duradera y reutilizable es conveniente hacerla de plástico transparente.

PUNTOS TRADICIONALES

EN TODAS LAS ÉPOCAS y culturas, el hombre se ha servido de la aguja y el hilo para crear una amplia gama de ricos tejidos –para ser usados, llevados o mostrados–. Los ejemplos de estas páginas, de procedencias tan dispares como Europa, Norteamérica y el Lejano Oriente, nos muestran el efecto de puntos diferentes. Puede usarlos como inspiración para sus propias creaciones.

Los bolsos victorianos hechos con cuentas fueron un accesorio muy popular

Estos puños, procedentes de los indios norteamericanos y realizados a finales del siglo XIX, tienen dos líneas de cuentas que forman un retorcido y un bordado de sujeción en el extremo

Las flores de este sombrero infantil, procedente de China, están bordadas en punto pasado plano o de satén

Los insectos tienen detalles realizados en punto lanzado y de semilla, que se han trabajado sobre punto de satén

Dibujos realizados con la técnica de sujeción. Tienen cosidos pequeños ramos de cuentas.

El borde festoneado está hecho con punto de ojal o de festón

Las flores de este dobladillo inglés de 1820 están bordadas en punto de realce

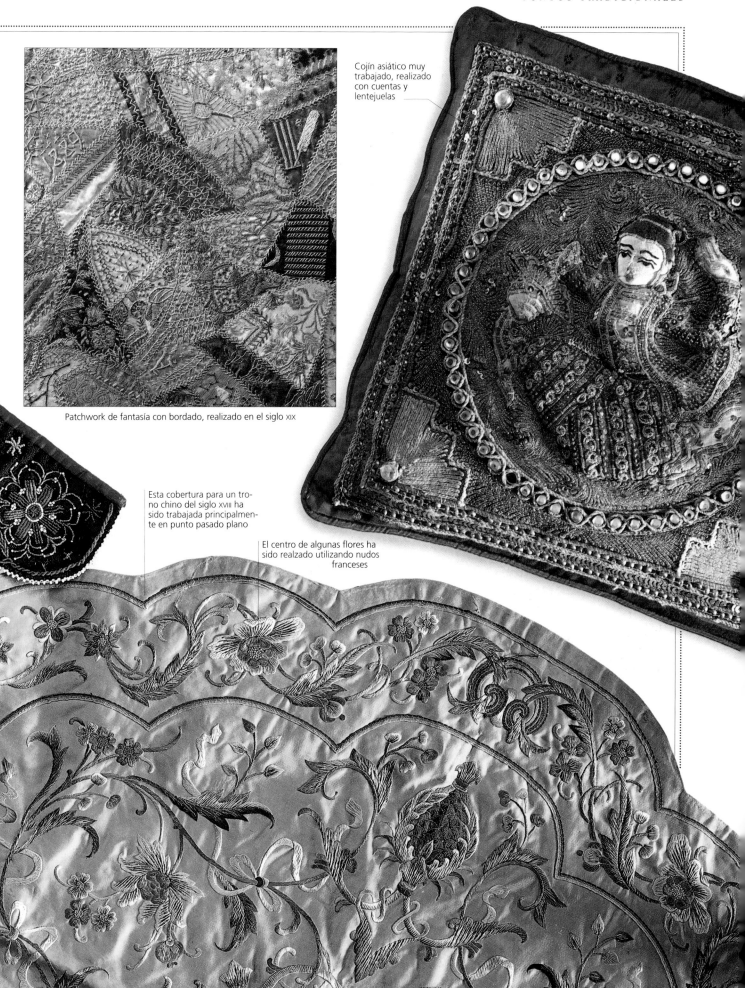

Patchwork de fantasía con bordado, realizado en el siglo XIX

Cojín asiático muy
trabajado, realizado
con cuentas y
lentejuelas

Esta cobertura para un tro-
no chino del siglo XVIII ha
sido trabajada principalmente en punto pasado plano

El centro de algunas flores ha
sido realzado utilizando nudos
franceses

PUNTOS PLANOS

PUEDE PARECERNOS que existe una gran variedad de puntos pero, en realidad, todos son variaciones de unos pocos básicos, que se pueden dividir en cuatro grupos: puntos planos, cruzados, de lazada y de nudo.

Quizá los más simples y fáciles sean los puntos planos. Los que les mostramos están basados en dos de los

puntos más antiguos que se conocen: punto de pespunte y de bastilla: todos se han realizado con puntos planos y a puntos contados. Se pueden trabajar en diferentes tamaños, agrupados y combinados con otros puntos o trabajados en diferentes direcciones para formar así bordes, contornos y bloques de color en sus diseños.

Estrella bordada en punto partido

Las bandas trabajadas a punto encontrado están separadas por dos líneas de bastilla

El punto de bastilla doble enmarca el círculo realizado con punto de bastilla enlazado

El punto de bastilla deslizado adorna el borde de un bolsillo que se ha decorado con medios soles realizados con punto lanzado

BOLSILLOS DE CAMISA BORDADOS

Los bolsillos camiseros son una excusa perfecta para realizar una decoración con bordados simples o elaborados. Los adornos clásicos para estos bolsillos son las iniciales y monogramas, pero puede usar su imaginación y utilizar varios puntos de bordado para añadirles diseño y color. Las camisas de su familia serán únicas.

Punto de bastilla

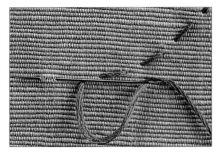

Haga varios puntos pequeños y regulares a la vez. Normalmente, las hebras que quedan en el revés del tejido tienen la mitad del tamaño de las del derecho.

Punto de bastilla enlazado

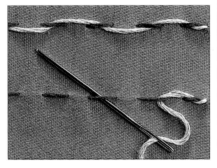

Enlace los puntos de bastilla pasando una aguja de punta redonda entre ellos y el tejido.Pase la aguja, alternativamente, de arriba abajo y de abajo arriba sin coger tejido.

Punto de bastilla deslizado

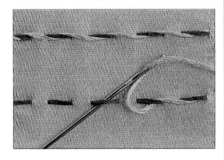

Cosa una línea de bastillas. Con una aguja de punta redonda, pase una hebra de hilo de color contrastado a través de cada punto. Siga una dirección de arriba abajo deslizando la aguja entre los puntos y el tejido sin cogerlo.

Punto de bastilla doble

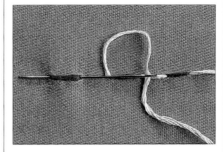

Borde una línea de bastillas. Haga otra línea en la misma dirección utilizando un hilo del mismo color o contrastado, y llene los espacios existentes entre los puntos de la primera fila.

Punto de pespunte (punto atrás)

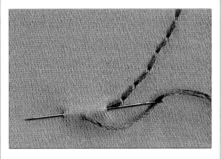

Haga un pequeño punto hacia atrás y saque la aguja en el lugar adecuado, frente al punto que acaba de hacer. Haga otro punto hacia atrás pinchando la aguja donde termina el primer punto. Las puntadas deben ser de igual longitud.

Punto de tallo

Cosa de izquierda a derecha haciendo puntos hacia atrás inclinados de igual longitud. El hilo debe salir siempre un poco por encima del punto anterior.

Punto pasado encontrado (o satén encontrado)

Borde la primera línea con punto satén. Borde las líneas siguientes de forma que la cabeza de los nuevos puntos esté entre las bases de la línea de puntos anterior.

Punto partido

Borde como en el punto de tallo, pero el hilo del nuevo punto debe pasar entre el hilo del punto anterior.

Bordado a puntos contados

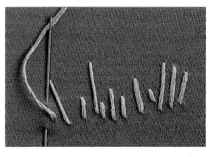

Estos puntos, solos y separados, pueden ser de diferentes tamaños, pero no los haga demasiado largos o demasiado flojos.

Punto pasado plano o de satén

Cosa los puntos rectos y juntos hasta llenar el espacio para bordar. Asegúrese de que los puntos sean cortos y uniformes.

Punto de semilla (arena)

Borde puntos muy pequeños y uniformes hasta que el área para bordar esté cubierta. Puede cambiar la dirección de los puntos, si lo desea. Si busca un efecto más vivo, trabaje los puntos de dos en dos.

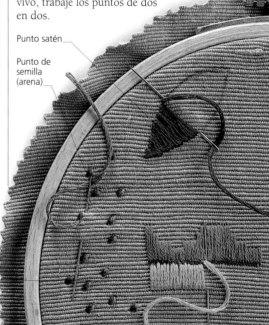

Punto satén

Punto de semilla (arena)

Punto pasado encontrado

PUNTOS CRUZADOS

EL PUNTO DE CRUZ BÁSICO es, posiblemente, el más popular. Es un punto rápido y fácil de dominar, y se puede bordar solo o formando líneas. Un punto llena un pequeño cuadro, lo cual supone que podremos utilizar una cuadrícula: resulta fácil así realizar un dibujo sobre papel cuadriculado y colorear cada cuadro.
Hay una gran variedad de puntos cruzados y todos ellos se forman al cruzar puntos que siguen diferentes inclinaciones. Para conseguir una hilera recta a punto de cruz, la "cabeza" y la base de todos los puntos deben estar a la misma distancia. Si los hilos del tejido son demasiado finos para poder contar, borde los puntos entre dos líneas de hilvanes, que después se podrán deshacer.

PAÑUELOS BORDADOS

Unos cuantos dibujos a punto de cruz darán vida a cualquier pañuelo liso o estampado y harán de él un regalo atractivo y personal.

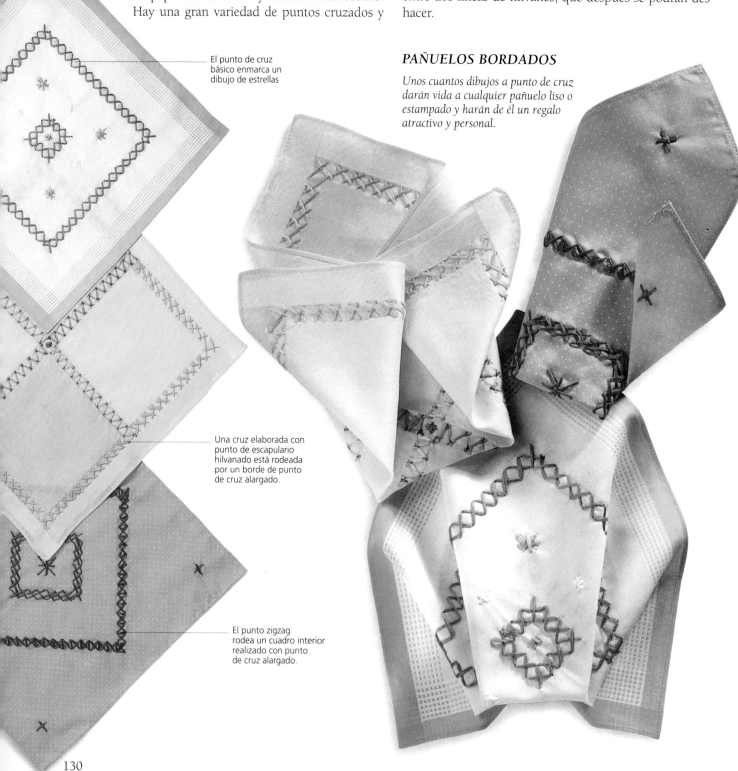

El punto de cruz básico enmarca un dibujo de estrellas

Una cruz elaborada con punto de escapulario hilvanado está rodeada por un borde de punto de cruz alargado.

El punto zigzag rodea un cuadro interior realizado con punto de cruz alargado.

Punto de cruz

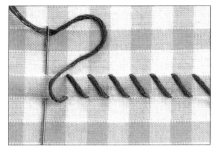

1 Borde uno o varios puntos diagonales en una dirección. Deben estar separados por la misma distancia.

2 Haga uno o más puntos diagonales en la dirección contraria.

Punto de cruz alargado

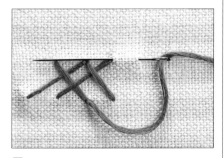

1 Saliendo de la línea de base, haga un punto diagonal entrando la aguja a la altura elegida para el punto. Mida la anchura de este punto diagonal. La aguja debe salir a la misma altura, hacia la izquierda, justo a la mitad del punto anterior.

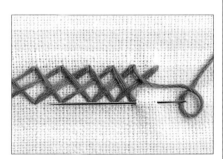

2 Haga un punto diagonal hasta la línea de base: introduzca la aguja debajo de donde la insertó para hacer el punto anterior. La punta debe salir bajo el punto donde nace ahora la diagonal.

Utilizando los puntos cruzados puede llegar a crear una gran variedad de estrellas

Punto de escapulario

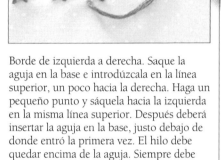

Borde de izquierda a derecha. Saque la aguja en la base e introdúzcala en la línea superior, un poco hacia la derecha. Haga un pequeño punto y sáquela hacia la izquierda en la misma línea superior. Después deberá insertar la aguja en la base, justo debajo de donde entró la primera vez. El hilo debe quedar encima de la aguja. Siempre debe quedar el mismo espacio entre puntos.

Punto de escapulario hilvanado

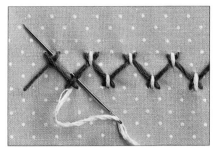

Haga una línea a punto de escapulario. Con una hebra de distinto color, borde de derecha a izquierda uniendo las cruces con pequeños puntos diagonales.

Punto de escapulario cerrado

Borde de la misma forma que en el punto de escapulario, pero no deje espacios entre los puntos. Las diagonales deben tocarse, tanto en la parte superior como en la inferior.

Punto de cesta (paso 1)

Punto de cesta (paso 2)

Punto de cesta

1 Borde de izquierda a derecha. Haga un punto diagonal desde la base hasta la línea superior insertando la aguja verticalmente y siguiendo las líneas del dibujo.

2 Haga un punto vertical descendente hacia la izquierda y utilice los mismos agujeros que los de los puntos cruzados anteriores.

Punto zigzag

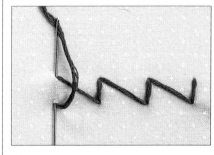

1 Borde de derecha a izquierda. Haga, alternativamente, puntos verticales y diagonales (largos) hasta llegar al final de la fila.

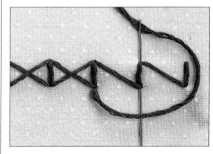

2 Borde de izquierda a derecha. Haga puntos verticales en los mismos agujeros que los de los puntos verticales anteriores, e invierta la dirección de los puntos diagonales de forma que se crucen.

PUNTOS DE LAZADA

EL PUNTO DE CADENETA es el punto de lazada más importante. Es versátil y se puede bordar tanto con hilos gruesos como con la más fina de las sedas.

Todos los puntos de este tipo están formados por lazadas que se sujetan con pequeñas puntadas. Pueden usarse tanto para bordear dibujos como para llenarlos. Cuando se utilizan para rellenar, se bordan en líneas con una misma dirección para crear así una textura uniforme.

CUELLOS BORDADOS

Los cuellos de camisa pueden ser decorados de forma imaginativa. En la fotografía superior, utilizando el punto de Rodas trabajado en fila, hemos creado un enrejado adornado con punto de hoja y puntos de cadeneta separados. El punto de manta adorna el borde y los dibujos realizados con punto de pata de gallo y de cadeneta abierta (abajo).

El cuello y frontal de esta blusa están decorados con punto de margarita y de pata de gallo

Todos los botones tienen una margarita para coordinar con el cuello de la blusa.

Punto de cadeneta

Saque la aguja en la posición deseada para el primer punto. Doble y sujete el hilo con el pulgar. Inserte la aguja por donde el hilo salió primero hasta sacar la punta algo más adelante. Mantenga el hilo debajo de la aguja y empújela. Para hacer el punto siguiente deberá pincharla allí donde ha salido el hilo.

Punto de margarita (punto de cadeneta separado)

Borde un punto de cadeneta como hemos indicado anteriormente. Para asegurar el punto, inserte la aguja justo debajo de la base de la lazada, y sáquela allí donde el siguiente punto debe comenzar.

Punto de manta o de festón separado

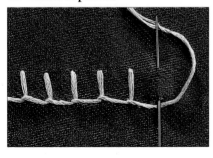

Borde de izquierda a derecha, saque el hilo por donde debe empezar el borde. Inserte la aguja por encima y un poco a la izquierda de este punto (ver fotografía) y haga un punto recto manteniendo el hilo debajo de la punta de la aguja. Empuje el punto para formar la lazada y repita.

Punto de cadeneta abigarrado

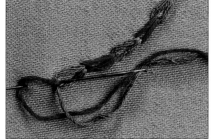

Enhebre la aguja con dos hilos de color contrastado. Trabaje como el punto de cadeneta normal dejando el color que no use por encima de la punta de la aguja.

Punto de cadeneta abierto (punto de escalera)

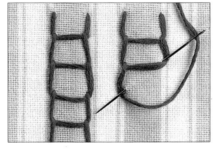

Saque la aguja por la línea-guía de la izquierda. Con el pulgar izquierdo debe sujetar el hilo por debajo e insertar la aguja en la línea-guía de la derecha, justo al otro lado del punto de donde sale el hilo. Saque de nuevo la aguja por la línea de la izquierda, manteniendo el hilo por debajo. Continúe fijando los hilos a izquierda y derecha.

Punto de pata de gallo (o de pluma)

Borde verticalmente de arriba abajo. Saque la aguja en el centro. Baje un poco el hilo con su pulgar izquierdo y haga entrar la aguja a la derecha y ligeramente hacia abajo. Haga después un punto inclinado hacia el centro manteniendo la hebra de hilo por debajo de la aguja. Inserte otra vez la aguja, ahora hacia la izquierda, y haga un punto inclinado hacia el centro, con el hilo por debajo. Realice estos puntos alternativamente a izquierda y derecha.

Punto de doble pluma

Se trabaja de la misma forma que el punto de pluma, pero haciendo cada vez dos puntos, en lugar de uno.

Punto de hoja cruzado

1 Haga salir la aguja por el centro de la forma a bordar. Haga un punto pequeño en la línea inferior con la punta de la aguja girada hacia el centro y el hilo bajo la punta de la misma.

2 Haga un pequeño punto en la línea superior con la aguja apuntando hacia el centro y el hilo debajo de ella. Repetir los pasos 1 y 2 hasta terminar el dibujo.

Punto de Rodas

Se borda haciendo pequeños puntos verticales hacia abajo y hacia arriba alternativamente manteniendo el hilo siempre hacia la derecha y bajo la punta de la aguja.

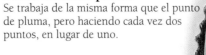

Punto de Rodas

Punto de pluma

Punto de pluma doble

PUNTOS ANUDADOS

LOS PUNTOS ANUDADOS forman texturas muy interesantes, sobre todo cuando se borda con hilos gruesos. Se forman enrollando el hilo alrededor de la aguja y pasando luego ésta hasta formar un nudo o una textura con el hilo sobre la superficie del tejido.

Si hasta ahora no había probado ninguno de estos puntos, le aconsejamos que lo intente primero con un retal, porque se necesita un poco de práctica para que la tensión de los nudos sea homogénea. Para evitar que el hilo se enrede le aconsejamos que, mientras empuja la aguja, sujete siempre las lazadas de hilo con su pulgar derecho.

Los nudos franceses y el punto de espiral están rodeados por una hilera de punto de coral en zigzag

Las filas bordadas con punto de coral en zigzag están decoradas con nudos entorchados formando flechas

PUÑOS BORDADOS

El puño bordado de una camisa puede ser tan delicado o tan alegre como usted quiera. Un bordado en marfil y blanco sobre una camisa blanca puede ser un detalle de lujo, mientras que un puño bordado en colores contrastados alegrará una blusa. Cualquiera que sea su decisión, la prenda será única.

Un bordado con punto de palestrina bordea pequeños nudos entorchados y puntos de nudo en cuatro

Punto de nudo (o nudo francés)

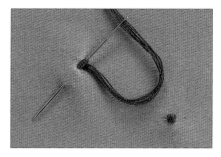

Saque la aguja en el lugar donde deberá estar el nudo. Enrede 2 o 3 veces el hilo alrededor de la aguja; insértela entonces en el sitio del que salió el hilo. Mantenga el hilo tenso con la mano izquierda y tire de él a través del tejido. Para hacer nudos más grandes deberá usar 2 o más hebras de hilo.

Nudo entorchado (o punto de carril)

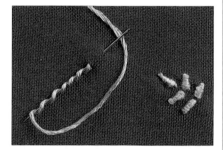

Haga un punto hacia atrás, justo de la medida necesaria para el nudo, dejando que la punta de la aguja esté cerca de donde está el hilo. Enrolle el hilo alrededor de la aguja tantas veces como sea necesario para igualar la medida del punto de atrás. Con el pulgar izquierdo deberá sujetar el hilo enrollado, pase entonces la aguja. Vuelva a introducir la aguja donde estaba antes y tire del hilo por el revés de la labor hasta que el nudo quede plano.

Punto de espiral

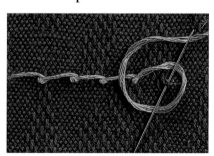

Saque la aguja sobre la línea que sirve de guía. Enrolle el hilo hacia la derecha. Introduzca la aguja en el anillo de hilo como se indica. Tire del hilo hasta formar un anillo.

Punto de coral

Borde de derecha a izquierda. Sujete el hilo y, con el pulgar izquierdo, manténgalo sobre la línea a trabajar. Haga un pequeño punto por encima de la lazada de hilo. Tire del hilo hasta formar un nudo. Si lo desea, puede variar la distancia entre los nudos (*figura superior derecha*).

Punto de coral en zigzag

Saque la aguja por la parte superior izquierda. Pase el hilo sobre el tejido hasta el margen derecho formando la primera diagonal, haga una anilla con el hilo y pase la aguja haciendo un pequeño punto diagonal (saque la aguja por el centro de la anilla). Tire de la aguja hasta formar el nudo. Dirija ahora el hilo hacia el margen izquierdo para formar la segunda diagonal y repita el punto de nudo. Continúe anudando alternativamente a derecha e izquierda formando el zigzag.

Punto de nudo en cuatro

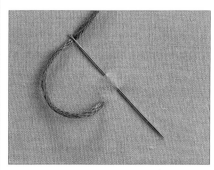

1 Haga un punto vertical y saque la aguja a la derecha de su centro. A partir de aquí, formaremos el punto horizontal de la cruz.

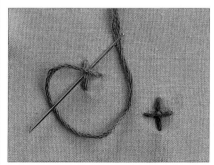

2 Deslice la aguja entre el tejido y el punto vertical. Pase el hilo alrededor de la aguja y tire de ella hasta formar un nudo. Haga después un pequeño punto horizontal hacia la izquierda que formará el último brazo de la cruz (*figura superior derecha*).

Punto de coral en zigzag

Punto de palestrina (de cadena anudada)

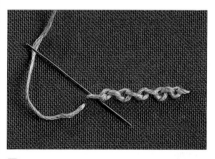

1 Haga un punto diagonal sacando la aguja directamente por debajo de donde la había insertado. Pase la aguja entre el punto y el tejido manteniendo el hilo a su izquierda.

2 Pase el hilo bajo la aguja y tire de ella hasta formar el nudo.

BORDADO DE SUJECIÓN Y DE TRAMAS

EL COUCHING O BORDADO DE SUJECIÓN es una técnica fácil y rápida. Consiste en adornar con una hebra de hilo que corre sobre el tejido y está sujeta, a intervalos regulares, por otro hilo. Puede utilizar más de una hebra de hilo para conseguir mayor contraste. Los hilos gruesos y metálicos, que normalmente no se pueden utilizar para bordar, pueden ser fijados al tejido por otro hilo más fino. Es una técnica útil para llenar rápidamente grandes áreas de color.

El bordado con tramas (o de celosía abierta) es, en realidad, una variación del bordado de sujeción. Largas hebras colocadas paralelamente forman una rejilla y se fijan al tejido con pequeñas puntadas. Tiene el aspecto de complicadas composiciones que forman un enrejado.

Para conseguir un resultado mejor deberá utilizar un bastidor de bordar para tensar el tejido. Procure también que todos los hilos de la reja estén separados por la misma distancia.

Método básico

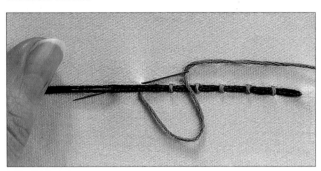

Borde de derecha a izquierda, saque la hebra de hilo que deberá fijar sobre la tela y utilice el pulgar izquierdo para mantenerlo en su lugar. El hilo utilizado para fijar la hebra debe salir por debajo del anterior. Haga un punto vertical que sujete la hebra; la aguja debe salir hacia la izquierda, debajo de la hebra de adorno, donde deberá empezar el siguiente punto. Cuando termine la línea lleve los dos hilos al revés de la labor y remátelos.

Para rellenar un área

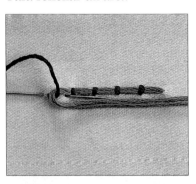

1 Borde una línea siguiendo el método básico. Al llegar al final, vuelva la hebra de hilo de adorno hacia la derecha y haga un punto horizontal fijando el final de la vuelta.

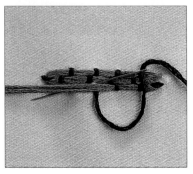

2 Gire la labor y fije la segunda línea de adorno justo debajo de la primera colocando los puntos de fijación entre los de la línea anterior. Continúe hasta rellenar completamente el área.

Trabajar un círculo con el método de fijación

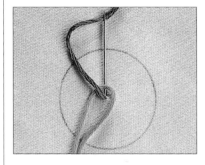

1 La hebra de hilo que sirve para fijar debe salir del centro del círculo. Pásela entonces a través de la anilla que forma el hilo de adorno doblado.

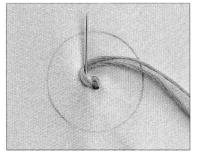

2 Inserte la aguja otra vez en el centro para asegurar así el hilo de adorno. Con el pulgar izquierdo deberá guiar el hilo de adorno para que forme una espiral que será fijada al tejido.

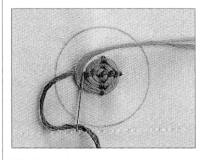

3 Asegúrese de que las puntadas de fijación estén alineadas como si fueran los radios de una rueda. Lleve los hilos al revés, y remátelos.

Variaciones

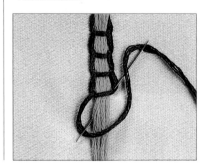

Estas labores se pueden realizar con dos hilos de colores contrastados, fijados con un punto de cadeneta abierto, como se ve en el dibujo (*ver página 133*).

Bordado con tramas
(punto de celosía abierto)

1 Para realizar las líneas horizontales, saque la aguja por la parte superior de la guía izquierda y pase el hilo sobre el tejido hasta llegar al punto opuesto sobre la guía izquierda. Inserte la aguja y sáquela por debajo para empezar a pasar el siguiente hilo horizontal. Continúe hasta completar todas las líneas horizontales procurando mantener la tensión del hilo suficientemente floja para no arrugar el tejido. Cuando termine el último punto, lleve el hilo al revés de la labor y remátelo.

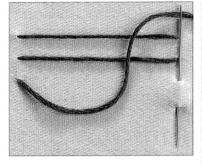

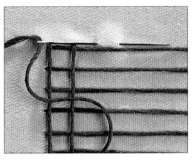

2 Para crear el efecto de enrejado, forme, del mismo modo, unos puntos verticales que crucen los puntos horizontales anteriores.

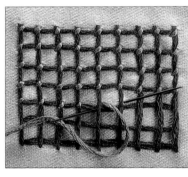

3 Con la técnica de fijación aseguraremos cada intersección de los hilos verticales y horizontales con pequeños puntos deslizados. Empezaremos por la esquina superior izquierda del enrejado.

Variaciones

1 Borde el punto de celosía y haga series de punto de margarita (*ver página 133*) colocándolas entre 4 cuadros. Sitúe el centro de la margarita entre ellos.

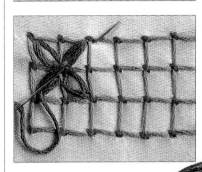

2 Borde otros grupos de puntos de cadeneta dejando un espacio vacío entre ellos.

ZAPATILLAS BORDADAS

Unas sencillas zapatillas infantiles de terciopelo negro cambian radicalmente si utilizamos la técnica de fijación para bordar con hilo metalizado. Se convierten así en unas zapatillas de fiesta para sus primeras salidas. Por supuesto, también podemos aplicar esta técnica para bordar con hilo de algodón unas sencillas zapatillas de esparto para la playa.

El punto de margarita decora este trabajo de celosía

Estos pequeños medallones se han realizado con espirales de hilo metálico dorado

ALFABETOS Y MONOGRAMAS

LAS INICIALES, LOS MONOGRAMAS y los textos borda-dos se utilizan para personalizar prendas de vestir y rega-los. El punto de cruz ha sido siempre la técnica más usada para bordar nombres y fechas en los muestrarios o para hacer letras en cuadros bordados.

El aspecto delicado y uniforme del punto de satén o pasado plano hace que sea perfecto para iniciales en ropa de mesa, almohadas, toallas y pañuelos, pero existe una gran variedad de puntos que pueden utilizarse para este fin. El bordado de realce, el trabajo con galones o los calados darán variedad a sus labores.

El diseño de una letra ha de ser fácil de leer. Puede copiar los ejemplos de alfabetos de libros o revistas. Copie las letras en el tejido a bordar y, si es posible, tra-baje sobre un bastidor o tambor para que los puntos queden uniformes y el tejido no se arrugue.

Debemos tener en cuenta los espacios cuando queramos bordar las letras o palabras de un nombre completo o un mensaje. Dibuje las palabras sobre papel. Estudie el efecto general manteniendo el papel algo apartado y rectifique si es necesario. Entonces podrá pasar las letras al tejido.

PUNTO DE SATÉN

El punto de satén (o pasado plano) tiene dos variantes que pueden utilizarse para bordar iniciales (ver página 129). Practique el punto antes de iniciar el bordado de un monograma, así conseguirá que su trabajo tenga una apariencia uniforme.

Unas iniciales bordadas a punto de satén realzan este pañuelo azul

Punto de realce

Conseguiremos mayor definición de la inicial si el punto de satén queda algo más elevado que el tejido. Borde la inicial con punto de satén y añada después una segunda capa bordando en distinta dirección.

Punto de satén al negativo

Es una técnica atractiva para monogramas y escudos. Escoja una letra bien definida. Borde el fondo con punto de satén dejando las letras sin bordar. Rodee el bordado con punto de tallo (*ver página 129*) o punto de cadeneta (*ver página 133*).

CÓMO HACER LETRAS CON GALONES Y RIBETES

Planifique el diseño para utilizar una sola pieza de galón o ribete en toda la composición. Si fuera necesario añadir otra pieza, coloque la unión debajo del galón o ribete ya bordado. Los galones que tienen relieve pueden ser adornados con punto de sujección utilizando un hilo de color coordinado o contrastado.

Podemos usar galones o ribetes estrechos para crear letras. Para pulir los bordes doble los cantos hacia dentro y plánchelos. Para fijar las letras, cosa con pequeñas bastillas o pespuntes siguiendo el centro del galón.

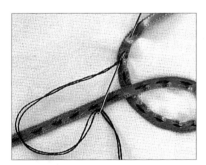

Cuando llegue a una intersección, debe dejar un espacio entre los puntos; cuando vuelva sobre esta intersección, deberá pasar el galón o ribete a través de este espacio. Continúe cosiendo.

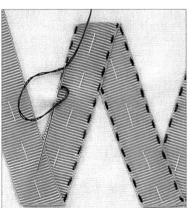

Si se trata de un galón doble o un ribete ancho, podemos doblarlo para formar ángulos y crear así letras de líneas rectas. Hilvane en la posición deseada y planche. Cosa entonces por ambos bordes para que quede plano.

La inicial realizada con punto de satén queda realzada por el fondo de falso calado

FALSO CALADO

Unas letras bordadas a punto de satén quedan realzadas si se bordan sobre una base de falso calado. Haga primero las letras y después la base. Remarque las letras con punto de tallo. A continuación le mostramos dos formas de llenar fondos utilizando esta técnica.

Punto de nube

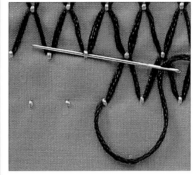

Borde pequeños puntos verticales formando líneas rectas y paralelas en toda el área. Los puntos de una hilera deben estar entre dos puntos de la anterior. Utilice una aguja de tapicería para pasar un segundo hilo entre estos puntos hasta formar un enrejado de rombos.

Punto de ola

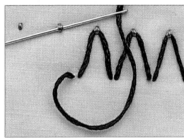

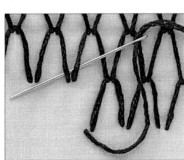

1 Prepare una línea de puntos verticales espaciados regularmente. Saque la aguja con el segundo hilo debajo, a la derecha del último punto vertical. Deslice entonces la aguja entre el primer punto vertical y vuelva a la línea base. Siga hasta formar una hilera de arcos.

2 Para las filas siguientes debe seguir formando arcos y pasando la aguja entre el par de puntos que componían la base de la fila anterior.

MUESTRARIOS

Los muestrarios tienen su origen en los siglos XVI y XVII, época en que las damas de alta alcurnia de las cortes europeas realizaban estos muestrarios como método para recordar puntos y dibujos. En los siglos XVIII y XIX, en cambio, se convirtieron en actividad propia de la escuela y servían para conocer el alfabeto, condición previa para marcar la ropa de cama. Los diseños empezaron a ser más estilizados, con cenefas decorativas, inscripciones religiosas y dibujos de la casa o la escuela. Normalmente aparecen también la fecha y el nombre de la joven bordadora.

Detalle de un moderno muestrario a punto de cruz

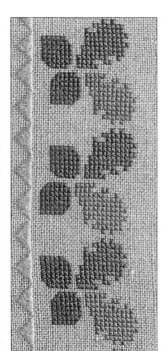

Las fresas son un motivo muy popular. Fue primero un símbolo cristiano que significaba rectitud. Las flores y frutas (*derecha*) han sido elaboradas a punto de cruz, punto de tallo y punto de satén

Dibujo de una casa en un muestrario actual. Algunos detalles se han realizado a punto lanzado

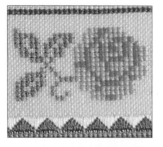

Detalle de un alfabeto correspondiente a un muestrario moderno pero inspirado en un diseño de 1822

Alfabeto en punto de cruz y calado argelino. Está dividido en pequeñas líneas realizadas con técnica de hilos sacados

En un principio, las coronas se bordaban en la ropa de casa de las familias aristocráticas, pero más tarde, en el siglo XVIII, se empezaron a utilizar para llenar espacios en los muestrarios

Las casas son un dibujo típico en el punto de cruz

El pavo real era un símbolo de vida eterna para el antiguo arte cristiano y se convirtió en motivo popular

MUESTRARIOS ESCOLARES

Todos los detalles que presentamos en esta página proceden de un magnífico muestrario escocés realizado por Catherine Gairns en 1831. Dos tercios del mismo están compuestos por letras, y el resto representa motivos tradicionales. Para una joven, era necesario aprender a bordar letras para marcar su ropa de casa.

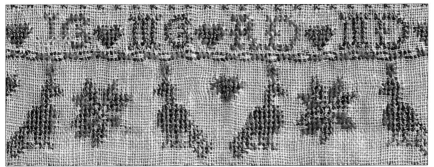

Los muestrarios de las escuelas del siglo XIX eran básicamente en punto de cruz, llamado punto de muestrario

BORDADO A HILOS TIRADOS

ESTA TÉCNICA se usa desde hace siglos para decorar vestidos y ropa de casa. Los puntos se realizan cogiendo hilos del tejido y tirando fuertemente de ellos hasta formar agujeros. La combinación de puntos y agujeros crea calados.

Antes esta técnica se realizaba sobre lino de colores blanco y crema y se empleaban hilos del mismo color, pero hoy disponemos de gran variedad de tejidos y los puntos realizados con hilo de color pueden llegar a ser muy sugestivos.

ÚTILES Y MATERIALES

Borde sobre un tejido de trama regular, con un hilo que tenga un peso semejante al del hilo del tejido que está usando. El hilo deberá ser fuerte; puede utilizar algodón perlé, algodón suave de bordar o algodón para ganchillo. Emplee una aguja de punta redonda para exagerar así los agujeros, pero tenga en cuenta que debe deslizarse bien entre la trama del tejido. No es esencial bordar sobre bastidor pero, si lo hace, tendrá las manos libres para contar los hilos y tirar de la hebra.

MÉTODO BÁSICO

Primero, si es necesario, remate los bordes del tejido para impedir que se deshilache (ver página 123). Haga una línea de hilvanes en un color contrastado a lo largo y ancho del tejido para facilitar el recuento de los puntos. Deshágalos cuando haya terminado el trabajo.

Borde los puntos siguiendo una línea que empiece en el centro y que siga hacia afuera. Cuente cuidadosamente los hilos del tejido y tire fuertemente del hilo.

Cuando empiece, deberá asegurar el hilo en el revés de la labor con unos pespuntes. Al terminar una de las líneas de la labor, deberá deshacer estos puntos y rematar el hilo bajo los puntos del bordado. Asegure el resto de los hilos pasándolos por el revés de la labor a través de los puntos ya terminados.

Cogiendo más o menos hilos que los indicados en las instrucciones, podrá variar la longitud de las puntadas.

Vainica simple

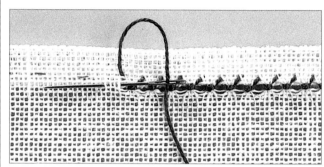

1 Saque la aguja por el lado derecho, 2 puntos más arriba que el principio del dobladillo. Inserte la aguja 2 hilos más abajo (justo debajo del dobladillo) y saque la punta cogiendo 4 puntos hacia la izquierda. Haga un pespunte sobre estos 4 y tire del hilo.

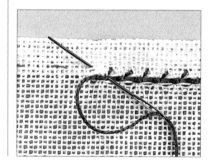

2 Haga un segundo pespunte sobre los 4 hilos y saque la aguja 2 puntos por encima de la línea de dobladillo para seguir de nuevo con el punto 1.

CÓMO HACER LAS ESQUINAS DE UN DOBLADILLO

Si quiere hacer individuales o servilletas bordando con la técnica de hilos sacados, las esquinas deberán quedar planas.

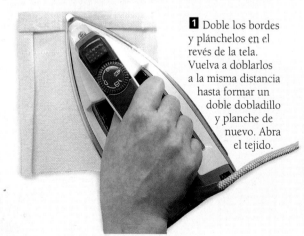

1 Doble los bordes y plánchelos en el revés de la tela. Vuelva a doblarlos a la misma distancia hasta formar un doble dobladillo y planche de nuevo. Abra el tejido.

2 Las líneas marcadas forman 4 cuadros en cada esquina. Tome una esquina cada vez y córtela siguiendo la diagonal del cuadro interior. Doble ahora por partes hasta que las esquinas se encuentren en el lugar marcado por la esquina interior del cuadro interior. Doble los bordes hacia dentro.

3 Vuelva a doblar e hilvane el dobladillo. Cosa los dos bordes interiores de la esquina; después haga el dobladillo a mano o a máquina.

Punto arrollado

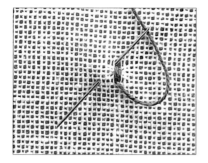

1 Saque la aguja por el lado derecho de la labor; haga, uno sobre otro, dos puntos de satén verticales tomando 4 hilos del tejido. Introduzca la aguja de nuevo en el orificio superior; para hacer el tercer punto de satén, saque la punta de la aguja 4 hilos hacia la derecha de la línea base donde están los otros puntos.

2 Para empezar una nueva fila, deberá sacar la punta de la aguja 4 hilos más abajo y 2 a la derecha del último punto. Continúe bordando las filas de derecha a izquierda y de izquierda a derecha alternativamente.

Punto de nido de abeja

 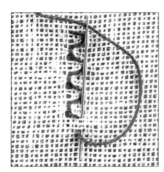

1 Saque la aguja por el lado derecho de la labor. Inserte la aguja 3 hilos hacia la derecha y 3 hacia abajo. Haga un pequeño pespunte en la base del punto que acaba de hacer, y saque la aguja 3 hilos más abajo. Pinche ahora la aguja 3 hilos hacia la izquierda, y sáquela 3 hilos más abajo. Haga un pespunte tomando como base el punto que ha hecho y sáquelo 3 hilos más abajo. Repita estos pasos hasta terminar la fila.

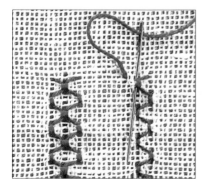

2 Gire la labor y siga bordando de arriba abajo para formar una nueva fila.

El punto de nido de abeja forma un enrejado regular. Se borda de arriba abajo

Punto de gavilla

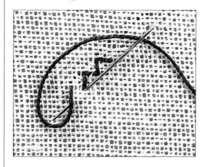

1 Saque la aguja por el lado derecho de la labor. Borde diagonalmente tomando siempre la misma cantidad de hilos y con puntos horizontales y verticales.

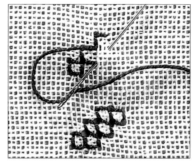

2 Cuando borde la línea siguiente, deberá hacerlo sobre los agujeros de la línea anterior. El resultado será un calado en forma de cuadros.

El punto arrollado se borda con puntos de satén agrupados que forman filas

El punto de gavilla es muy útil para rellenar fondos

Punto de ajedrez

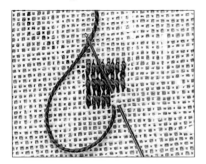

1 Borde, de derecha a izquierda y de izquierda a derecha alternativamente, tres filas de punto de satén. Para bordar cada punto, deberá coger tres hilos. Cada bloque será de tres filas, de ocho puntos cada una.

2 Cuando termine la tercera fila, gire la labor como le indicamos y saque la aguja 3 puntos verticales y 1 horizontal más abajo para empezar el siguiente bloque.

3 Repita el paso 1 y siga trabajando los bloques de la misma forma, girando la labor después de cada uno para cambiar la dirección del punto.

Punto de cinta inclinada

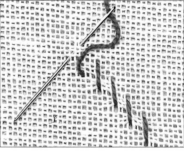

1 Saque la aguja por el extremo inferior izquierdo de la labor. Inserte la aguja 6 hilos más arriba para formar el primer punto vertical, y sáquela 3 hilos más abajo y 3 hacia la izquierda. Tire fuertemente del hilo para darle un aspecto encrespado. Repita.

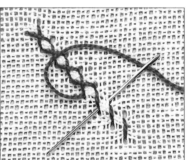

2 Pase la aguja 6 hilos hacia la derecha formando el primer punto horizontal, y sáquela 3 hilos hacia la derecha y 3 hacia abajo, lista para empezar un nuevo punto. Tire fuertemente y repita este paso.

Punto de onda

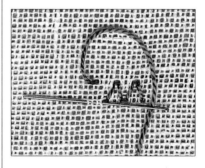

1 Saque la aguja por el lado derecho del tejido y, bordando de derecha a izquierda, insértela de nuevo 4 hilos más abajo y 2 a la derecha para formar el primer punto diagonal. Saque la punta de la aguja 4 hilos hacia la izquierda e insértela de nuevo en el lugar del que salió el hilo.

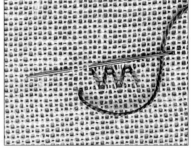

2 Saque entonces la aguja 4 hilos hacia la izquierda, formando así una V invertida. Ahora puede empezar un nuevo punto diagonal. Repita este proceso hasta terminar la fila.

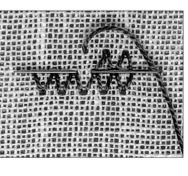

3 Para empezar una segunda fila, deberá insertar la aguja 8 hilos por debajo de la punta de la V invertida. Gire el tejido y borde una línea nueva en zigzag siguiendo los pasos anteriores.

El punto de ajedrez se ha bordado con hilo azul; el punto de cinta inclinada, en rojo, y el punto de onda, en verde

BORDES A HILOS SACADOS

PARA LA TÉCNICA DE HILOS SACADOS, se quitan algunos de los hilos de la trama y de la urdimbre. Los hilos que quedan en el área marcada se unirán en ramilletes con el hilo de bordar, formando así calados. Esta técnica se utiliza preferentemente para decorar los bordes de manteles e individuales.

UTENSILIOS Y MATERIALES

Si es la primera vez que utiliza esta técnica, es preferible que la aplique sobre un tejido grueso de trama abierta, en lugar de hacerlo sobre uno de trama cerrada. Para bordar la vainica, deberá utilizar un hilo de algodón o de perlé, de un grosor similar al de un hilo del tejido escogido, y usar una aguja de tapicería con la punta redonda.

Cómo sacar los hilos del tejido

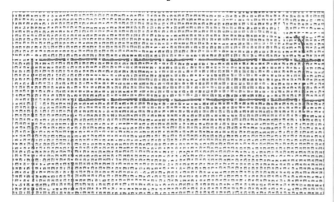

1 Corte el tejido a la medida deseada y dejando un espacio para hacer el dobladillo en los 4 lados (*ver página 142*). Marque el espacio del dobladillo con una fila de hilvanes o con un marcador para bordados. Decida el grosor del borde y marque la línea interior del mismo y el centro de cada lado.

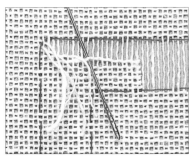

2 Corte cuidadosamente los hilos horizontales en la marca central de cada borde, con la ayuda de unas tijeras de bordar de punta muy fina y afilada. Use una aguja de tapicería para sacar los hilos hasta llegar a las esquinas.

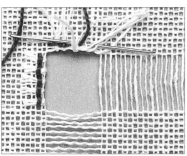

3 Pula los cabos que han sido cortados; dóblelos hacia atrás y haga un pespunte sobre ellos. Saque los hilvanes y doble la tela reservada para el dobladillo e hilvánelos. Ahora están preparados para ser bordados.

Punto de vainica

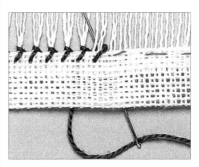

1 Borde de izquierda a derecha por el revés de la labor. Saque la aguja 2 hilos por debajo del dobladillo y coloque la hebra de hilo sobre el borde. Haga un punto diagonal hacia la derecha y pase la aguja por debajo de los primeros tres (o más) hilos sueltos. Tire de la aguja.

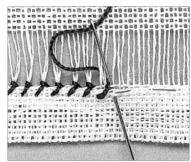

2 Haga un punto vertical a la derecha del manojo de hilos que entre por el revés de la labor y salga 2 hilos por debajo del dobladillo. Repita el proceso.

Punto de vainica doble

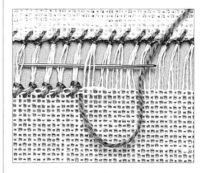

Haga una fila de vainica. Gire la labor al revés y borde la vainica en el lado opuesto al extremo. Coja los mismos hilos para hacer los manojos. Esta vainica recuerda la forma de una escalera.

Cómo terminar las esquinas

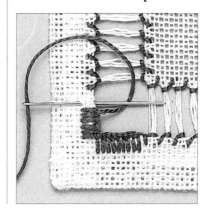

Si los espacios que quedan en las esquinas son pequeños, se pueden dejar tal cual o reforzarlos con punto de manta o festón separado (*ver página 133*).

BORDADO SOBRE FRUNCES

UNA FORMA MUY ATRACTIVA de reducir la amplitud de una tela consiste en esconder el tejido dentro de pequeños pliegues y bordar sobre ellos. Estas labores se pueden realizar con uno o varios puntos, hasta lograr el efecto deseado. Una vez terminado el bordado, se sacan los puntos de sujeción y el tejido queda un poco más suelto.

Se utilizó en los siglos XVIII y XIX para confeccionar prendas confortables para los trabajadores del campo y todavía es una forma muy interesante y popular de confeccionar y decorar vestidos para niños y adultos. También puede emplearse para decorar accesorios y objetos para el hogar como cojines, pantallas de lámparas o cortinas.

MATERIALES Y UTENSILIOS

Podemos fruncir cualquier tejido que sea lo suficientemente dúctil para ser doblado. A menudo se utilizan tejidos con dibujo de puntos o cuadros repetitivos porque hacen de guía para los pliegues. Para confeccionarlos deberá utilizar una aguja de bordar y una hebra de algodón fuerte. En cambio, podrá realizar el bordado con hilo de seda, algodón perlado o algodón de bordar mate.

CÓMO CORTAR EL TEJIDO

Cuando queremos bordar sobre frunces, deberemos hacerlo antes de cortar la tela. Normalmente se necesita el triple de tela que la anchura final de labor, pero si trabajamos sobre un tejido grueso no necesitaremos tanto género.

CÓMO FRUNCIR EL TEJIDO

Use un hilo fuerte de color contrastado para realizar pequeños hilvanes que vayan de derecha a izquierda por el revés de la labor. Este hilo de color contrastado será fácil de sacar cuando haya terminado el bordado.

Para fruncir el tejido

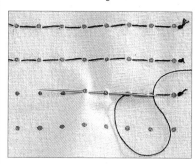

1 Corte una hebra de hilo más larga que la línea de puntos que quiera fruncir y haga un nudo en el extremo. Elabore pequeñas bastillas siguiendo la línea y cogiendo un poco de tejido en cada punto. Deje los extremos del hilo sueltos.

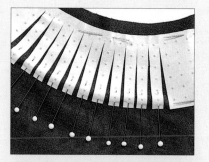

2 Tire de los hilos hasta que tengan la longitud deseada y anúdelos de dos en dos al final de cada fila. Asegúrese de que los pliegues queden uniformes y de que los frunces no resulten demasiado tupidos.

MARCAR EL TEJIDO PARA FRUNCIR

En Inglaterra los puntos para fruncir se marcan por la izquierda; en América, por la derecha. En cualquier caso, la forma más fácil de hacerlo es utilizar una plantilla para punto de smock. Es un papel que tiene líneas de puntos espaciados a la misma distancia y que pueden calcarse por planchado. El espacio entre los puntos suele ser de 5 mm a 1 cm y de 1 a 1,5 cm entre filas. En general, cuanto más fino es el tejido, más juntos deben estar las líneas y los puntos. Asegúrese de que éstos están alineados con los hilos del tejido; planche entonces siguiendo el método de calcado mostrado en la página 125.

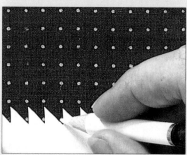

Para marcar un área curva, haga cortes en el papel de calcar y sujete con alfileres antes de planchar.

También puede hacer su propia guía con cartulina y marcar los puntos con el lápiz. Coloque las puntas sobre una línea y marque la nueva línea marcando en la base de cada V.

BORDADO SOBRE FRUNCES O PUNTOS DE SMOCK

Se borda por el lado derecho del tejido fruncido. Todos los puntos que encontrará a continuación están bordados de izquierda a derecha, empezando por el extremo superior izquierdo. Asegúrese de que el hilo de bordar esté bien sujeto. Mantenga la aguja paralela a los hilvanes que fruncen cogiendo los frunces a un tercio de su profundidad; así se mantendrá su elasticidad y nos aseguraremos de que el hilo de bordar no se enrede con el hilo fruncidor. Deje la primera línea de frunces sin bordar para coserla a otra pieza de tela. Los diferentes puntos de smock producen diferentes tensiones; le aconsejamos que borde una muestra para comprobar el punto. Podemos conseguir labores de aspecto complicado si utilizamos varios puntos, pero también son impresionantes los resultados conseguidos con sólo uno o dos. Además, podemos utilizar puntos como el de margarita (página 133), punto de cruz (página 131) y punto de cadeneta (página 133), y bordar sobre dos o más pliegues entre las líneas de punto de smock. Deberemos procurar que los espacios entre las líneas no sean demasiado grandes, de lo contrario, los pliegues se abrirán.

Punto de tallo

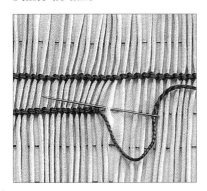

Se borda como el punto de tallo normal. Utilícelo para la línea superior del bordado. Saque la aguja por la izquierda del primer pliegue y haga un punto sobre cada frunce manteniendo el hilo debajo de la aguja.

Punto de cuerda

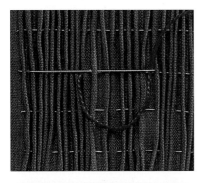

1 Saque la aguja a la izquierda del primer pliegue. Mantenga el hilo debajo de la aguja y haga un punto en el segundo pliegue sacando la aguja entre el primer y el segundo pliegue.

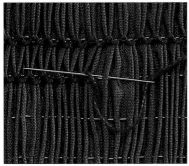

2 Sostenga el hilo por encima de la aguja, haga un punto en el tercer pliegue y saque la aguja entre el segundo y el tercero. Continúe hasta terminar la línea manteniendo el hilo encima y debajo de la aguja, alternativamente.

Punto de trigo

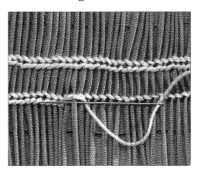

Esta variante del punto de tallo crea un punto firme. Borde una línea a punto de tallo; haga después una segunda vuelta justo debajo de la primera, pero pasando el hilo sobre la aguja para cambiar la dirección del punto.

Punto de cuerda doble

Empiece una fila con punto de cuerda comenzando con el hilo debajo de la aguja. Borde una segunda línea por debajo, pero empezando con el hilo encima de la aguja.

Punto de nido de abeja

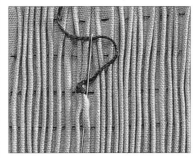

1 Se realiza con dos filas de frunces. Saque la aguja a la izquierda del primer pliegue de la línea superior y haga un pespunte cogiendo los dos primeros pliegues juntos. Inicie un segundo punto sobre los dos pliegues, pero saque la aguja en la línea inferior de frunces, entre el primer y el segundo pliegue.

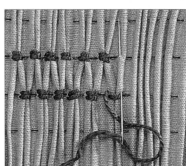

2 Haga un pespunte que una el segundo y tercer pliegue. Haga un segundo punto sobre estos pliegues, pero sacando la aguja entre el segundo y tercer frunce de la línea superior.

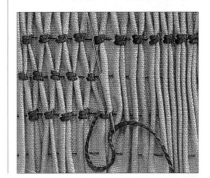

3 Siga bordando los puntos en las líneas superior e inferior del fruncido, alternativamente.

Punto de onda

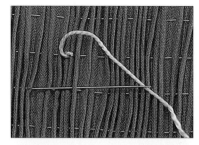

1 Borde sobre dos líneas de frunces. Saque la aguja a la izquierda del primer pliegue en la línea superior. Haga un punto sobre el segundo pliegue manteniendo el hilo sobre la aguja y hágala salir entre el primer y segundo pliegue. Con el hilo encima de la aguja, haga un punto sobre el tercer pliegue de arriba. Haga salir la aguja entre el segundo y tercer pliegue.

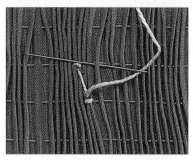

2 Borde un punto en el cuarto pliegue manteniendo el hilo debajo de la aguja. Hágala salir entre el tercer y cuarto pliegue. Con el hilo en la línea superior y debajo de la aguja, haga un punto sobre el quinto pliegue y sáquela entre el cuarto y el quinto.

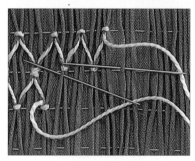

3 Borde la siguiente línea entre la tercera fila de frunces y la base de los puntos de la línea anterior.

Este bolso ha sido bordado con texturas de diamante y punto de abeja superficial

Punto de diamante

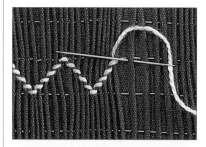

1 Borde a punto de tallo una línea que forme ángulo entre dos líneas de frunces. Mantenga el hilo debajo de la aguja para bordar hacia arriba y sobre ella cuando el dibujo baja.

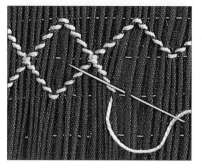

2 Empiece ahora en la segunda línea de frunces y borde con el mismo esquema entre las filas 2 y 3 invirtiendo el diseño para formar un diamante.

Punto de nido de abeja superficial

1 Borde sobre dos líneas de frunces. Saque la aguja a la izquierda del primer frunce de la línea superior. Con el hilo encima de la aguja, haga un punto sobre el segundo pliegue. Mantenga el hilo en la

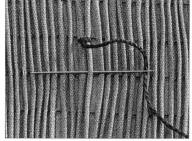

línea inferior y sobre la aguja, e inserte entonces la aguja entre el segundo y el tercer pliegue; sáquela a la izquierda del segundo frunce.

2 Sostenga el hilo bajo la aguja y haga un punto entre el segundo y el tercer pliegue sacando la aguja a la izquierda del tercero. Mantenga el hilo bajo la aguja y pásela entre los frunces 2 y 3. Borde

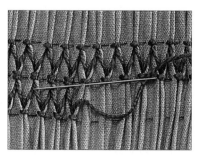

la siguiente línea entre las filas 2 y 3 de hilos fruncidores.

PARA TERMINAR

Cuando finalice la pieza bordada, presione la plancha de vapor por el revés de la labor, o bien coloque un paño húmedo encima y pase la plancha ligeramente, para no aplastarlo. Saque entonces los hilos utilizados para fruncir.

Si el resultado es demasiado tenso, saque los hilos utilizados para fruncir, sujete el tejido con alfileres a la tabla de planchar y ensánchelo a la medida. Planche como en el caso anterior.

CUENTAS Y LENTEJUELAS

EN TODAS LAS ÉPOCAS, culturas y países, se han usado cuentas y lentejuelas para añadir brillo y riqueza a las telas para mostrar la fortuna del que las llevaba. En la actualidad, los adornos con abalorios aparecen en todo tipo de telas, desde trajes de noche a jerseis. También pueden utilizarse de forma creativa para alegrar un bordado: una perla, por ejemplo, resalta en el centro de una flor, o un par de lentejuelas verdes pueden imitar los ojos de un gato.

BORDADO CON CUENTAS

Use una aguja normal de coser si las cuentas tienen agujeros grandes. Pero si son orificios pequeños necesitará una aguja fina de ensartar cuentas como la que mostramos en la página 120.

Coser cuentas por separado

Saque la aguja por el tejido, ensarte la cuenta y, si la cuenta es redonda, pase de nuevo el hilo a través del mismo agujero. Si la cuenta es alargada, después de pasar el hilo, deberá sujetar la cuenta e insertar la aguja cerca del borde de la cuenta. Repita la operación.

Cómo sujetar filas de cuentas

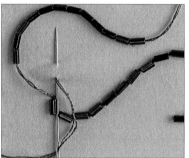

Use dos agujas. Con la primera ensarte las cuentas. Saque después la segunda a la izquierda de la primera cuenta y haga un pequeño punto sobre el hilo que las une. Deslice el hilo hasta la siguiente y repita.

Flecos de cuentas

Sujete la primera cuenta con el hilo y haga un nudo fuerte. (Si las cuentas son grandes deberá empezar con una pequeña.) Ensarte las cuentas hasta formar una hilera y sujétela al dobladillo con un pequeño pespunte. Repita para cada hilera.

CÓMO FIJAR LENTEJUELAS

Se pueden unir de forma casi invisible si usamos un hilo de color adecuado. En cambio, un hilo de bordar de color contrastado puede ampliar el efecto.

Técnica de los dos puntos

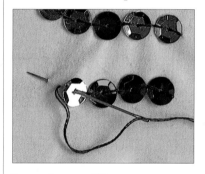

Se usa para asegurar una o más lentejuelas. Saque la aguja por el tejido y ensarte la lentejuela. Haga un punto hacia atrás sobre la esquina derecha de la lentejuela y saque la aguja por la esquina izquierda. Inserte de nuevo la aguja en la lentejuela y repita la operación.

Puntada invisible

Saque la aguja y el hilo a través de la lentejuela. Haga un punto sobre su lado izquierdo y coloque una segunda lentejuela de forma que el extremo derecho cubra el agujero del primero. Saque la aguja por la esquina izquierda de la segunda lentejuela y ensarte la aguja en su orificio.

Fijar las lentejuelas con cuentas

Saque la aguja y ensarte una lentejuela y una cuenta. Pase ahora la aguja a través del ojo de la lentejuela y tire del hilo de forma que la cuenta mantenga la lentejuela en su lugar. Saque después la aguja por el lado derecho para fijar la nueva lentejuela.

EFECTOS ESPECIALES

CUANDO DOMINE los puntos de bordado básicos, puede experimentar con algunas formas de bordado tradicionales con las que se obtienen efectos sorprendentes al combinar puntos diferentes. Mostramos a continuación cuatro de las técnicas más populares: bordado con lana, aplicaciones acolchadas, bordado blanco y punto de sombra.

BORDADO CON LANA DE ESTAMBRE

Se utiliza lana muy fina para bordar, de ahí proviene su nombre. Ya que es muy difícil bordar pequeños puntos con lana, los diseños suelen ser atrevidos. Se ha utilizado a menudo para decorar la ropa de casa, pero resulta también muy atractivo bordado sobre vestidos o accesorios. Los diseños tradicionales solían ser de animales exóticos, pájaros, flores y árboles. Las líneas básicas se bordean y se llenan después con una gran variedad de puntos. Para bordar sus dibujos, deberá escoger un tejido medio y firme.

APLICACIONES ACOLCHADAS

Es una técnica que permite que el bordado sea más tridimensional. Se borda combinando un aplicado acolchado y puntos de bordado. Fue muy utilizado durante el siglo pasado para adornar cajas y pantallas. Es también muy apropiado para realizar cuadros y tapices de tela. Deberá utilizar tejidos ligeros para obtener los mejores resultados.

Las aplicaciones se cosen sobre el tejido de fondo y se deja un lado libre para rellenar. Cuando haya rellenado y cerrado la aplicación, puede bordar alrededor o encima del acolchado. Los puntos que tienen una textura sencilla (punto de realce, de sujeción…) combinan bien con esta técnica. Las instrucciones para realizar el saquito con aplicación acolchada y el girasol bordado están en la página 241.

Diseño de estambre

El paisaje de la figura nos muestra cómo los bordes del diseño quedan resaltados al bordar, por ejemplo, las ramas en punto de tallo; los frutos, con punto de nudo, y el fondo, con punto satén. Otros puntos útiles son el partido y el de escapulario.

Aplicación acolchada

1 Corte la forma deseada algo más grande que la aplicación que va a realizar y cósala al lado derecho de la labor (*ver aplicaciones, página 200*). Deje un pequeño espacio abierto para introducir el relleno. Rellene y distribuya uniformemente.

Este corazón aplicado está decorado con punto de nudo

Los pétalos están bordados con punto de arena y técnica de fijación

2 Cosa a mano la abertura. Puede dejar la aplicación de este modo o adornarla con puntos de bordado o cuentas.

BORDADO BLANCO

Es el nombre general que se da a cualquier tipo de bordado sobre tejido blanco. Resulta perfecto para bordar ropa de cama, de mesa o blusas.

Cuando sólo usamos un color para el tejido de fondo y el bordado, el aspecto del bordado y la textura de los puntos son muy importantes. La mayoría de los puntos que conocemos quedan realzados si, al bordar, utilizamos un hilo con brillo sobre un tejido mate. Los trabajos a hilos tirados o sacados (páginas 142 a 145) enriquecen el bordado. Para conseguir mayores contrastes, puede bordar superficies a punto de festón y cortarlas después. El punto de festón evita que se deshilachen. A continuación le indicamos la técnica básica.

El borde recortado está rematado con punto de festón

Punto de festón recortado

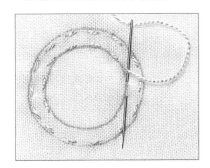

1 Es aconsejable bordar en bastidor. Utilice una hebra de algodón de bordar o de algodón perlado para bordear la superficie.

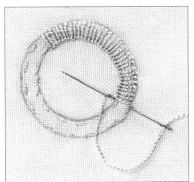

2 Con un hilo de color acorde, debe rodear la superficie con punto de festón. El borde del punto de festón deberá cubrir justo hasta la hebra, como se ve en la fotografía.

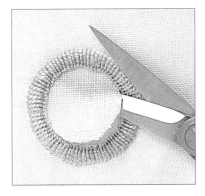

3 Gire la labor y corte cuidadosamente el tejido por el revés y junto a la base del festón.

PUNTO DE SOMBRA

Es un tipo de bordado a puntos contados que se realiza con puntos simples bordados con un solo color y sobre igual número de hilos de la labor. Crea figuras geométricas y el espaciado entre los puntos, distintas áreas de color. Fue muy popular en la Inglaterra de la época Tudor. Tradicionalmente bordado con hilo negro sobre hilo de lino, se usaba para decorar vestidos y ropa de cama.

Borde el dibujo con punto atrás, bastilla, doble bastilla, y punto de cruz para la estrella. Bordee formas diferentes con punto de cadeneta, de tallo o con técnica de fijación. Borde pequeñas zonas del tejido con punto satén creando así áreas oscuras que contrastarán con los otros dibujos. Combine puntos cruzados y planos para formar bordes o dibujos más grandes (fotografía inferior).

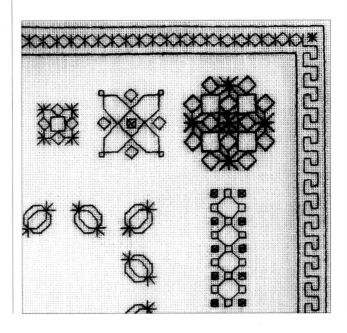

PREPARACIÓN Y MONTAJE

UNA VEZ TERMINADAS, la mayoría de labores no necesitan más que un ligero planchado por el revés. De todas formas, si la tela se ha deformado será necesario mojarla y recomponerla para eliminar todos los pliegues y devol-verla a su forma original. Hay varias formas de exhibir una labor, casi tantas como técnicas de bordado, por ejemplo, si desea enmarcarla, primero deberá montarla sobre una base.

EL PLANCHADO

No planche nunca por el lado derecho de la labor porque aplastaría los puntos y podría quemar la pieza.

Coloque el bordado sobre una superficie acolchada, boca abajo. Cúbralo con una tela húmeda o seca (dependiendo del tipo del tejido), gradúe la temperatura de la plancha de acuerdo con el tejido y presione cuidadosamente.

LA PREPARACIÓN

Compruebe que los colores del tejido y los hilos son sólidos y no se corren al mojar el tejido (ver página 153). Si no fuera así, deberá devolverle su forma sin mojarlo. Los tejidos modernos no suelen dar problemas, pero tenga cuidado con los antiguos o de tipo étnico.

1 Moje el bordado en agua fría y enróllelo en una toalla limpia para eliminar el exceso de humedad.

2 Cubra una base blanda con plástico o cartón y sujételo con alfileres. Deje el bordado sobre el tablero, con el lado derecho hacia arriba. Use alfileres de acero para sujetar la tela por las esquinas y evite que los alfileres estén dentro del área bordada. Tense la pieza y siga clavando alfileres a intervalos de 2,5 cm, empezando siempre desde el centro. No retire los alfileres hasta que la labor esté completamente seca.

EL MONTAJE

Antes de enmarcar un bordado debemos montar la pieza sobre un cartón o tablero fuertes. Esta base debe ser de la misma medida o algo más grande que el bordado para evitar que el marco tape parte del dibujo.

1 Planche el bordado y colóquelo con la cara exterior sobre una mesa. Centre el tablero sobre la tela y doble las esquinas del tejido por detrás del tablero.

Se estiran los hilos firme y uniformemente

2 Utilice hilo fuerte para unir los bordes con puntos regularmente espaciados, tire cuidadosamente de los hilos y asegure con unos puntos atrás.

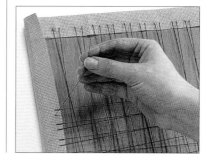

3 Doble y una los laterales de la misma forma, tirando del hilo hasta que el trabajo esté tensado uniformemente.

LIMPIEZA

LA SUCIEDAD, EL POLVO Y LAS POLILLAS son tres ene-migos básicos de los tejidos bordados. Debemos inspec-cionarlos regularmente, lavarlos si es necesario y guardar-los cuidadosamente, para mantenerlos en buen estado. De todas formas, si se trata de un tejido muy delicado será mejor dejar esta tarea en manos de un profesional.

LAVADO A MANO

La mayoría de los hilos actuales son de colores sólidos, pero debería hacer siempre una prueba antes de lavarlos. Puede hacerlo poniendo una hebra de hilo en agua caliente o presionando un poco de algodón mojado por el revés de la labor y comprobando si mancha. Los colores oscuros y los rojos son los que suelen manchar; si ocurre, lleve la prenda a una tintorería de confianza.

Si el bordado está forrado, deberá sacar el forro para lavarlo por separado. Antes de hacerlo, debería tomar las medidas de la labor para poder darle después la forma y medidas adecuadas.

3 Enrolle la pieza en una toalla gruesa, así eliminará el exceso de agua. Repita si es necesario.

1 Presione un trozo de algodón sobre los hilos para ver si alguno de los colores se corre; si es así, no lave la prenda.

4 Devuélvalo a la forma original y, si es necesario, utilice la técnica propuesta en la página anterior. Deje secar a temperatura ambiente.

CÓMO GUARDAR LAS PIEZAS

Si no la usa, envuélvala en una gruesa capa de papel libre de ácido y guárdela plana, o enróllela entre papel de seda. Si ha de estar doblada, abra la pieza de vez en cuando para que los pliegues no queden marcados. Compruebe que la tela esté libre de polillas y mohos, y límpiela si es necesario.

EL POLVO

La mejor forma de eliminar el polvo es por medio de un aspirador. Utilice la boquilla para tapicería y manténgala sobre la superficie del bordado. El polvo que queda entre los puntos se puede eliminar usando un pincel de pelo suave.

2 Lave cuidadosamente el bordado en agua tibia, usando un detergente especial para tejidos delicados. No frote la pieza; aclare varias veces en agua tibia hasta que el agua quede clara. Haga el último aclarado en agua fría.

Cepille suavemente entre los puntos evitando levantar los hilos

LABORES DE TAPICERÍA

Con labores realizadas sobre cañamazo se pueden crear
bellos y duraderos adornos para el hogar. Son fáciles
de realizar, transportables y necesitan pocos elementos para su
confección, además de ser adecuados para realizar multitud
de diseños. Por todo ello, es una técnica muy utilizada.
Aunque solían realizarse a partir de dibujos sobre cuadrícula,
en la actualidad es posible encontrar gran variedad
de cañamazos preparados para bordar y con el dibujo
impreso sobre ellos.
Los puntos de tapicería se emplean para copiar dibujos
actuales y tradicionales. Con unos pocos puntos
muy sencillos, se realizan dibujos muy complejos,
pero también se utilizan puntos más complicados
para añadir interés visual y textura a un dibujo sencillo.
Los modelos van desde las muestras geométricas
orientales hasta las florales y figurativas occidentales.
Las marcadas formas triangulares del punto de tapicería
florentino son adecuadas para cualquier tipo de decoración.
Con el tiempo, como ha sucedido con otras técnicas
tradicionales, estas labores han evolucionado
y hay una gran variedad de muestras y técnicas, aun así
con un solo tipo de punto podemos realizar
la mayoría de las labores.

ÚTILES Y MATERIALES

SON IMPRESCINDIBLES los cañamazos de malla cuadrada, una aguja de tapicería e hilo. Existe un amplio abanico de calibres de cañamazo que se adaptan a cada una de las diversas labores de tapicería. Es importante elegir un hilo lo suficientemente grueso para cubrir los hilos de la malla y una aguja que pase por los agujeros con facilidad.

CAÑAMAZOS

La mayoría de cañamazos son de algodón o lino. Se compran por metros y hay en color blanco, marrón o crudo. Si teje con colores oscuros, escoja un cañamazo marrón, ya que cualquier espacio entre los puntos, por pequeño que sea, puede verse como si fuera un punto blanco y estropear el efecto de la labor.

El calibre de la malla del cañamazo depende del número de hilos por 2,5 cm, cuantos más hilos, más finos, es el cañamazo. Una malla fina de unos 22 hilos por cada 2,5 cm se utiliza para

las labores con detalles y una malla gruesa de 3 hilos por 2,5 cm para alfombras gruesas. Muchos proyectos de tapicería requieren mallas del calibre 10. Más abajo se muestran algunos de los tipos de cañamazo más corrientes y otros tipos, como los de entrelazado, alfombra y plástico. Los dos primeros son adecuados para tapices de pared y para alfombras; el de plástico se vende a menudo precortado para tejer esteras y otros adornos.

Cañamazo entrelazado

La malla horizontal consta de un único hilo y la vertical, de un par de hilos finos retorcidos para conseguir una base menos propensa a deformarse o deshilacharse.

Cañamazo sencillo

Se presenta en diferentes medidas y la malla está formada por un solo hilo. No es adecuado para tejer a medio punto o a punto de cruz (*ver páginas 161 y 164*).

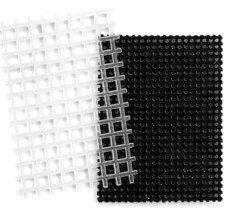

Cañamazo doble

Esta malla es de doble hilo. Se puede tejer sobre cada par de hilos o separarlos, si se realizan puntos más pequeños.

Cañamazo de plástico y cartón perforado

El cartón perforado (*arriba derecha*) está disponible en una gran variedad de colores y se utiliza para adornos y tarjetas. El cañamazo de plástico es un malla de calibre medio moldeada que se vende por piezas.

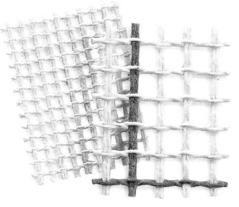

Cañamazo para alfombras

El entrelazado de la malla es el que da forma al cañamazo para alfombras (*izquierda*). De múltiples medidas y posibilidades, son los que más se utilizan en labores de tapicería y de gancho con lengüeta.

HILOS

Las lanas finas de estambre, de tapicería y persa se utilizan para las labores de tapicería. Son duraderas, no destiñen y están disponibles en una amplia gama de tonos. Otras posibilidades son: la lana para alfombras, hilo grueso y resistente de una hebra, algodón para bordar y ganchillo, hilos de seda y metálicos.

Lana de Crewel (Estambre)

Es el hilo de tapicería más fino, un poco más que una hebra de lana persa. Puede tejerse solo o juntando 2, 3 o 4 hebras.

Lana de tapicería

Una sola hebra de hilo es algo más fina que 3 hebras de lana persa y cubre el cañamazo del calibre 10.

Lana Persa

Está formada por 3 hebras que se separan fácilmente. Utilice el número de hebras adecuado al calibre de la malla.

AGUJAS

Las agujas para las labores de tapicería son especiales. Tienen un ojo grande para poder enhebrarse fácilmente y puntas romas que se deslizan a través del cañamazo para que no se rompa. Elija una medida que pase por los agujeros de la malla con holgura para que el cañamazo no se deforme.
Una aguja del 18 es la adecuada para las mallas de cañamazo de los calibres 10 y 12.

La aguja y el hilo deben pasar a través del cañamazo con facilidad

OTROS ACCESORIOS DE UTILIDAD

Se necesitan pocos accesorios más: unas tijeras afiladas y cinta adhesiva de enmascarar. Para realizar sus propios diseños, necesitará rotuladores y pinturas indelebles para perfilar y colorear el cañamazo.

Rotulador indeleble para calcar el dibujo al cañamazo

Pinturas acrílicas para teñir o pintar el cañamazo

Cinta adhesiva para pegar los bordes del cañamazo y evitar que se deshilachen

Pincel para colorear el cañamazo

Tijeras de bordar con hojas afiladas para cortar los extremos de los hilos

Tijeras de sastre para cortar el cañamazo a la medida

BASTIDORES PARA TAPICERÍA

Para que el cañamazo no se deforme y pueda tejer con ambas manos, deberá tensar la labor con un bastidor.
Un bastidor plano (ver página 122) es el más adecuado. Algunos prefieren enrollar su labor para llevarla consigo.

TÉCNICAS GENERALES

NO SE NECESITA ninguna técnica especial para realizar labores de tapicería. Aparte de aprender los puntos básicos, lo único que necesita saber es cómo empezar y cómo rematar la labor, y algunas reglas básicas para manipular el cañamazo y el hilo, a fin de que su labor no se estropee o se tuerza.

CÓMO TRABAJAR CON CAÑAMAZO

Los cañamazos modernos no suelen deshilacharse, pero si va a tejer una pieza grande, es mejor bordearlo con cinta adhesiva. Una manera práctica y cómoda de trabajar piezas grandes consiste en enrollarla con el dibujo hacia adentro. Al bordar un área determinada, sujete las esquinas con pinzas para mantener el cañamazo fijo. Corte un patrón de papel antes de empezar para tensar el cañamazo cuando haya acabado la labor.

CANTIDAD DE HEBRAS

Recuerde que lo más importante es que el hilo cubra el cañamazo, pues de lo contrario la malla se transparentará. Si no utiliza un kit (equipo preparado), teja una pequeña muestra primero. Si las puntadas resultan demasiado finas, añada hebras de hilo suplementarias.

CÓMO BORDAR LOS PUNTOS

Existen dos métodos de bordar los puntos: el de coser y el de introducir la aguja alternativamente por delante y detrás de la labor. Si utiliza un bastidor, le será más fácil emplear este segundo método; para las labores sin bastidor, pruebe ambas técnicas y escoja la que mejor le vaya.

Método de coser

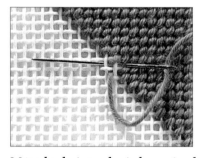

Cada punto se forma con un solo movimiento. Clave la aguja en el cañamazo desde el lado derecho de la labor y sáquela por el agujero correcto para poder efectuar el siguiente punto. Tire del hilo.

Método de introducir la aguja alternativamente

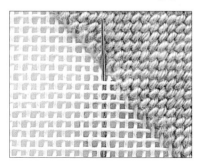

Cada punto se efectúa en dos movimientos. Clave la aguja en el cañamazo desde el lado derecho de la labor y tire del hilo hacia el revés. Vuelva a clavar la aguja en la posición correcta para efectuar la siguiente puntada y tire del hilo hacia el lado derecho de la labor.

CÓMO TRABAJAR CON EL MÉTODO BÁSICO

La hebra con la que se teje no deberá ser superior a 45 cm de largo, puesto que empezaría a deshilacharse al tirar de ella a través de los agujeros de la malla del cañamazo. Si el hilo empezara a torcerse y enredarse, desenhebre la aguja para que el hilo se desenrede. Evite utilizar hebras nuevas para comenzar y rematar en el mismo sitio, ya que el grosor suplementario de los extremos de las hebras formarían un cordoncillo por el lado derecho.

Cómo comenzar

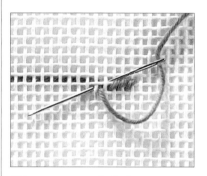

Deje un extremo, por el revés, de unos 2,5 cm de largo. Teja los primeros puntos por encima del cabo para que quede bien sujeto y corte el resto. No empiece nunca con un nudo; se formarían protuberancias en la labor y podría deshacerse.

Cómo rematar la hebra

Lleve la aguja y el hilo a través del cañamazo, hacia el revés. Pase el hilo por detrás de las últimas puntadas y corte lo que sobre.

KITS

Estos equipos completos son muy apropiados, ya que se venden con el cañamazo, la aguja y la cantidad de hilos necesaria. Además, el diseño está impreso en colores en el cañamazo, o en un esquema similar al papel cuadriculado, donde cada cuadrado representa un cuadrado de la malla del cañamazo. Si no se indica otra cosa, se debe empezar a coser por el centro y bordar hacia los bordes exteriores.

A veces, un bordado de uso frecuente, como la superficie de un escabel, tiene el cañamazo marcado con filas de puntadas horizontales (trama), con las que se consigue una pieza más gruesa y resistente, que se teje con hilos del mismo tono.

CREAR UN DISEÑO ORIGINAL

DISEÑAR LAS propias labores de tapicería es fascinante y los diseños pueden tener muchas aplicaciones. Empiece trazando el dibujo a tamaño natural y píntelo o cálquelo en el cañamazo. A los principiantes les será más fácil comenzar con un diseño de punto sencillo. Se pueden añadir más puntos decorativos a medida que se adquiera más habilidad.

INSPIRACIÓN PARA EL DIBUJO

Las flores, pinturas, láminas y estampados sirven de inspiración. Empiece trazando un esbozo. Asegúrese de que la escala sea la adecuada para su proyecto, una pequeña muestra tejida a un acerico puede resultar perfecta, pero es poca cosa sobre una pieza grande. La colocación es también importante, ya que si la muestra tiene pequeños detalles alrededor del diseño central, éstos podrían desaparecer al coser la labor.

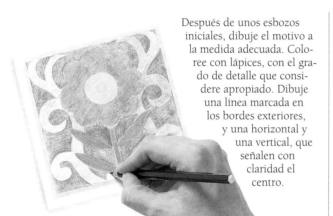

Después de unos esbozos iniciales, dibuje el motivo a la medida adecuada. Coloree con lápices, con el grado de detalle que considere apropiado. Dibuje una línea marcada en los bordes exteriores, y una horizontal y una vertical, que señalen con claridad el centro.

CÓMO COPIAR UN DIBUJO

Puede marcarse el dibujo en el cañamazo con pintura acrílica o un rotulador. Asegúrese de que no destiñan, de lo contrario pueden manchar la labor cuando la tense (ver página 178).

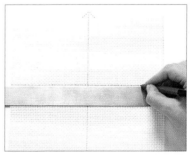

1 Corte el cañamazo dejando un espacio mínimo de 5 cm de margen. Utilice un rotulador indeleble para marcar la parte superior del cañamazo y la dirección de la labor. Trace una línea vertical y otra horizontal por el centro.

2 Coloque el cañamazo encima del dibujo haciendo coincidir las líneas del centro y sujételos con cinta o alfileres. Dibuje los bordes exteriores del diseño en el cañamazo con un rotulador indeleble.

CÓMO REALIZAR UN GRÁFICO A PARTIR DE UN DISEÑO ORIGINAL

Si desea tejer su diseño correctamente, debe dibujarlo sobre papel cuadriculado. Recuerde que la escala del papel cuadriculado puede ser diferente de la del cañamazo.

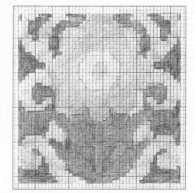

En un gráfico para dibujos de puntos simples (*ver página 161*), generalmente se colorea cada cuadrado, que representa un punto sobre una intersección del cañamazo. Para los puntos decorativos (*ver páginas 162-168*), las líneas del papel cuadriculado deben considerarse como la malla del cañamazo, y se debe marcar en el gráfico el color, la longitud y la dirección de cada punto.

3 A continuación, debe pintar el cañamazo o bien dibujar los detalles principales con un rotulador. Utilice su diseño inicial como guía para colorear y detallar. Antes de empezar a coser, compruebe que la tinta o la pintura estén secas.

PUNTOS DE TAPICERÍA

LOS PUNTOS DE TAPICERÍA SE pueden hacer vertical, diagonal u horizontalmente por encima de los hilos del cañamazo, para cubrirlo. Las texturas y muestras se crean al variar la dirección y el tamaño de los diferentes puntos. La mejor manera de dominar los puntos es bordándolos. Realice un muestrario con los que más le gusten, pueden servirle de referencia en el futuro. El muestrario también le ayudará a descubrir las diversas maneras de combinar varios puntos para conseguir diseños diferentes. Las instrucciones en las siguientes páginas indican el número de hilos en cada dirección, por encima de los cuales deberán formarse los puntos. Cuando esté familiarizado con los puntos, podrá variar su tamaño según el efecto buscado. No debe bordar los puntos por encima de más de diez hilos del cañamazo, ya que las hebras serían tan largas que podrían engancharse. Si en las instrucciones no se especifica el tipo de cañamazo adecuado, utilice tanto el cañamazo doble como el sencillo.

LA MAGIA DE LAS LABORES DE TAPICERÍA

El tapiz de arriba es un magnífico ejemplo de las ricas variedades de muestras y texturas que se consiguen al combinar diferentes puntos de tapicería. Sitúe las bandas de puntos de textura suave, como los puntos sencillos (ver página 161) o los puntos de gobelino rectos (ver página 166), al lado de puntos con relieve muy definido, como el punto escocés (ver página 163) y el punto de ojo de Algeria (ver página 168).

PUNTOS SENCILLOS

CADA PEQUEÑA DIAGONAL de un punto sencillo se teje en la misma dirección, por encima de una intersección de cañamazo. Este tipo de punto es tan versátil que puede formar detalles o sutiles degradaciones, por esta razón es el favorito de muchos.

Existen tres variedades: medio punto, punto continental y punto de cestería. Todos parecen iguales por el lado derecho, pero el medio punto es el más fácil de los tres y consume menos lana. Sin embargo, no se puede utilizar para bordar en cañamazo simple ya que los puntos resbalan. El medio punto y el punto continental tienden a distorsionar el cañamazo; utilice un bastidor si la superficie es grande. El punto de cestería es más apropiado para bordar grandes superficies puesto que no deforma el cañamazo, pero necesita más hilo que los otros dos puntos.

Medio punto

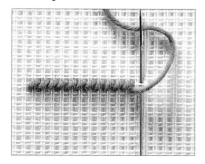

1 Se borda en hileras horizontales de izquierda a derecha. Saque la aguja y llévela hacia arriba a la derecha, por encima de una intersección del cañamazo. Clave la aguja por debajo de un hilo horizontal y sáquela lista para efectuar la siguiente puntada.

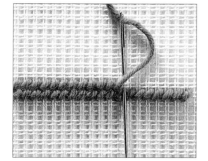

2 Al acabar la vuelta, gire el cañamazo (180 grados) antes de comenzar una nueva fila.

Punto continental

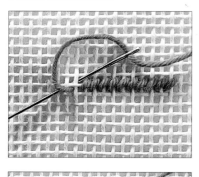

1 Teja las filas de derecha a izquierda. Saque la aguja y clávela arriba a la derecha, por encima de una intersección. Lleve la aguja, en diagonal, a la izquierda, por debajo de una intersección.

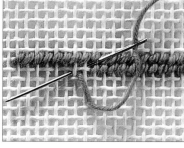

2 Cuando acabe la fila, gire el cañamazo (180 grados) para realizar la siguiente vuelta.

Punto de cestería

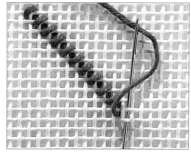

1 Se teje en diagonal, de arriba abajo y de abajo arriba. Efectúe una puntada hacia arriba, a la derecha, por encima de una intersección. Clave la aguja hacia abajo, por debajo de 2 hilos horizontales.

Por el lado derecho, todos los puntos sencillos parecen iguales; esta muestra ha sido realizada con medio punto

2 Para volver, realice una puntada diagonal a la derecha, por encima de una intersección y a continuación, clave la aguja hacia la izquierda, por debajo de 2 hilos verticales.

El revés de las labores nos muestra la diferencia entre los puntos sencillos: medio punto (izquierda), punto continental (centro) y punto de cestería (derecha)

PUNTOS DIAGONALES

ESTOS PUNTOS se utilizan para formar una inclinación en diagonal por encima de los hilos del cañamazo. Cada secuencia de puntos origina una muestra diferente y muchas se tejen en diferentes colores para conseguir dise-ños en zigzag, rayados o dameros. Los puntos diagonales deforman el cañamazo más que cualquier otro tipo de punto, por lo que no se deben tejer muy apretados y es preferible utilizar un bastidor de bordar.

Punto de gobelino inclinado

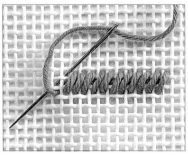

1 Se teje solamente sobre cañamazo simple, de derecha a izquierda y de izquierda a derecha, alternativamente. Saque la aguja y clávela 2 hilos horizontales más arriba y a la derecha de un hilo vertical. Saque la aguja más abajo, por debajo de 2 hilos horizontales y un hilo vertical a la izquierda de la puntada que acaba de realizar.

2 En la siguiente hilera teja los puntos nuevos con la misma inclinación y tamaño que los puntos de la fila anterior.

Punto de gobelino entrelazado

Se teje como el punto de arriba, pero llevando la hebra sobre 4 o 5 hilos de cañamazo, inclinándola sobre un hilo vertical. En la fila siguiente superponga las partes superiores de los puntos un hilo sobre la vuelta anterior.

Punto escocés tupido

1 Estos puntos se bordan en diagonal empezando por la parte superior derecha del cañamazo. La unidad básica de esta muestra consta de un grupo de 4 puntos diagonales tejidos por encima de 2, 3, 4 y 3 intersecciones del cañamazo. Repita esta secuencia de 4 puntos hasta el final de la diagonal.

2 En las siguientes diagonales, repita la misma secuencia de puntos, de manera que la puntada más larga coincida con el lado de la puntada más corta de la diagonal anterior.

Las muestras rayadas se consiguen al tejer las diagonales con puntos diagonales en dos o más colores

El punto de gobelino inclinado es una versión alargada del punto sencillo y forma hileras uniformes de cordoncillo

Utilice el punto de gobelino entrelazado para degradar y combinar colores

Punto escocés

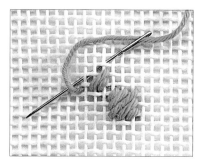

1 Este punto está formado por cuadrados de 5 puntos diagonales de diferentes tamaños tejidos por encima de 1, 2, 3, 2 y 1 intersección del cañamazo. Se teje en diagonal y cada cuadrado cubre 3 hilos verticales y 3 horizontales. Repita esta secuencia de puntos hasta el final de la diagonal.

2 Invierta la dirección y encaje los cuadrados de la nueva diagonal entre los cuadrados de la diagonal anterior.

Variación del punto escocés

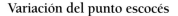

Teja las líneas horizontales y verticales en punto sencillo dejando un espacio de 3 intersecciones entre éstas para formar un reja. Rellene cada cuadro de la reja con punto escocés (*ver arriba*).

En el punto damero, los cuadrados de punto diagonal se alternan con cuadrados de punto sencillo

El punto bizantino cubre el cañamazo con rapidez y es muy útil para rellenar las grandes superficies de los fondos

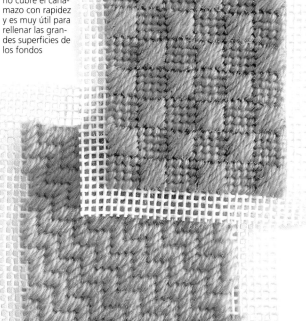

El punto escocés se teje en un color para conseguir texturas, o en varios colores para muestras rayadas o dameros

La variación del punto escocés se realiza tejiendo una reja con punto sencillo y rellenando cada cuadro después

Punto damero

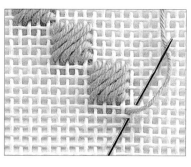

1 Se teje en diagonal, por encima de 4 hilos horizontales y 4 verticales del cañamazo. Comience por la parte superior izquierda. En la primera diagonal rellene cada cuadrado con 7 puntos diagonales, por encima de 1, 2, 3, 4, 3, 2 y 1 intersección.

2 En la segunda diagonal rellene cada cuadrado con 16 puntos sencillos pequeños, encajándolos entre los cuadrados de la diagonal anterior.

Punto bizantino

1 Los puntos de las filas en zigzag se tejen en diagonal, de arriba abajo y de abajo arriba del cañamazo, alternativamente. Cada punto se teje por encima de 2 intersecciones de cañamazo. Forme los zigzags o escalones efectuando 3 puntos diagonales a lo ancho del cañamazo, seguidos de 3 puntos diagonales hacia arriba o hacia abajo alternativamente.

2 Haga coincidir los escalones de la diagonal siguiente al lado de los escalones de la diagonal anterior.

PUNTOS CRUZADOS

EL PUNTO DE CRUZ BÁSICO, el tipo de punto más importante en esta categoría, se utiliza siempre sobre cañamazo doble. Todas las muestras que veremos están formadas por puntos lineales o diagonales que se cruzan, los puntos de cruz se pueden asegurar con un punto atrás en un color que contraste.

PUNTO DE CRUZ

El punto de cruz se puede tejer horizontalmente o en diagonal, sobre cañamazo doble sobre una o más intersecciones, según el calibre del cañamazo. Los puntos que cruzan por encima deben realizarse siempre en la misma dirección para conseguir un acabado uniforme.

Método horizontal

1 Se teje de derecha a izquierda y de izquierda a derecha, alternativamente. Saque la aguja y llévela hacia arriba, a la izquierda, por encima de 2 intersecciones del cañamazo. Clave la aguja y sáquela por debajo de 2 hilos horizontales.

2 Cruce esta puntada con un punto atrás en diagonal por encima de la misma intersección, pero inclinándolo en la dirección opuesta. La aguja sale por donde se introdujo, lista para realizar el punto siguiente.

Método en diagonal

Se teje desde la parte inferior izquierda. Realice la primera puntada como en el método horizontal. Crúcela con una puntada oblicua en la dirección contraria, llevando la aguja por debajo de 2 hilos verticales y sacándola, lista para realizar el siguiente punto de cruz.

Punto de cruz

Punto de cruz oblongo

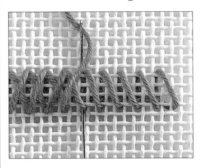

1 Se teje en 2 pasos, de derecha a izquierda y de izquierda a derecha. Saque la aguja y realice una puntada hacia arriba, a la izquierda, por encima de 4 hilos horizontales y 2 verticales. Efectúe otra puntada por debajo de 4 hilos horizontales. Repita hasta el final de la hilera y, a continuación, cruce con puntadas bordadas en dirección contraria.

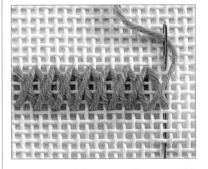

2 Al final de la hilera, saque la aguja 4 hilos hacia abajo, lista para efectuar el primer punto de la siguiente fila.

Variación del punto de cruz oblongo

Teja el punto de cruz oblongo como se indica arriba. A continuación, con un color que contraste, realice un punto atrás por el del centro de cada cruz. Cada punto atrás cubrirá 2 hilos verticales.

Variación de punto de cruz oblongo

Punto de cruz oblongo

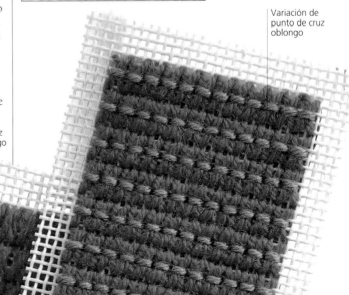

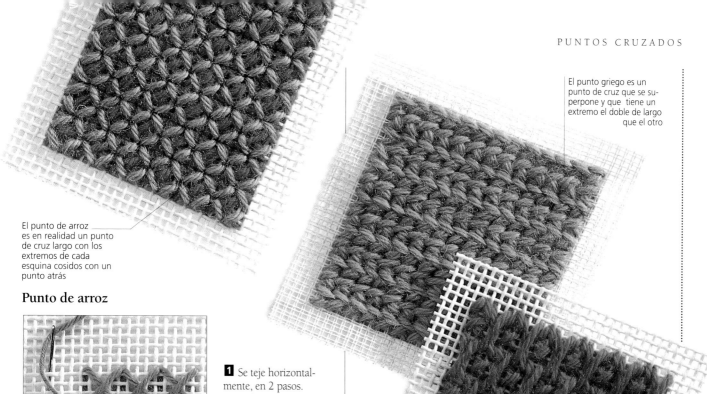

El punto griego es un punto de cruz que se superpone y que tiene un extremo el doble de largo que el otro

El punto de arroz es en realidad un punto de cruz largo con los extremos de cada esquina cosidos con un punto atrás

Punto de arroz

1 Se teje horizontalmente, en 2 pasos. Saque la aguja por la parte superior izquierda. Efectúe una fila de puntos de cruz largos por encima de 4 intersecciones del cañamazo.

2 En la siguiente vuelta realice un punto atrás en los ángulos rectos, por encima de las esquinas de cada punto de cruz. Cada punto atrás debe cubrir 2 intersecciones del cañamazo. Teja las filas siguientes comenzando por los agujeros de las bases de los puntos de la hilera anterior.

Para realizar punto de cruz alternado, borde puntos de cruz oblongos largos y puntos de cruz pequeños

Punto griego

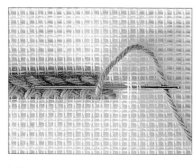

1 Se teje de izquierda a derecha y de derecha a izquierda. Realice un punto en diagonal hacia arriba, a la derecha, por encima de 2 intersecciones del cañamazo. Lleve la aguja hacia la izquierda, por debajo de 2 hilos verticales (dobles). Efectúe un punto hacia abajo, a la derecha, por encima de 4 hilos verticales y 2 horizontales. Clave la aguja a la izquierda, por debajo de 2 hilos verticales y sáquela. Repita.

2 En las siguientes filas, teja los puntos por dentro de las bases de los puntos de la hilera anterior.

Punto de cruz alternado

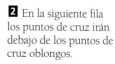

1 Se teje de derecha a izquierda sobre cañamazo sencillo. Efectúe un punto de cruz oblongo por encima de 2 hilos verticales y 6 hilos horizontales. Saque la aguja 4 hilos horizontales por debajo de la parte superior del primer punto. Realice un punto de cruz por encima de 2 intersecciones del cañamazo y saque la aguja por la base del punto de cruz oblongo. Repita.

2 En la siguiente fila los puntos de cruz irán debajo de los puntos de cruz oblongos.

PUNTOS LINEALES

RÁPIDOS Y FÁCILES de tejer los puntos lineales resultan más interesantes cuando se combinan puntos de diferentes longitudes. Los puntos lineales cubren mejor los cañamazos simples, aunque no hay razón para que no los teja en el cañamazo doble. Si no se especifica, todos los puntos se tejen en hileras horizontales.

Punto de gobelino vertical

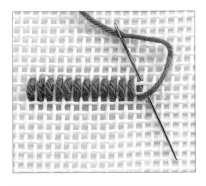

1 Teja las filas de izquierda a derecha y de derecha a izquierda. Saque la aguja y llévela más arriba, por encima de 2 hilos horizontales. Clave la aguja hacia abajo y a la derecha, más abajo de un hilo vertical y 2 horizontales, y sáquela para empezar el siguiente punto.

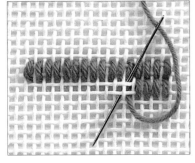

2 En las hileras posteriores, la parte superior de los puntos debe tejerse en la base de los puntos de la hilera superior.

El punto de gobelino vertical es muy resistente y crea una superficie tupida con cordoncillo

Punto de gobelino de relleno

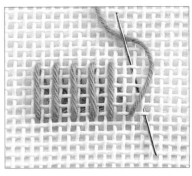

1 Teja una fila de puntos como si se tratase del punto gobelino vertical, pasando cada punto por encima de 6 hilos horizontales y dejando entre éstos un espacio de 2 hilos verticales.

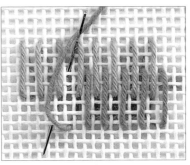

2 Cuando teja las hileras siguientes, efectúe los puntos entre los de la hilera superior. Las bases de los puntos nuevos deberán estar 3 hilos horizontales más abajo de las bases de los puntos anteriores.

Punto largo aleatorio

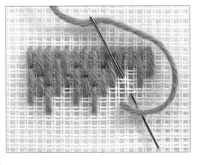

Debe tejerse igual que un punto gobelino vertical, pero varíe la longitud de los puntos llevándolos por encima de 1, 2, 3 o 4 hilos horizontales aleatoriamente.

Las hileras del punto de gobelino de relleno se superponen para conseguir un efecto de cestería

El punto largo aleatorio es muy rápido para cubrir las grandes superficies de cañamazo doble

Punto largo y corto

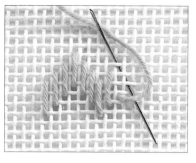

1 Borde una fila de puntos largos por encima de 4 hilos horizontales, moviendo cada uno de los primeros 4 puntos un hilo hacia arriba. A continuación, efectúe 3 puntos, moviendo cada punto un hilo hacia abajo. Repita.

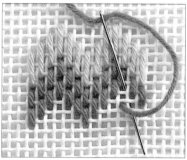

2 Borde las 2 filas siguientes con la misma secuencia y realizando puntos más pequeños por encima de 2 hilos. Continúe haciendo una hilera de puntos largos y 2 hileras de puntos más pequeños, alternativamente.

Punto húngaro

Se efectúa en grupos de 3 puntos por encima de 2, 4 y 2 hilos horizontales y dejando 2 hilos verticales sin hacer entre cada grupo. En las siguientes filas, borde los grupos en el espacio que ha dejado libre.

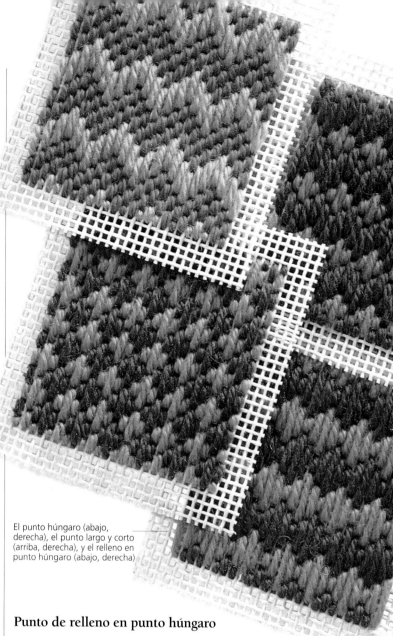

El punto húngaro (abajo, derecha), el punto largo y corto (arriba, derecha), y el relleno en punto húngaro (abajo, derecha)

Diamante en punto húngaro

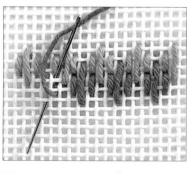

1 Borde los puntos dejando un espacio de un hilo entre cada punto. Haga grupos de 4 puntos de diferentes medidas en una secuencia repetitiva por encima de 2, 4, 6 y 4 hilos horizontales del cañamazo.

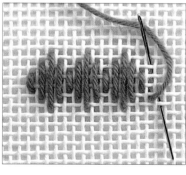

2 En las siguientes filas, borde los puntos más largos en la base de los puntos más cortos de la fila anterior.

Punto de relleno en punto húngaro

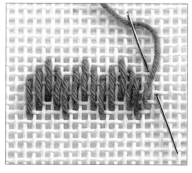

1 La primera fila se borda igual que el punto en zigzag largo; la secuencia, sin embargo, es más corta. Realice 3 puntos verticales por encima de 4 hilos horizontales cuando vaya hacia arriba y 2 puntos cuando vaya hacia abajo.

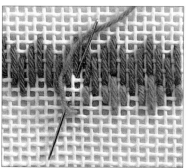

2 En la segunda fila, efectúe los puntos húngaros entre los espacios libres de la fila anterior. Teja estas 2 filas alternativamente.

PUNTOS ESTRELLADOS

ESTOS PUNTOS COMPUESTOS se forman con puntos diagonales, cruzados y lineales. Los puntos estrellados suelen ser puntos largos y pueden enmarcarse con otros puntos, creando formas más definidas, que texturas de conjunto. Deben coserse flojos, sobre un cañamazo simple y con un hilo grueso que cubra toda la malla.

Punto cruzado de Esmirna

1 Desde la parte superior izquierda, borde un punto de cruz por encima de 4 intersecciones. Saque la aguja a través del agujero central entre las bases. Realice un punto vertical hacia arriba por encima de 4 hilos. Saque la aguja 2 hilos a la izquierda y 2 hacia abajo. Realice un punto horizontal llevándolo hacia la derecha.

2 Saque la aguja por encima de 4 hilos, a la derecha de la línea base. En las siguientes filas, teja la parte superior de los puntos por dentro de las bases anteriores.

Punto de ojo de Argelia

Se teje en filas, de derecha a izquierda y de izquierda a derecha. Empiece en la esquina superior derecha. Cosa 8 puntos en la dirección de las agujas del reloj, por encima de 2 hilos del cañamazo o de 2 intersecciones del mismo y por el mismo agujero central. Deje 2 hilos de cañamazo entre cada punto. Borde la estrella siguiente por los agujeros de los extremos de la estrella anterior. En la siguiente fila teja en sentido

Punto de ojo de Argelia grande

1 Para formar una estrella, borde 16 puntos en la dirección de las agujas del reloj, por el mismo agujero central y por encima de 4 hilos del cañamazo o de 4 intersecciones, en las esquinas del cuadrado. Para espaciar los puntos deberá dejar 2 hilos del cañamazo sin bordar entre los puntos convergentes.

2 Cuando haya terminado las estrellas, enmárquelas con punto atrás por encima de 2 hilos del cañamazo.

Punto de abanico

Se borda de izquierda a derecha y de derecha a izquierda. Realice 7 puntos en sentido contrario al de las agujas del reloj, por encima de 3 hilos o de 3 intersecciones y por el mismo agujero. Deje un hilo de espacio entre los puntos.

En esta versión del punto de ojo de Argelia cada estrella se enmarca con punto atrás

El punto de abanico es un cuarto de una estrella de Argelia grande

Punto de ojo de Argelia

Punto cruzado de Esmirna

PUNTOS CON BUCLES

ESTOS PUNTOS FORMAN una serie de nudos con bucles o anillas. Los bucles se pueden cortar para conseguir una superficie suave y con pelo muy parecida a la de una alfombra. Los puntos se pueden tejer solos, sobre un cañamazo para alfombras, o combinados, con áreas de puntos más planos y uniformes sobre un cañamazo más fino, para crear interesantes cambios de textura en la labor.

Nudo turco

1 Empiece por la parte inferior izquierda y teja horizontalmente. Con el cañamazo del derecho, introduzca la aguja y llévela hacia arriba, a la izquierda, por debajo de un hilo horizontal y 2 hilos verticales. Saque la aguja dejando un extremo corto de hebra en la superficie de la labor. Clave la aguja a la derecha, por encima de 3 hilos verticales, sacándola por un hilo vertical a la derecha del extremo de la hebra.

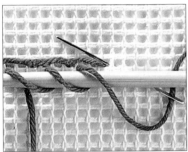

2 Borde los siguientes puntos de la misma manera, formando bucles uniformes enrollados en una aguja de punto de media, tal como se muestra arriba.

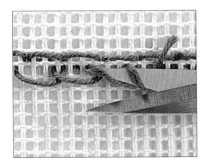

3 Borde las filas siguientes un hilo horizontal más arriba de la fila anterior. Corte todos los bucles al terminar la labor.

Efectúe el nudo turco sobre cañamazo simple, cubriéndolo totalmente

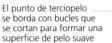

El punto de terciopelo se borda con bucles que se cortan para formar una superficie de pelo suave

Punto de terciopelo

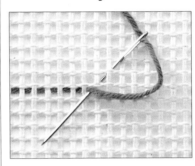

1 Elabore este punto de bucle sobre cañamazo simple o de alfombra, de izquierda a derecha. Saque la aguja y realice un punto atrás diagonal hacia arriba, a la derecha, por encima de 2 intersecciones del cañamazo.

2 Suba la aguja otra vez a la derecha y clávela por el mismo sitio, pero esta vez sujetando el hilo hacia abajo con el dedo hasta formar un bucle. (Si hace los bucles por encima de una aguja de punto de media gruesa conseguirá hacerlos del mismo tamaño.) Saque la aguja 2 hilos horizontales más abajo.

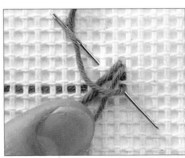

3 Sujete el bucle hacia abajo con el dedo y realice un punto atrás diagonal, hacia arriba y a la izquierda, por encima de 2 intersecciones del cañamazo. Repita la secuencia hasta terminar la fila. En cada hilera, sitúe los puntos nuevos más arriba de los que ha realizado antes.

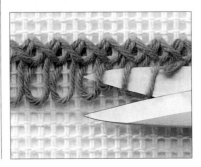

4 Cuando haya terminado la labor, corte los bucles para formar el pelo e iguálelos si es necesario.

LABORES PRÁCTICAS

LAS LABORES DE TAPICERÍA se pueden aplicar a muebles, accesorios y objetos grandes o pequeños. El único límite a su imaginación es la necesidad de tejer siempre sobre un cañamazo. Puede probar atrevidas muestras geométricas o decorativas flores al estilo de las clásicas cretonas del siglo XIX. Puede tejer estos topes para puertas, almohadones, joyeros y bolsos a su gusto.

(Ver páginas 242 a 244.)

CAJITAS DE REGALO

Los pequeños joyeros de diferentes formas pueden ser regalos exclusivos.

Caja en forma de corazón con fresas para guardar pequeños tesoros

Esta caja dorada que imita una colmena es un buen regalo

Preciosa cajita decorada con un pájaro

TOPE PARA PUERTAS

Exhiba su habilidad en la funda de este tope (dentro hay un ladrillo). Además de este atractivo lazo se pueden adaptar a este tamaño otras muestras sencillas.

Este paquete sorpresa es un tope para puertas, útil y decorativo a la vez

Almohadones que
llevan el sugerente
nombre de Santa
Fe y Albuquerque,
inspirados en el
Viejo Oeste

ALMOHADONES DEL VIEJO OESTE

Se pueden confeccionar almohadones de varias
formas y medidas. Están estampados con
grandes y atrevidos diseños de colores, inspirados en los kilims o las alfombras
de los indios navajos resultan
muy decorativos. Confeccione
unos cuantos en colores
complementarios.

BOLSO

Los motivos de pequeñas
flores son muy decorativos.
Una vez realizado el diseño
en el cañamazo, se debe
coser y forrar con tela.

Este
bonito bolso
es adecuado
para la noche

ARTE FLORAL

Los motivos del arte popular del norte
de Europa son una fuente de
inspiración ilimitada. Los marcados
perfiles de este tipo de diseños son muy
apropiados para los principiantes.

TAPICERÍA FLORENTINA

SE LA CONOCE también como tapicería de Bargello o punto de llama. La tapicería florentina está formada por filas en zigzag de puntos lineales verticales que se repiten. Los zigzags pueden transfor-marse en ondulantes olas o escarpados picos al variar el tamaño de los puntos y el espacio entre éstos. La tapicería florentina ha sido siempre muy popular, ya que las puntadas básicas cubren el cañamazo con rapidez y las muestras se pueden bordar en delicados tonos de colores.

Bolso confeccionado en tapicería florentina, con un sugestivo diseño en diagonal que lo enmarca

ZIGZAG BÁSICO

Para aprender a confeccionar la tapicería florentina más sencilla, empiece con una muestra en zigzag 4-2. Cada puntada se efectúa por encima de cuatro hilos horizontales y, a continuación, dos hilos horizontales más arriba o más abajo.

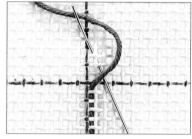

1 Saque la aguja por el centro del cañamazo. Clávela 4 hilos horizontales más arriba. Sáquela 2 hilos horizontales por debajo de la parte superior de la puntada y por un hilo vertical a la derecha.

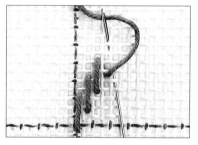

2 Realice 3 puntadas más, de la misma manera, hacia la parte superior del cañamazo. En la tercera puntada, saque la aguja 6 hilos horizontales por debajo de la parte superior de la última puntada efectuada.

3 Borde los 3 puntos siguientes hacia la parte inferior del cañamazo para formar la primera V invertida del zigzag. Siga bordando 3 puntadas hacia arriba y hacia abajo del cañamazo de esta manera, para formar una pauta de zigzags.

CAÑAMAZO E HILOS

La tapicería florentina no cubre totalmente el cañamazo doble. Para conseguir resultados óptimos se debe tejer siempre sobre un cañamazo sencillo y cerciorarse de que el hilo sea lo suficientemente grueso para cubrir la malla. La hebra puede medir aproximadamente 55 cm de largo, un poco más larga que la utilizada para otros tipos de labores de tapicería, ya que estos puntos apenas crean fricción cuando se tira del hilo a través del cañamazo. Al cambiar de color con frecuencia, ahorrará tiempo si prepara varias agujas con hilos de diferentes colores evitando de esta manera el tener que enhebrar constantemente la misma aguja.

DISEÑOS ALINEADOS

Las muestras se bordan horizontalmente a lo ancho del cañamazo. La primera línea de puntadas se realiza desde el centro del cañamazo hacia los bordes de la izquierda y derecha. Esta línea marca la pauta; el resto de hileras se bordan de derecha a izquierda o de izquierda a derecha, más hacia arriba o hacia abajo, para rellenar el cañamazo.

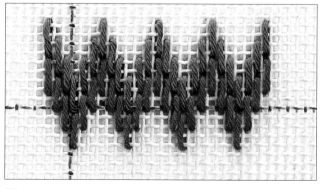

4 Borde una fila de diferente color en las bases de la primera fila.

EFECTOS DEL COLOR

*Todos los diseños de la tapicería florentina
se confeccionan en bandas de colores diferentes.
Al repetir tres colores se consigue un efecto
llamativo pero pueden utilizarse más colores.*

*Las combinaciones de colores pueden variar
completamente el aspecto del diseño; si utiliza
tres tonos del mismo color conseguirá un efecto
suave y armonioso; sin embargo, si selecciona
colores que contrasten, las bandas serán más
marcadas. Experimente con diferentes colores
para ver los efectos que se consiguen.*

Con tapicería florentina pueden
crearse gradaciones suaves
o bandas contrastadas

VARIACIONES EN LAS MUESTRAS DE FILAS

*Los zigzags de la tapicería florentina pueden transformarse
en curvas suaves o puntas afiladas variando el tamaño
de las puntadas y los escalones entre éstas.*

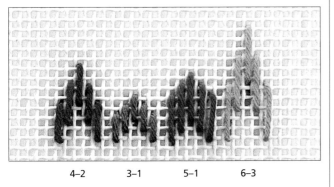

4–2   3–1   5–1   6–3

La ilustración de arriba nos muestra lo que ocurre cuando
se varía de 4 a 2 la longitud de las puntadas y los escalones.
El primer número nos indica la longitud de la puntada y
el segundo, la del escalón hacia arriba o hacia abajo, entre
las puntadas. No cambie el tamaño de las puntadas elegidas,
así cada fila consecutiva podrá encajar correctamente.

Zigzag escalonado

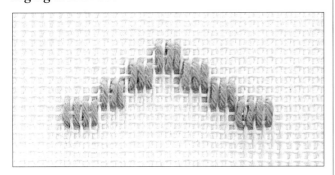

Para crear un efecto más suave teja 2 o más puntadas a
lo largo de la misma línea de hilos horizontales del cañamazo,
antes de efectuar un escalón hacia arriba o hacia abajo.

Zigzag irregular

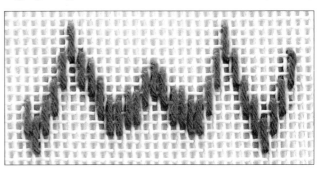

Los picos y valles de diferentes niveles se crean variando
el número de puntadas en cualquier línea horizontal y la altura
de los escalones entre éstos.

Curvas

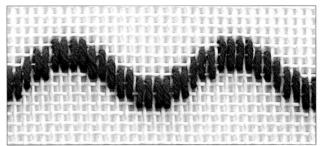

Las curvas se consiguen
efectuando 2 o más
puntadas a lo largo de
la misma línea de hilos
horizontales en la parte
superior e inferior de
cada onda.

Estas curvas contrastan
por los diferentes tonos
del mismo color

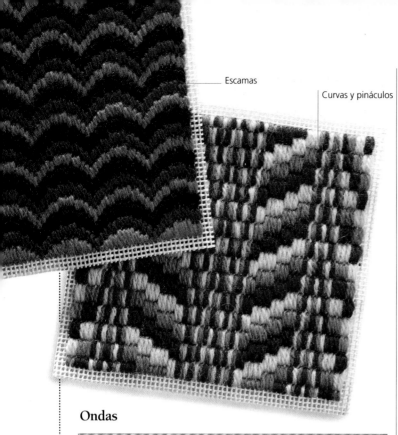

Escamas

Curvas y pináculos

Escamas

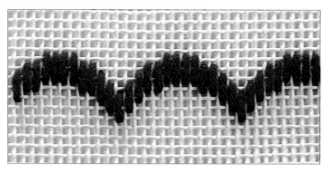

Curvando la parte superior de los pináculos y manteniendo las bases en punta crea una muestra de semicírculos, parecidos a las escamas de un pez.

Curvas y pináculos

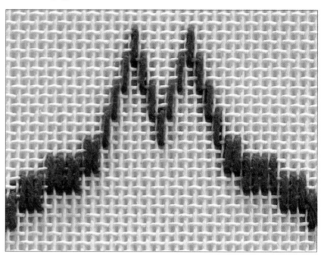

Para conseguir atractivas formas que contrasten, combine las curvas y los escarpados pináculos en la misma fila. Esta muestra resulta especialmente llamativa en colores degradados y causa el efecto de una fila que varía de grosor y de forma.

Ondas

Se tejen curvas menos bruscas variando la formación escalonada y añadiendo puntadas suplementarias en cada punta.

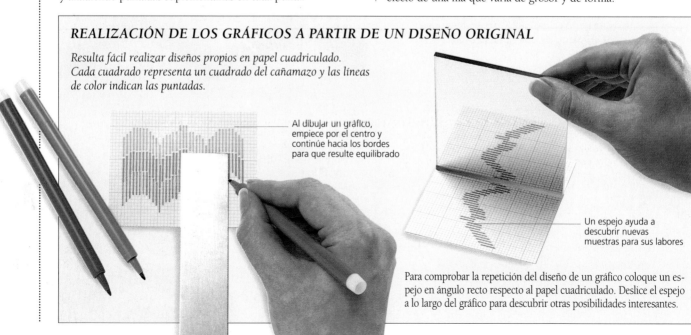

REALIZACIÓN DE LOS GRÁFICOS A PARTIR DE UN DISEÑO ORIGINAL

Resulta fácil realizar diseños propios en papel cuadriculado. Cada cuadrado representa un cuadrado del cañamazo y las líneas de color indican las puntadas.

Al dibujar un gráfico, empiece por el centro y continúe hacia los bordes para que resulte equilibrado

Un espejo ayuda a descubrir nuevas muestras para sus labores

Para comprobar la repetición del diseño de un gráfico coloque un espejo en ángulo recto respecto al papel cuadriculado. Deslice el espejo a lo largo del gráfico para descubrir otras posibilidades interesantes.

LABORES DE TAPICERÍA FLORENTINA EN DOS DIRECCIONES

La primera fila marca la pauta y se borda en la forma habitual. La muestra se repite invertida como si se tratase de la imagen reflejada en un espejo y los espacios entre las dos filas se rellenan con puntos verticales.

Zigzag 4-2 en dos sentidos

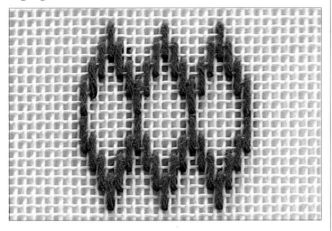

1 Borde la primera vuelta como en la página 172. Borde una segunda fila más abajo invirtiendo la dirección de los zigzags para formar rombos.

2 Rellene los rombos con puntadas y haga coincidir los dos rombos siguientes por arriba y por abajo de la fila de muestra.

Variaciones en dos sentidos

Cualquier fila puede transformarse en una muestra de dos direcciones invirtiendo la primera fila. En algunas muestras podría necesitar rellenar los motivos con puntadas de varios tamaños. Los espacios entre filas pueden convertirse en un elemento central del diseño.

TAPICERÍA FLORENTINA EN CUATRO SENTIDOS

Los diseños cuadrados de los almohadones o bolsos pueden tejerse en cuatro direcciones. Cada dirección va desde el centro hacia los bordes del cañamazo para formar un gran motivo.

Método básico

1 Corte el cañamazo cuadrado. Dibuje 2 líneas diagonales de esquina a esquina. Efectúe 4 puntadas por el agujero central del cañamazo, con los extremos interiores en ángulo recto para formar una cruz.

2 Despliegue la muestra hacia los bordes del cañamazo y rellene cada cuarto de sección del cañamazo de la misma manera.

Variaciones en cuatro sentidos

Como en cualquier tipo de labor florentina, las muestras en cuatro direcciones suelen ser bastante simples. Sin embargo, puede variar los tamaños de las puntadas y los escalones entre éstas para crear diseños más complicados.

TESOROS NAVIDEÑOS

LOS PEQUEÑOS DETALLES tienen un gran valor en Navidad; sorprenda a su familia y amigos con estos preciosos diseños de tapicería en miniatura aplicados a etiquetas para regalos, tarjetas y adornos para el calcetín de Navidad. Las instrucciones en la página 245.

Tarjeta con *pudding* de Navidad

Tarjeta con árbol de Navidad

ETIQUETAS PARA REGALOS

Para hacer un regalo muy especial, añada una pequeña tarjeta de petit point enmarcada en una cartulina de color. Será un recuerdo duradero de una Navidad muy feliz.

Etiqueta de regalo con piñata

Tarjeta de felicitación con árbol de Navidad

Tarjeta con regalo

TARJETAS DE FELICITACIÓN

Estas tarjetas de felicitación de petit point sólo miden 57 mm de ancho por 82 mm de largo, por lo que no le llevará mucho tiempo hacerlas. Realice sus propias felicitaciones o cómprelas en una tienda especializada en decoración.

Medallón
con copo
de nieve

Adorno
con piñata

Adorno con
campanas

ADORNOS NAVIDEÑOS

*Los adornos de labores de
tapicería no se rompen como
las bolas de Navidad ni se caen
como las guirnaldas de papel.
Enmarque sus labores con marcos
ligeros de plástico dorado y cuélguelos
en la pared o en el árbol.*

Un calcetín navideño se
teje con rapidez y podrá
utilizarse en muchas
celebraciones

A los niños les encantará
este calcetín repleto de
golosinas y caramelos
de brillantes colores

CALCETÍN DE NAVIDAD

*Un calcetín perfecto para el regalo más
adecuado, decorado con acebo, campanas,
y un alegre y descarado petirrojo.*

TENSADO Y MONTAJE

CUANDO TERMINE su labor de tapicería, examínela con cuidado para comprobar si hay algún punto por hacer. Si fuera así, puede rellenar los espacios vacíos con hilo del mismo tono. El siguiente paso consiste en tensar o devolver la labor a su forma original utilizando un patrón de papel como guía. No se preocupe si su labor se ha defor-

mado, es algo que ocurre a menudo, sobre todo si ha estado tejiendo con puntos diagonales o cruzados que deforman la malla del cañamazo. Si ha confeccionado un almohadón o bolso, el último paso consistirá en coser la labor de tapicería y el forro con una costura visible o invisible.

TENSADO

Si su labor no está muy deformada, planche el revés ligeramente con una plancha de vapor o normal y déjelo secar bien. Si está muy deformada, utilice el método siguiente.

Método de mojado y sujeción

1 Sujete el patrón de papel con alfileres a un tablero y cúbralo con un plástico pegado con cinta adhesiva. Coloque la labor del revés encima del patrón y pulverícelo con agua o humedézcalo con una esponja o un paño.

2 Empezando por el centro de la parte superior, clave una tachuela con un martillo en el margen de cañamazo. Tense la labor hasta su forma original, añadiendo agua si es necesario. Clave más tachuelas en el centro del margen inferior y de los lados.

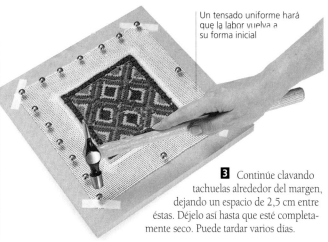

Un tensado uniforme hará que la labor vuelva a su forma inicial

3 Continúe clavando tachuelas alrededor del margen, dejando un espacio de 2,5 cm entre éstas. Déjelo así hasta que esté completamente seco. Puede tardar varios días.

MONTAJE

Las partes de una labor de tapicería deberán tensarse por separado antes de coserlas. Las costuras pueden ser decorativas o relativamente invisibles.

Costura de medio punto

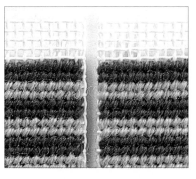

1 Recorte los bordes del cañamazo 15 mm aproximadamente. Vuelva los bordes hacia el revés, comprobando que los dobleces vayan a lo largo del mismo hilo del cañamazo. Coloque las piezas del derecho con los bordes juntos, haciendo coincidir las filas una por una.

2 Utilice un hilo que contraste o del mismo tono y saque la aguja por el primer agujero de la pieza de la izquierda. Métala por el segundo agujero de la pieza adyacente y sáquela por el segundo agujero de la pieza de la izquierda. Repita.

CÓMO COSER UN FORRO DE TELA A LA FUNDA DE UN ALMOHADÓN

Los cañamazos de calibres finos y medianos se pueden coser a un forro de tela con una máquina de coser. Compruebe la tensión de la puntada en un trozo de cañamazo y forro de tela antes de empezar. Si utiliza un calibre de cañamazo grueso, cosa las piezas con punto atrás (ver página 129).

Cosa el forro a la labor de tapicería con punto atrás uniforme

LIMPIEZA Y CUIDADO

LAS LABORES DE TAPICERÍA que se tejen con lana se conservan limpias sin problemas; sólo necesitan una ligera y rutinaria limpieza con un aspirador para eliminar el polvo, pero si utiliza hilos de seda, mande la labor a un especialista para limpiarla o repararla. Si los hilos no destiñen, podrá lavar la pieza en agua caliente con jabón. Si el cañamazo se rompe o los hilos se deshilachan, deberá repararlo rápidamente.

PEQUEÑAS REPARACIONES

Los hilos rotos pueden repararse con un trozo de cañamazo del mismo tipo y calibre, pero un desgarro mayor requiere la mano de un profesional para que el remiendo no se vea.

Puntas deshilachadas

Deshaga los puntos que se han deshilachado con cuidado y algunos puntos buenos por ambos lados, para que los extremos sueltos puedan sujetarse bajo los puntos nuevos. Teja los puntos nuevos con colores de igual tono.

Hilos del cañamazo rotos

1 Corte un trozo de cañamazo de manera que la malla sea algo más grande que la superficie dañada. Por el revés, utilice unas tijeras de bordar muy afiladas y una aguja de tapicería para deshacer las puntadas de la malla rota, dejando una superficie algo más grande que la del remiendo.

2 Coloque el trozo por detrás de la labor, alineando la malla del cañamazo correctamente e hilvane ambos cañamazos. Recorte los hilos rotos para que la pieza quede plana.

3 Vuelva a realizar las puntadas en la superficie a través de los dos cañamazos con hilo del mismo tono y deshaga los hilvanes a medida que vaya tejiendo.

CÓMO LAVAR A MANO

Compruebe que el hilo no destiñe apretando una bola de algodón húmedo sobre el revés. Realice un patrón de papel a la medida de la labor para tensar el cañamazo lavado.

1 Utilice un recipiente lo suficientemente grande para que quepa la pieza plana. Llénelo con agua caliente, añada jabón especial para fibra y remuévalo hasta conseguir espuma. Sumerja la labor.

2 Deje que la labor se empape y presione, con cuidado y con una esponja, el revés, hacia arriba y hacia abajo, sin frotarlo. Tire el agua y aclárelo de la misma forma hasta que el agua esté limpia.

3 Coloque la labor de tapicería sobre una superficie plana, con el lado derecho cara arriba y absorba el exceso de agua con una esponja limpia y seca. Tense la pieza siguiendo las instrucciones de esta misma página.

CÓMO GUARDAR SU LABOR DE TAPICERÍA

Las labores de tapicería deben guardarse planas, envueltas en papel de seda neutro, protegidas del polvo y de la luz solar. También puede cubrir un cilindro de cartón con papel y enrollar la labor con el lado derecho hacia fuera. Después, cúbralo todo con papel de seda neutro.

PATCHWORK Y ACOLCHADO

*E*l patchwork (o labor de retazos) y el acolchado son técnicas populares entre los aficionados a las labores. Se usan para reproducir valiosos diseños que serán los tesoros familiares del futuro. Estas técnicas se han utilizado durante generaciones para crear labores y eran el pretexto para celebrar reuniones sociales en las que cada uno contribuía con su talento a completar una única labor de acolchado. Cada una de estas técnicas puede utilizarse por separado, pero se combinan a menudo para realizar diseños más elaborados. Al emplear las técnicas de patchwork y de aplicaciones se consigue una amplia gama de diseños. Es por ello que, tanto si crea su propio modelo como si desea utilizar alguno de los patrones tradicionales, su proyecto será único y personal según la elección de las telas y su posición en el proyecto. La sutileza de los matices es lo que da encanto a un acolchado.
El origen de los motivos que se utilizan en las técnicas de patchwork y aplicaciones es diverso; provienen de culturas diferentes y, generalmente, se inspiran en objetos de uso cotidiano. El único límite es la propia imaginación. Como podrá comprobar, es una técnica fácil de dominar, además las nuevas máquinas de coser, los utensilios y las técnicas de corte actuales facilitan enormemente el proceso.

ÚTILES

LAS LABORES DE PATCHWORK Y ACOLCHADO no requieren prácticamente ningún útil especial. Hay que utilizar el hilo y aguja adecuados. Dependiendo de la complejidad de la muestra, puede necesitar plantillas, un *cutter* rotatorio (o cuchilla giratoria), cartón duro (ver página 186) y un bastidor de acolchado. Otro de los elementos importantes es una plancha de vapor, ya que se utiliza en cada paso del proceso. El vapor ayuda a asentar las costuras y elimina las arrugas del tejido.

ÚTILES PARA PATCHWORK Y ACOLCHADOS

Utilizar la aguja y el hilo adecuados facilitará su labor de patchwork o acolchado. La mayoría de las mercerías vende paquetes de agujas especiales para acolchar. Además de los accesorios descritos a continuación, el resto de los elementos lo encontrará en su costurero.

El dedal
Es absolutamente necesario para acolchar. Si no lo ha usado nunca, deberá aprender a utilizarlo.

El hilo
Use hilo de algodón del número 50 para coser a mano. Para coser a máquina, emplee hilo de algodón o bien de polyester/algodón del número 40. Utilice hilo 100% algodón cuando deba acolchar.

Agujas
Las de punta fina se utilizan para coser a mano y las medianas, para acolchar. A los principiantes les recomendamos emplear una aguja mediana del número 8.

Los alfileres
Es preferible utilizar siempre agujas finas de sastre con la cabeza de plástico o cristal.

Cera de abeja
Deslice el hilo sobre un rodete de cera de abeja para fortalecer el hilo e impedir que se enrede cuando cosa a mano o teja el acolchado.

Tijeras de bordar
Se utilizan para cortar entre costuras o para cortar hilo.

Descosedor de costuras
Descose puntos cosidos a máquina.

Tijeras de sastre
Utilícelas sólo para cortar tejido. Deben estar muy afiladas.

Plantillas
Se utilizan para cortar piezas de patrones; pueden ser de plástico o metal, aunque también se hacen de cartón duro o acetato transparente (*ver página 184*).

Bastidor para acolchar
Para conseguir una tensión uniforme mientras teje, se recomienda utilizar un tambor de madera de unos 35 cm de diámetro.

TEJIDOS Y MUESTRAS

LAS LABORES DE PATCHWORK MÁS TRADICIONALES están realizadas con tejidos estampados. De todas formas, es interesante experimentar con una gran variedad de texturas, colores y dibujos para probar los distintos efectos que se pueden crear. Déjese llevar por la imaginación y el buen gusto. Los principiantes deberían usar sólo tejidos de algodón 100%, porque son más fáciles de tejer, mantienen el pliegue y se adaptan bien. Escoja telas de trama media, porque los tejidos de trama demasiado suelta tienen poca resistencia y los tejidos fuertes son difíciles de acolchar. Lave los tejidos en agua caliente, para comprobar si encogen y el grado de solidez de color. Plánchelos cuidadosamente antes de empezar.

EL VALOR DEL COLOR

En arte, el tono es la claridad o oscuridad de un color. En la técnica de patchwork, esta cualidad es aun más importante que el color en sí. Un dibujo puede cambiar sustancialmente según la colocación de tejidos de diferentes tonos. Para conseguir los mejores resultados, es aconsejable combinar los tonos claros, medios y oscuros.

También hemos de tener en cuenta que un color queda afectado por el tejido que le rodea. Esta es una posibilidad interesante de combinación si teje con un número limitado de colores y quiere hacer el mejor uso posible de la diferencia de tonos entre las telas.

ESCALA DE ESTAMPADOS

Las telas estampadas de tipo medio, ya sean con dibujos compactos o separados, suelen ser las mejores para patchwork. Los estampados pequeños añaden sutileza a un dibujo, mientras que los grandes dan la impresión de ser más de un tejido. También podemos usar estampados de rayas o de cuadros.

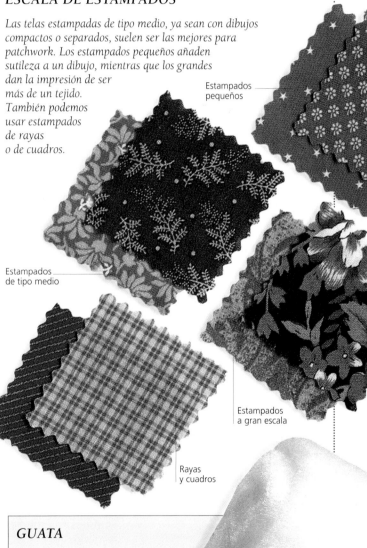

Estampados pequeños

Estampados de tipo medio

Estampados a gran escala

Rayas y cuadros

GUATA

Es un material suave y fibroso que se usa como relleno entre la parte superior y la inferior de una labor acolchada. La guata se encuentra en forma de rollo de diferentes anchuras, fibras y pesos. Los distintos pesos se adecúan a distintas labores de acolchado.

183

PLANTILLAS

LAS PLANTILLAS SON PATRONES resistentes y duraderos, que sirven para cortar las piezas de un dibujo de patchwork. Se pueden comprar en tiendas especializadas; las encontrará en metal o en plástico y en una gran variedad de formas. Las plantillas de plástico y huecas, en forma de ventana, se colocan sobre el tejido para formar efectos especiales. Las plantillas huecas marcan el margen para costura.

Hacer plantillas es fácil, tan sólo se debe trabajar con atención, tomando medidas cuidadosamente. Deberá usar un lápiz de sastre, con la punta muy afilada, para hacer las plantillas y pasarlas después a la tela. Dibuje siempre las piezas de patchwork en el revés del tejido. También necesitará herramientas muy afiladas para hacer las plantillas en plástico o cartón.

ÚTILES NECESARIOS PARA HACER PLANTILLAS

Si desea hacer una colcha con muchas piezas, deberá hacer varias plantillas para cada pieza y desecharlas cuando se desgasten.

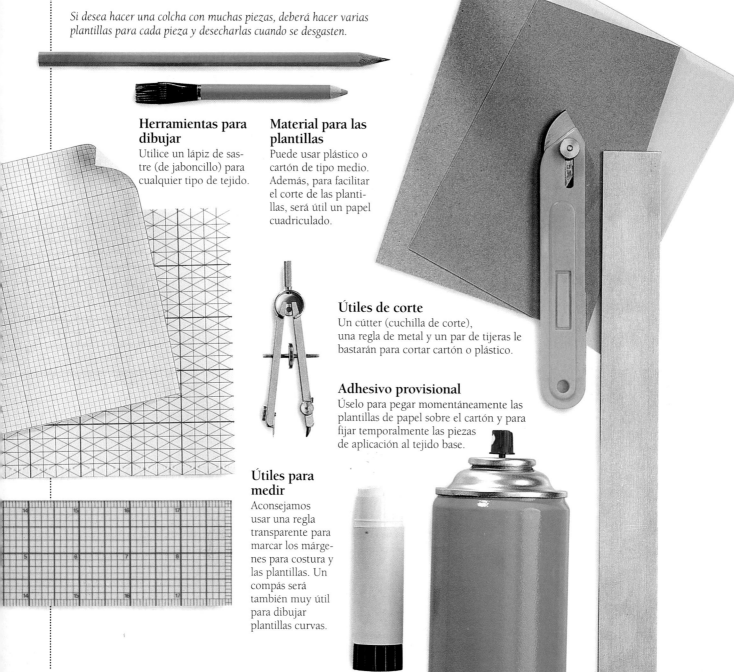

Herramientas para dibujar
Utilice un lápiz de sastre (de jaboncillo) para cualquier tipo de tejido.

Material para las plantillas
Puede usar plástico o cartón de tipo medio. Además, para facilitar el corte de las plantillas, será útil un papel cuadriculado.

Útiles de corte
Un cútter (cuchilla de corte), una regla de metal y un par de tijeras le bastarán para cortar cartón o plástico.

Adhesivo provisional
Úselo para pegar momentáneamente las plantillas de papel sobre el cartón y para fijar temporalmente las piezas de aplicación al tejido base.

Útiles para medir
Aconsejamos usar una regla transparente para marcar los márgenes para costura y las plantillas. Un compás será también muy útil para dibujar plantillas curvas.

CÓMO HACER PLANTILLAS

Copie las piezas de la plantilla de un libro, revista o cualquier otra fuente. También puede dibujar su propio diseño sobre el papel de dibujo. En las plantillas de los dibujos que serán cosidos a máquina y en las de tipo ventana, deberá añadir 6 mm de margen para costura alrededor de cada pieza de la plantilla. Marque las piezas con letras y el nombre del patrón y dibuje después el sentido del hilo (ver más abajo).

1 Corte sus patrones de papel y después de utilizar el adhesivo en el lado del revés, péguelos en una hoja de cartón de grosor medio o de acetato. Deje 12 mm entre las piezas.

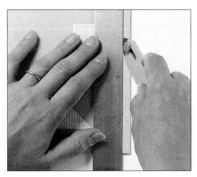

2 Coloque el cartón o acetato sobre una esterilla de corte o un montón de papeles y utilice la cuchilla y la regla metálica para cortar las plantillas (ya sea siguiendo el borde del papel o dejando un margen para costura).

3 Si se trata de dibujos curvos o complicados, haga muescas en los bordes de la plantilla; ello le ayudará cuando las una. Corte las muescas con la cuchilla de corte.

CÓMO CORTAR LAS PIEZAS DE TEJIDO

Si quiere coser a mano, deberá marcar la línea de costura y de corte en el lado revés del tejido. Si cose a máquina será suficiente marcar la línea exterior de corte. Como norma general, le recomendamos que el lado más largo de la pieza de patchwork siga el sentido del hilo.

Para coser a mano

1 Deje una separación de 12 mm cuando marque las piezas sobre el tejido.

2 Puede cortar las piezas a ojo, o bien marcar las líneas antes de cortar el tejido.

Para coser a máquina

Cuando marque las piezas sobre el tejido, colóquelas con los bordes juntos.

EL SENTIDO DEL HILO

Los orillos son los bordes acabados del tejido. El hilo a lo largo o urdimbre es paralelo a los orillos y cede poco. En cambio, el hilo a lo ancho o trama es perpendicular a los orillos y se da un poco. Un tejido tiene su máxima elasticidad cuando se corta al bies, que es en un ángulo de 45° a los orillos. Esta información es esencial para colocar y cortar las piezas de patchwork. Por ejemplo, los bordes de una colcha deben ser fuertes, por ello los cortamos con los lados más largos siguiendo el sentido del hilo. Las piezas curvadas de patchwork deberán cortarse con las curvas al bies del tejido, así serán más fáciles de tejer.

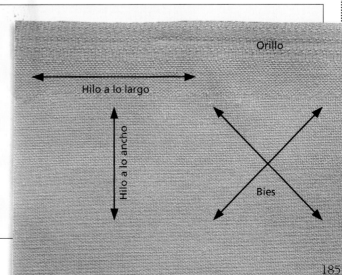

UTILIZAR LA CUCHILLA CIRCULAR es una forma rápida y precisa de cortar piezas de patchwork sin usar plantillas. Es particularmente útil para cortar tiras largas que después se utilizarán para bandas, cenefas, ribetes y para patchwork tipo Seminole (ver página 194).

UTENSILIOS PARA CORTAR CON CUCHILLA CIRCULAR

Necesita pocas herramientas para cortar sus piezas sin plantillas.

Haga girar la hoja de la cuchilla siguiendo la hoja de la regla. Las líneas le ayudarán a medir el tejido

Esterilla de corte
Su superficie especial sujeta el tejido para impedir que resbale y mantiene afilada la hoja de la cuchilla.

Regla graduada
Es de plástico transparente con líneas rectas y ángulos. Haga girar la cuchilla siguiendo el borde de la regla.

Cuchilla circular
Puede cortar con precisión varias capas de tela a la vez. Elija una de cuchilla grande y cambie a menudo la cuchilla.

Cómo cortar

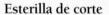

1 Alinee los orillos de la tela y planche el tejido. Si la dirección del hilo no es recta, alinéela antes de cortar las piezas.

2 Coloque el tejido doblado sobre la esterilla de corte, con los bordes sin desbastar a la derecha y los orillos arriba. Coloque una escuadra siguiendo el pliegue recto del tejido. Sitúe la regla graduada en el borde izquierdo de la escuadra y retírela.

3 Mantenga la regla fuertemente presionada para impedir que el tejido se deslice y la cuchilla recta. Corte haciendo girar su hoja a lo largo de la regla. Con la mano apoyada en la regla, siga el movimiento de la cuchilla, pero manténgala siempre lejos de usted.

4 Doble de nuevo el tejido por la mitad, alineando el pliegue con los orillos y casando los bordes que acaba de cortar. Use la regla graduada para medir la anchura de la tira de la tela. Ponga el borde de la regla sobre el borde de la tela y corte una tira, como en el paso 3.

5 Para hacer cuadrados, corte una tira que sea 12 mm más ancha que la medida del cuadrado una vez acabado. Corte los orillos y coloque la regla sobre la tira, cortando una pieza de la misma anchura que la tira. Obtendrá así 4 cuadros.

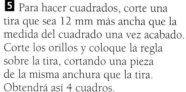

6 Para dos triángulos rectángulos, corte la tira 22 mm más ancha que el cuadrado final. Siga los pasos 1-5 y corte los cuadrados por la mitad.

7 Para hacer cuatro triángulos rectángulos, corte una tira 32 mm más grande que el lado más largo. Repita los pasos hasta el 6 y corte los triángulos por la mitad.

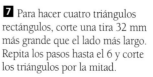

LAS COMPOSICIONES

UNA FORMA RÁPIDA de determinar la dificultad de un dibujo de patchwork es contar la cantidad de piezas que contiene la composición (cuantas más piezas, más difícil será el trabajo y más tiempo). También hay que tener en cuenta cuántas costuras han de casar, si varias han de coincidir en un punto y si hay retazos encajados o costuras redondas.

Los principiantes deberán escojer composiciones con pocas piezas y costuras fáciles de unir, como las de la composición *Shoo Fly*. Los dibujos que mostramos a continuación están colocados por orden de dificultad. Aumente el grado de dificultad y tendrá la satisfacción de mejorar su técnica, así llegará a realizar las composiciones más complicadas.

FÁCIL

Shoo Fly es una de las composiciones más fáciles que existen y está compuesta por nueve cuadrados. Cuatro de ellos se dividen en triángulos rectángulos. En las dos muestras se han utilizado tejidos de la misma gama de colores. El mismo dibujo tendrá un efecto diferente según la escala de la composición y la muestra de tejido. Experimente para descubrir estos efectos.

DIFICULTAD MEDIA

La cesta de frutas es una composición de dificultad media. Hay muchas más costuras que en la anterior. En la ilustración se ve el efecto clásico que se consigue combinando diferentes estampados y el efecto impactante logrado al utilizar colores fuertes.

DIFÍCIL

La Estrella de diamante es una composición compleja, ya que en el centro se unen ocho costuras y las piezas de los extremos deben estar encajadas (ver página 193). Si observa la ilustración verá que los cuadros y rayas deben casar. Observe también el efecto de profundidad conseguido al utilizar telas contrastadas.

Shoo Fly

Estrella de diamante

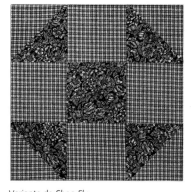

Variante de *Shoo Fly*

Cesta de frutas

Variante de la Cesta de frutas

Variante de la Estrella de diamante

UNIÓN DE LAS PIEZAS

LA PRECISIÓN es algo imprescindible a la hora de unir las pequeñas costuras de patchwork. Cosa siempre las piezas con los lados derechos pegados y los bordes sin desbastar juntos.

En patchwork, los márgenes para costura son de 6 mm, tanto para coser a mano como a máquina, y deben marcarse sobre los trozos de tela cuando se cose a mano. Se necesita mucho tiempo para coser a mano una labor de patch-work, pero el efecto que se consigue es exclusivo. Los puntos hechos a mano deben ser regulares y no estar demasiado juntos. Hoy en día, se unen las piezas a máquina para ahorrar tiempo y se hace después el acolchado a mano.

Para coser a máquina, deberá emplear un pespunte de 10 a 12 puntadas cada 2,5 cm. Use como guía para coser el borde del pie prensatelas de la máquina o una de las líneas de la lengüeta.

JUNTAR LAS PIEZAS A MANO

Teja con hebras de hilo de unos 45 cm. El hilo debe ser de un color similar al del tejido y estar anudado en un extremo. Si antes de empezar pasa el hilo sobre un rodete de cera de abeja facilitará el trabajo y evitará que el hilo se enrede. Las líneas de costura están marcadas en el revés del tejido y se coserán de esquina a esquina siguiendo las líneas.

Para coser bien es indispensable coger la aguja correctamente

1 Coloque el dedal en el dedo corazón de la mano que utilice para coser. Sostenga la aguja entre los dedos índice y pulgar, con el ojo de la aguja apoyado en el dedal.

2 Sostenga el tejido de forma que vea las líneas de costura de los dos lados. Haga dos puntos atrás al principio de la costura y teja bastillas regulares a lo largo de la línea de costura.

3 Compruebe las puntadas para asegurarse de que cose exactamente sobre las líneas marcadas delante y detrás. Haga dos puntos atrás al terminar.

Cómo hilvanar

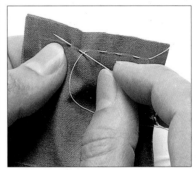

Asegure las piezas antes de coserlas y haga bastillas de unos 6 mm de largo; utilice una hebra de color vivo que contraste con el tejido, así le será fácil sacarlas al terminar.

Cómo unir las piezas

1 Mantenga las piezas cosidas juntas y encaradas, haciendo corresponder cuidadosamente las costuras. Fije las piezas con alfileres donde sea necesario.

2 En cada costura, deberá anudar el hilo o hacer unos puntos atrás para asegurar. Inserte después la aguja atravesando al otro lado y dejando el margen para costura suelto. Anude o haga de nuevo un punto atrás antes de coser el resto de la costura.

Cómo coser a mano sobre papel

1 Corte las piezas de tejido siguiendo el borde exterior de una plantilla hueca. Use el borde interior para cortar la figura en papel. Centre el papel sobre el revés de la pieza de tejido y coloque un alfiler. Doble uno de los márgenes de costura (borde) sobre el papel, pero sin arrugarlo. Pase un hilván por el borde dejando el cabo del hilo suelto y sin anudar.

2 Doble el borde siguiente sobre el papel formando una esquina. Hilvane sobre esta esquina para fijarla y saque la aguja por el centro del borde siguiente. Repita este proceso en el resto de los bordes. Corte el hilo y deje el cabo libre. Saque el alfiler. Planche ligeramente y repita en el resto de los retazos de tela.

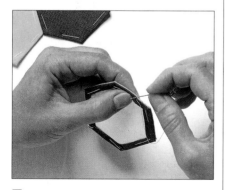

3 Cuando quiera unir las piezas, colóquelas con los lados derechos encarados y casando las esquinas. Una los dos bordes con puntadas de esquina a esquina rematando cada vez con un punto atrás al terminar. Saque los hilvanes y el papel; planche después suavemente la labor.

CÓMO UNIR LAS PIEZAS A MÁQUINA

Antes de empezar a unir las piezas de patchwork, deberá comprobar la tensión de la máquina de coser con un retal de tela.

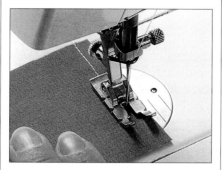

1 Mantenga juntos los retazos sujetándolos con alfileres, si es necesario. Coloque los bordes de los retazos debajo del pie prensatelas. Bájelo y cosa el borde del tejido lentamente, guiándolo con la mano. Cuando llegue al final de la costura, tire del hilo y córtelo pero dejándolo un poco largo.

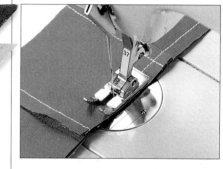

2 Haga un punto atrás para asegurar los puntos; use para ello la palanca de pespunte hacia atrás de la máquina o haga unos puntos más pequeños. No es necesario asegurar los bordes de todas las piezas, tan sólo cuando sepa que una determinada costura o borde puede forzarse o cuando utilice la técnica de inserción de retazos (*ver página 193*).

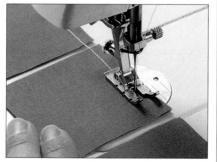

3 Puede coser los retazos en cadena, así ahorrará tiempo e hilo. Coloque cada nuevo par de retazos bajo el pie prensatelas y el dentado de transporte de la máquina lo guiará hasta la aguja. Después de coser, separe la cadena de retazos y planche los márgenes de costura.

CÓMO CORREGIR ERRORES

Si los puntos arrugan el tejido, deberá deshacerlos cuidadosamente.

Utilice un descosedor de costuras para quitar los puntos. En una de las caras del tejido, corte el hilo cada tres o cuatro puntos. Tire del hilo por el lado contrario. Los puntos se desharán fácilmente.

Cómo unir tiras

Asegúrese de que los márgenes para costura están planchados en direcciones opuestas para reducir el grosor y facilitar el encarado de las costuras. Sujete las piezas con alfileres sobre las líneas y a derecha e izquierda de las costuras para impedir que las piezas se muevan mientras esté cosiendo.

Para ahorrar tiempo puede coser de una vez varias tiras de patchwork y separarlas después

PATCHWORK BÁSICO

SU PRIMERA LABOR DE PATCHWORK deberá ser una muestra fácil. A continuación le mostramos varios proyectos, dispuestos según el grado de dificultad. Los diagramas de montaje le ayudarán a construir los bloques de patchwork. Copie estos diseños a la medida deseada (en papel cuadriculado) y haga después las plantillas (*ver página 184*) para marcar y cortar los retazos que precise. Si las piezas son asimétricas, como las del bloque de Caja, deberá volver algunas de las plantillas al revés para cortar; gire la plantilla y marque las líneas sobre el tejido como siempre. Los bloques se montan en secciones, empezando siempre por las piezas más pequeñas.

Molino
Este dibujo en cuatro partes es relativamente sencillo y muy apropiado para empezar. Está hecho por cuatro cuartos iguales que parecen girar formando un círculo. También se llama Oh Susana. Corte cuatro piezas oscuras y cuatro de colores vivos de A, y cuatro de tonos medios de B. (Un total de 12 piezas.)

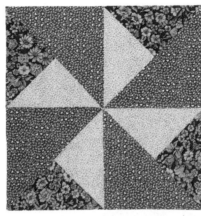

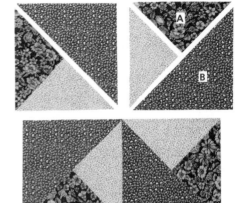

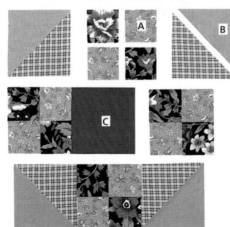

Reina de la pradera
Es un bloque de nueve partes donde todos los retazos, a excepción del central, se han cortado. Los trozos de las esquinas son triangulos rectángulos y el resto, sencillos cuadrados cortados en cuatro. Corte 8 piezas de tonos medios y 8 oscuras de la forma A, 4 claras y 4 de colores vivos de B, y una brillante de C. En total serán 25 piezas.

Vieja canoa
Está compuesto por retazos de tamaño irregular. Si la forma A es el cuadrado básico, la forma B es el triángulo rectángulo formado al cortar las dos diagonales y la figura C, el triángulo rectángulo formado por una diagonal. Necesitará una pieza de tono oscuro de A; 8 claras, 4 medias y 8 de colores vivos de B, y 4 oscuras de la figura C. Serán 25 piezas en total.

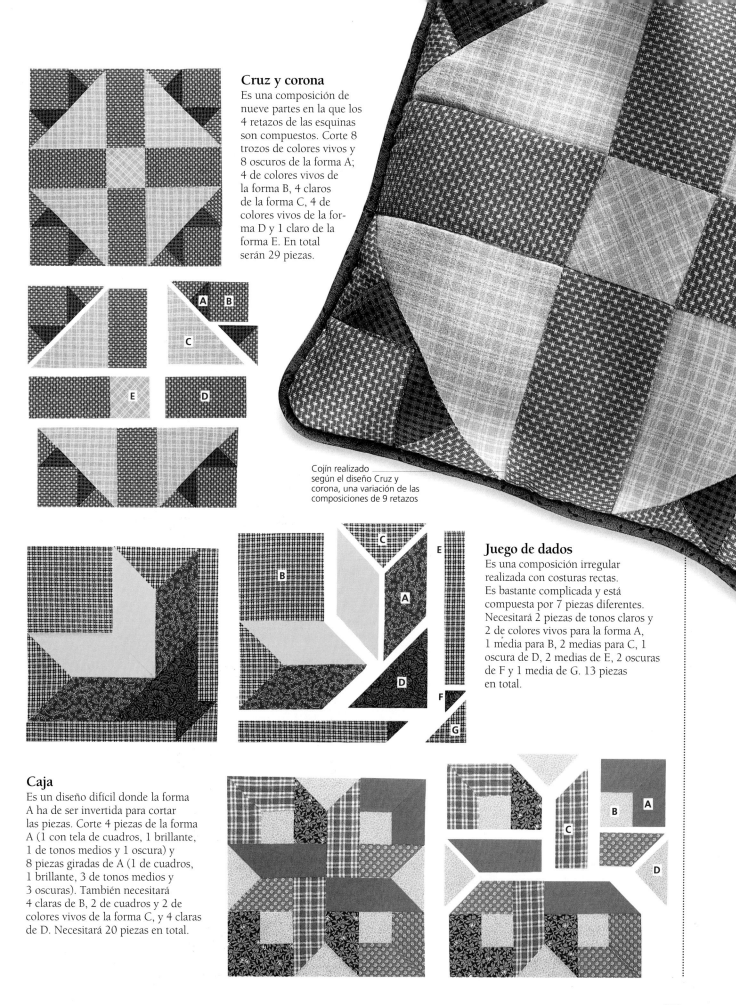

Cruz y corona

Es una composición de nueve partes en la que los 4 retazos de las esquinas son compuestos. Corte 8 trozos de colores vivos y 8 oscuros de la forma A; 4 de colores vivos de la forma B, 4 claros de la forma C, 4 de colores vivos de la forma D y 1 claro de la forma E. En total serán 29 piezas.

Cojín realizado según el diseño Cruz y corona, una variación de las composiciones de 9 retazos

Juego de dados

Es una composición irregular realizada con costuras rectas. Es bastante complicada y está compuesta por 7 piezas diferentes. Necesitará 2 piezas de tonos claros y 2 de colores vivos para la forma A, 1 media para B, 2 medias para C, 1 oscura de D, 2 medias de E, 2 oscuras de F y 1 media de G. 13 piezas en total.

Caja

Es un diseño difícil donde la forma A ha de ser invertida para cortar las piezas. Corte 4 piezas de la forma A (1 con tela de cuadros, 1 brillante, 1 de tonos medios y 1 oscura) y 8 piezas giradas de A (1 de cuadros, 1 brillante, 3 de tonos medios y 3 oscuras). También necesitará 4 claras de B, 2 de cuadros y 2 de colores vivos de la forma C, y 4 claras de D. Necesitará 20 piezas en total.

TÉCNICAS ESPECIALES

LAS LABORES DE PATCHWORK pueden parecer un reto a los aficionados a la costura y a quienes se inician en esta técnica pero, si bien es cierto que a veces se deben hacer maniobras complicadas para que casen las costuras y unio-nes de algunas composiciones, en realidad es una técnica fácil de dominar. Necesitará tan sólo un poco de experien-cia y seguridad, que conseguirá si practica sobre retales de tejido antes de empezar a confeccionar en su labor.

COSTURAS CURVAS

Adaptándolas con los dedos podemos hacer que las costuras curvas coincidan y puedan unirse sin que la costura quede tensa o arrugada.

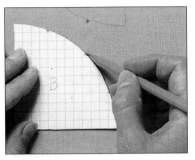

1 Corte las piezas situando las curvas al bies sobre el tejido. Cuando se unen bordes curvados, las curvas se abren en direcciones opuestas. Sobre la línea de costura deberá seña-lar puntos regularmente espaciados.

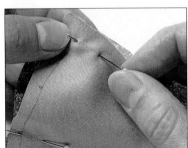

2 Haga casar la señal realizada en el centro de las dos piezas y júntelas con alfileres. Alinee los bordes y sujete con alfileres. Haga coincidir y fije el resto de las señales. Siga elaborando el tejido y fijándolo con alfileres.

3 Una las piezas a ma-no o a máquina, asegu-rando el principio y final de la costura con puntos atrás. Planche cuidado-samente los márgenes para costura, cuidando que queden bajo el teji-do más oscuro cortando donde sea necesario para que los márgenes de costura queden pla-nos y la cara derecha de la labor, lisa.

CÓMO UNIR OCHO COSTURAS

Cosa los retazos en forma de diamante juntos, empezando y termi-nando las costuras con punto atrás a 6 mm del borde. Cosa juntos dos pares de diamantes para formar cada mitad del dibujo.

1 Para coser las dos mitades juntas a mano, inserte un alfiler en la punta de los diamantes por el lado del revés de una pieza, y a 6 mm de los bordes que se deben unir. Clave el mismo alfiler por el lado derecho de la otra mitad y a la misma altura del punto anterior.

2 Sujete el resto de la costura y cosa cuidadosamente. Planche después por el revés de la labor abriendo la costura alrededor del centro para reducir el grosor del tejido.

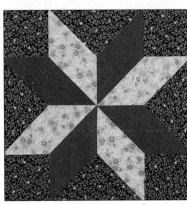

Todas las puntas de las piezas deben coincidir exactamente en el centro de la figura.

La unión de ocho costuras realizada con la máquina de coser deberá tener este aspecto por el lado del revés.

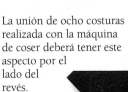

El pespunte pasa exactamente sobre la punta del diamante superior

CÓMO INSERTAR PIEZAS

A veces debemos coser piezas dentro de un ángulo formado por piezas ya unidas. Cuando cosa las primeras piezas, termine de coser a 6 mm del borde. Haga un nudo o remate con un punto atrás. Marque con un punto la esquina de la pieza que debe ser insertada.

Coser a mano

1 Si cose a mano, sujete con alfileres y con los lados derechos juntos el retazo que debe ser insertado. Los bordes y el punto deben coincidir exactamente. Cosa la costura desde fuera hacia dentro y haga un punto atrás en el punto central.

2 Gire el retazo hasta alinear el lado contiguo con el otro lado de la pieza en ángulo. Continúe cosiendo hasta el final. Remate con un punto atrás.

Coser a máquina

1 Para coser piezas a máquina debe sujetar el retazo a la pieza en ángulo utilizando alfileres y, en los lados derechos juntos, los puntos deben coincidir exactamente. Empiece a coser la costura desde el centro y hacia el borde exterior. Corte el hilo.

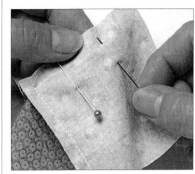

2 Gire la pieza en ángulo hasta que el siguiente borde coincida con el borde del retazo. Cosa desde el centro hasta el borde exterior. No deben aparecer arrugas por el lado derecho de la labor. Corte los hilos y planche cuidadosamente.

Las costuras coinciden exactamente en las esquinas

CÓMO PLANCHAR

Cuando planche los márgenes de costura deberá hacerlo siempre hacia un solo lado, no abiertos como en confección. Si es posible, planche el margen para costuras hacia el tejido más oscuro. Si no desbaste el margen de forma que el tejido oscuro no se transparente por el lado derecho. Si quiere planchar pequeñas piezas de patchwork le será más fácil empezar por la derecha: coloque la pieza más clara con el revés sobre la tabla de planchar y con la punta de la plancha tire del tejido más oscuro y abra la costura.

Planchar con los dedos

Utilice este método cuando quiera ganar tiempo o cosa sobre guata. Podrá plegar los tejidos en la posición deseada sin tener que usar una plancha. Para ello, haga correr su dedo índice o la uña del pulgar varias veces sobre la costura hasta que el pliegue se mantenga.

Costuras hechas a mano

Hemos dejado los márgenes para costura libres, así podrá abrirlos antes de planchar y reducirá el grosor de la unión.

Costuras hechas a máquina

Planche cada pieza antes de que se cruce con otra. Planche siempre las intersecciones de las costuras en direcciones opuestas y, después de unir las piezas, planche el nuevo margen de costura manteniéndolo hacia el tejido más oscuro.

PATCHWORK SEMINOLE

FUE CREADO POR los indios seminoles de Florida hacia finales de siglo y es una variación de la unión por tiras. Se ha convertido en una técnica popular y se usa a menudo para bordes e inserciones. Necesitará una cuchi-

lla circular y es esencial maniobrar con precisión cuando una y cosa las costuras. No es una técnica difícil aunque a primera vista sí lo parezca.

Cómo cortar y coser las tiras

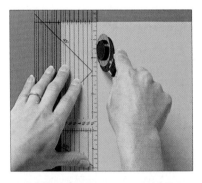

1 Escoja una de las muestras que encontrará más adelante y corte el número requerido de tiras: use la cuchilla circular para ello. Almidone un poco las tiras (hay sprays) para que sean más fáciles de tejer y planche después. Cosa las tiras juntas siguiendo las combinaciones indicadas en los esquemas y planche luego los márgenes de costura hacia el tejido más oscuro.

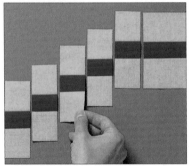

2 Corte las tiras en piezas de la anchura necesaria y colóquelas sobre la esterilla siguiendo el esquema escogido.

3 Cosa las piezas juntas en cadena (*ver página 189*), ya sea oponiéndolas o alternándolas, según se indique. Planche la tira cuidadosamente.

4 Utilice la cuchilla circular para igualar los bordes inferior y superior, si es necesario. Recuerde que debe dejar un espacio de 6 mm como margen de costura en todos los bordes.

5 Puede enderezar los bordes inclinados del patchwork seminole haciendo un corte recto en el patchwork. Si tiene costuras que no coinciden adecuadamente, corte por esa parte.

6 Coloque de nuevo las piezas alineando los bordes en diagonal. Cosa estos bordes cuidando que las costuras coincidan exactamente.

Las tiras de vivos colores características del patchwork seminole son fáciles de hacer

NOTA:
Las instrucciones de esta sección presuponen que se está cosiendo con tejidos de 112 cm de ancho. Corte todas las tiras siguiendo el ancho del tejido y después corte 1 cm desde el borde. Obtendrá una tira larga de 110 cm de ancho.

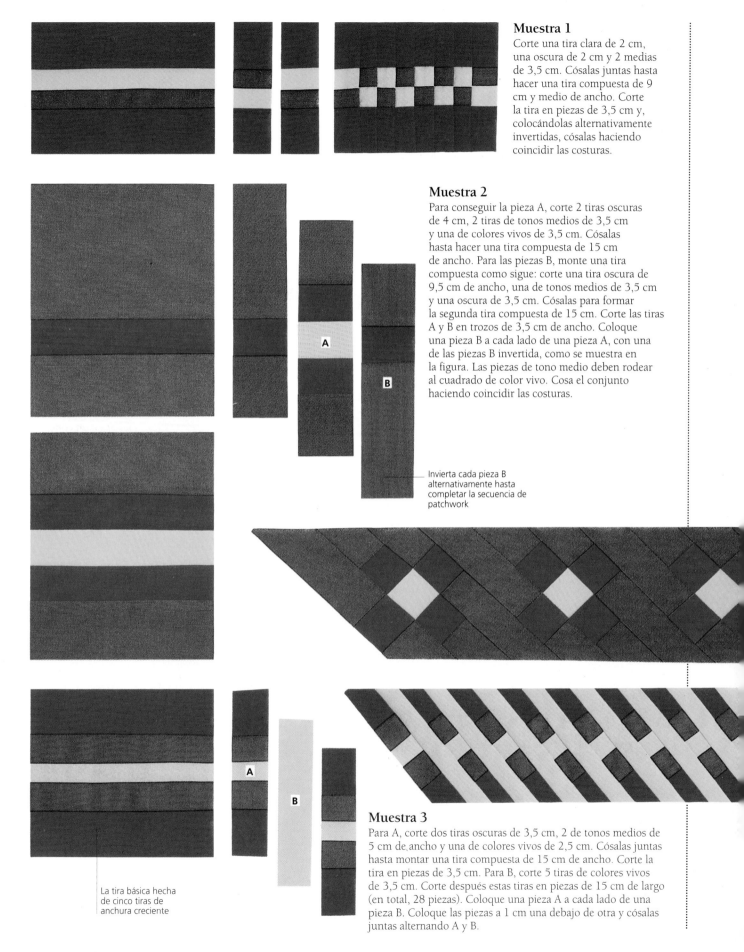

Muestra 1

Corte una tira clara de 2 cm, una oscura de 2 cm y 2 medias de 3,5 cm. Cósalas juntas hasta hacer una tira compuesta de 9 cm y medio de ancho. Corte la tira en piezas de 3,5 cm y, colocándolas alternativamente invertidas, cósalas haciendo coincidir las costuras.

Muestra 2

Para conseguir la pieza A, corte 2 tiras oscuras de 4 cm, 2 tiras de tonos medios de 3,5 cm y una de colores vivos de 3,5 cm. Cósalas hasta hacer una tira compuesta de 15 cm de ancho. Para las piezas B, monte una tira compuesta como sigue: corte una tira oscura de 9,5 cm de ancho, una de tonos medios de 3,5 cm y una oscura de 3,5 cm. Cósalas para formar la segunda tira compuesta de 15 cm. Corte las tiras A y B en trozos de 3,5 cm de ancho. Coloque una pieza B a cada lado de una pieza A, con una de las piezas B invertida, como se muestra en la figura. Las piezas de tono medio deben rodear al cuadrado de color vivo. Cosa el conjunto haciendo coincidir las costuras.

A

B

Invierta cada pieza B alternativamente hasta completar la secuencia de patchwork

La tira básica hecha de cinco tiras de anchura creciente

A

B

Muestra 3

Para A, corte dos tiras oscuras de 3,5 cm, 2 de tonos medios de 5 cm de ancho y una de colores vivos de 2,5 cm. Cósalas juntas hasta montar una tira compuesta de 15 cm de ancho. Corte la tira en piezas de 3,5 cm. Para B, corte 5 tiras de colores vivos de 3,5 cm. Corte después estas tiras en piezas de 15 cm de largo (en total, 28 piezas). Coloque una pieza A a cada lado de una pieza B. Coloque las piezas a 1 cm una debajo de otra y cósalas juntas alternando A y B.

ESTRELLA PLEGADA

ESTE TIPO DE patchwork está compuesto por rectángulos o círculos plegados y colocados en capas que se superponen para formar una composición en forma de estrella sobre la base de un tejido ligero. Las composiciones tipo estrella plegada son ideales para colgar en la pared, como un tapiz, para hacer cojines o ser enmarcadas como un muestrario. Con el fin de sacar el mayor partido posible a esta técnica es recomendable usar tejidos contrastados y colocar un color en cada vuelta. Para conseguir una estrella perfecta, debe asegurarse de que en cada vuelta las puntas estén a la misma distancia del centro. Los pasos para hacer una estrella plegada los encontrará en el apartado de instrucciones (*ver página 247*). No es una composición adecuada para una colcha de uso frecuente, ya que los pliegues tienen bordes sin acabar que podrían deshilacharse al ser usados y lavados reiteradamente. Debido a la gran cantidad de tejido que se usa, la técnica de doblado supone una labor gruesa y pesada como resultado.

PATCHWORK DE FANTASÍA

FUE PROBABLEMENTE EL PRIMER tipo de patchwork. Surgió de la necesidad de remendar ropa o sábanas desgarradas por el uso. Durante la época victoriana, este tipo de patchwork evolucionó y se convirtió en un arte por sí mismo cuando las mujeres empezaron a usarlo como forma de mostrar su habilidad con la aguja.

Puede ser tan simple o tan complicado como se quiera. Es una técnica divertida con la que puede usar todos los trozos de tejido de los que no se quiere desprender, pero que resultan demasiado pequeños para una labor de mayores dimensiones. Para hacer un edredón acolchado siguiendo el estilo del patchwork de fantasía victoriano, deberá reunir todas las sedas, brocados y terciopelos que pueda encontrar. Cósalos al azar sobre el tejido base y borde después sobre las costuras con hilo de bordar de seda usando varios puntos diferentes. Si lo desea, también puede bordar pequeños dibujos sobre alguno de los retazos de tela que componen este patchwork.

Esta flor tiene un tallo bordado con punto de cadeneta. Para el bordado de sujeción de los pétalos se ha utilizado hilo metálico

La figura del gato queda realzada al ser una aplicación acolchada. La cara está elaborada con pequeños puntos lanzados

Aquí los detalles se han tejido a punto lanzado, punto de festón y punto de pata de gallo doble. Las lentejuelas le dan un toque exótico

PATCHWORK CABAÑA DE MADERA

ESTA TÉCNICA DE PATCHWORK consiste en coser tiras de tejido alrededor de una figura central para crear gran variedad de efectos. Es importante utilizar tejidos de colores muy contrastados, de forma que una parte de los bloques de la cabaña sea clara y la otra, oscura. Bloques idénticos se colocarán formando combinaciones muy variadas.

Hay dos formas importantes de coser el patchwork Cabaña de madera. Una de ellas es coser todas las piezas sobre una base de muselina. Es un buen método para combinar tejidos de diferentes pesos y texturas, ya que la muselina da una base firme, pero una vez terminada la labor será difícil de acolchar, porque hay una capa adicional de tejido que se deberá coser. Puede evitar este problema si usa guata como base o si coloca la guata y cose y acolcha a la vez.

El segundo método es el que le mostramos a continuación y no necesita plantillas, a menos que use una forma irregular para el centro del bloque. Usar una cuchilla circular simplificará el proceso de corte y le ahorrará tiempo.

EL BLOQUE CABAÑA DE MADERA

El cuadrado rojo central representa la chimenea de la cabaña y las tiras, los troncos de las paredes. Las partes oscuras y claras del bloque representan el efecto del sol y la sombra sobre la cabaña durante el día y la noche. Para construir un bloque, deberá empezar por el centro y tejer a su alrededor en dirección contraria a la de las agujas del reloj.

Cómo trabajar sin plantillas

1 Asegúrese de que los tejidos claros y oscuros que ha escogido contrasten vivamente. Corte tiras de la anchura deseada más 12 mm para márgenes de costura. Asegúrese de cortar todo el tejido a lo ancho.

2 El centro puede tener cualquier forma, aunque suele ser un cuadrado. Si escoje cualquier otra, deberá hacer una plantilla y cortar la figura con una cuchilla circular. Tradicionalmente se usa el rojo para hacer el centro.

3 Coloque el cuadrado central, con los lados derechos juntos, sobre una tira de tejido claro. Haga coincidir los bordes. Cosa el borde y después corte la tira a la misma altura del cuadrado. Planche el margen de costura hacia el centro.

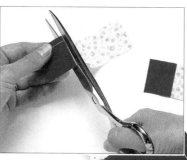

4 Como alternativa, y si quiere usar el mismo tejido para todas las primeras tiras del edredón, puede coser las piezas centrales, una detrás de otra, a la primera tira y dejar tan sólo un pequeño espacio entre ellas. Separe las piezas y córtelas a la medida del cuadrado central.

5 Escoja otro tejido claro de dibujo diferente para la segunda tira y cósala al centro compuesto antes. Corte y desbaste el exceso de tejido para que quede igualado con el centro. Planche ligeramente.

6 De nuevo, y para hacer todos los bloques exactamente iguales, cosa estas piezas a la segunda tira dejando sólo un pequeño espacio entre cada una de ellas. Separe las piezas y córtelas a la misma medida que el centro compuesto. Continúe añadiendo alrededor del centro si desea que cada bloque tenga la misma composición de tejido.

7 Escoja un tejido oscuro para la tercera tira. Siguiendo el sentido contrario al de las agujas del reloj, cosa el centro compuesto a la tercera tira, cortando la tira sobrante para que quede igualado con el centro. Planche ligeramente.

8 Elija otro tejido oscuro para la cuarta tira. Cósala al centro compuesto y corte el tejido sobrante como antes. Planche ligeramente.

9 Continúe tejiendo en la dirección contraria a la de las agujas del reloj, añadiendo 2 tiras claras y después 2 de tonos oscuros alrededor del centro. Evite colocar los mismos tejidos juntos. Recuerde que después de añadir una tira, deberá recortarla a la altura adecuada y plancharla ligeramente.

10 Una vez haya montado los bloques que necesita para su edredón o tapiz, coloque los bloques en posiciones diferentes para ver el efecto que puede crearse al transponer los lados claros y oscuros de los bloques. A continuación le mostramos algunos ejemplos.

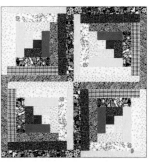

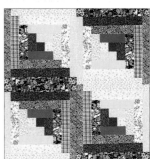

Esta composición realizada con bloques Cabaña de madera tiene una gran fuerza visual

APLICACIONES

SI ALGUNA vez ha remendado unos tejanos o ha cosido una insignia en un uniforme escolar, entonces ya ha utilizado esta técnica. Se llama técnica de aplicaciones y consiste simplemente en coser un tejido sobre otro. Las aplicaciones pueden ser útiles o decorativas, a mano o a máquina y los puntos para fijar las aplicaciones al tejido base pueden ser invisibles, como el punto deslizado, o visibles y que aumenten el efecto decorativo, como el punto de satén.

Al realizar una labor de aplicación puede usar diferentes tejidos, siempre que no tenga que someterse a un uso y lavado frecuentes. Puede crear maravillosos efectos si combina tejidos de lana, panas, sedas y satenes, y utiliza botones, cuentas y lentejuelas. El fieltro es un tejido útil para aquellos que se inician en esta técnica porque es fácil de tejer y no se deshilacha. Otra alternativa son los tejidos tupidos de algodón 100%, que tampoco tienen tendencia a deshilacharse.

COLCHA APLICADA

Esta colcha está bordeada por grandes motivos florales que se repiten también sobre el fondo blanco liso.

COMPOSICIONES APLICADAS

Si quiere iniciarse en esta técnica le recomendamos que escoja un dibujo de líneas rectas o pequeñas curvas y un número relativamente pequeño de piezas (que deberían ser medianas o grandes). A medida que vaya adquiriendo práctica en rematar bordes y coserlos de forma invisible a un tejido de fondo, podrá realizar formas y dibujos más complejos. Las plantillas para aplicaciones a mano y a máquina no tienen márgenes de costura, por lo que marcará la figura exacta sobre el tejido. Si hilvana señales sobre el tejido de fondo, le será más fácil colocar las piezas en su lugar.

Cómo cortar aplicaciones

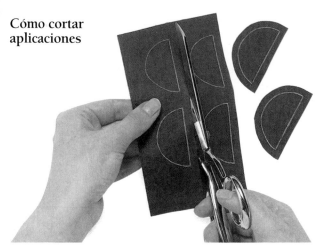

Recorte las plantillas a tamaño real (*ver página 184*). Marque la línea exterior sobre el lado derecho del tejido, dejando 12 mm entre cada una y corte después las piezas dejando un margen de costura de 6 mm

Cómo preparar el tejido base

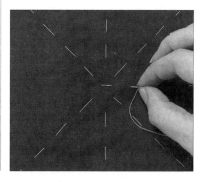

Corte el tejido para la base 2,5 cm más grande que la medida final. Doble la base por la mitad horizontal, verticalmente y en diagonal, y planche los pliegues. Abra el tejido e hilvane con hilo de color contrastado marcando todos los pliegues anteriores. Planche.

CÓMO APLICAR A MANO

*Puede utilizar motivos florales, geométricos o pictóricos para hacer
sus composiciones. Si es necesario, aumente o disminuya el tamaño
y páselo a papel.*

1 Dibuje el motivo y marque cada pieza con una letra. Haga después
una plantilla para cada aplicación. Marque cada plantilla con la letra
correcta y dibuje después el contorno de la aplicación en el lado derecho del tejido. Corte añadiendo 6 mm para el margen de doblado.

2 Use la punta de unas
tijeras afiladas para cortar los bordes redon-
dos. Debe hacerlo
perpendicularmente al
contorno marcado y no
cortar más allá del con-
torno. Haga también
cortes en los entrantes
profundos, así facilitará
el volver los bordes
hacia dentro.

3 Copie a lápiz el contorno de las piezas so-
bre el lado derecho del
tejido. Márquelas unos
6 mm más pequeñas
que la plantilla para evitar que se vean cuando
esté terminada la labor.

4 Siguiendo las líneas-
guía, coloque las apli-
caciones sobre la base.
Sitúe primero las pie-
zas que forman la base
del dibujo y solápelas
después con las piezas
superiores, si es
necesario. Sujete las
piezas con alfileres o
hilvanes.

5 Doble los bordes
sin desbastar unos 6
mm hacia el revés de la
aplicación. Utilice
la punta de la aguja
para hacerlo.

6 Utilice un color
acorde con el tono
de la aplicación y
con pequeños puntos
deslizados, cosa
de forma invisible
la aplicación al tejido
base. Debe empezar
por las piezas de la
base y seguir hasta las
de las capas superiores.

7 Una vez terminado,
vuelva la aplicación y,
por el lado del revés,
corte el tejido base
que esté entre las pieźas
más grandes de la
aplicación. Debe dejar
6 mm como margen.
Así le será más fácil
hacer el acolchado y
evitará que el tejido
se arrugue.

8 Saque todos los alfileres o hilvanes cuando termine la labor. Planche ligeramente la aplicación colocándola sobre una toalla gruesa para evitar que los márgenes se noten por el lado derecho de la labor.

TÉCNICAS ESPECIALES PARA APLICAR

Hay figuras complicadas que requieren unas técnicas especiales si queremos que las aplicaciones tengan bordes suaves y que los márgenes de costura no la distorsionen.

Puntas

Recortar el margen de costura le ayudará a conseguir puntas perfectas

1 Haga primero un corte en los márgenes de costura a 6 mm y a cada lado de la punta y recorte el margen a unos 3 mm. Recorte la punta a unos 3 mm de la línea de contorno y doble la punta hacia el revés por esta línea.

2 Doble uno de los bordes de la aplicación 6 mm hacia el revés e hilvane en su lugar. Doble después el segundo borde hacia el revés solapando el primer borde por arriba y por abajo. Planche e hilvane.

Valles

Una entrada acentuada en una aplicación se llama valle. Haga un corte en el margen de costura hasta llegar a la línea de contorno. Doble los bordes hacia el revés. Los márgenes de costura se separan y no dejan prácticamente tejido en el valle. Aplique de forma habitual y cuando llegue a la entrada, haga unos cuantos puntos más.

Círculos

1 Haga una plantilla con cartulina a la medida exacta del círculo que necesita. Corte un círculo de tejido para la aplicación; deberá ser 12 mm más grande que el diámetro de la plantilla circular.

2 Teja una vuelta de hilvanes cerca del borde del círculo de tejido.

3 Coloque la plantilla de cartulina en el centro del lado revés del círculo de tejido. Después, tire suavemente del hilo para esconder el borde del círculo de tejido y haga unos cuantos puntos para rematarlo.

4 Planche ligeramente el círculo para que no haya arrugas en la superficie. Sin alterar la forma conseguida, saque el cartón de su interior.

APLICACIONES HECHAS A MÁQUINA

*Antes de empezar deberá cambiar la aguja y colocar el pie
de zigzag de la máquina. Utilice hilo de algodón 100% para pegar
la aplicación. Técnicamente, no debería añadir ningún margen
para costura, porque los bordes no se doblan hacia dentro, pero
no es fácil evitar que las piezas se arruguen si queremos coserlas
justo por los bordes. Es por ello que en los pasos que mostramos
a continuación se ve un margen de costura que se recortará
cuando se termine de coser. Pruebe su punto sobre un retazo de
tela. Use una anchura estándar de 3 mm para piezas de peso
intermedio. Los tejidos finos precisan un punto muy estrecho,
mientras que los gruesos necesitan uno más ancho. La tensión debe
ser equilibrada y el tejido no debe arrugarse. Si el hilo de la bobina
aparece por el lado derecho de la labor, afloje la tensión superior
de la máquina de coser.*

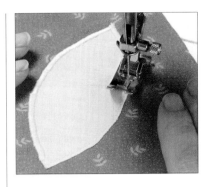

4 Haga un zigzag
sobre la línea de
pespuntes cubriendo
los bordes del tejido.
Guíe el tejido en las
curvas, para que la
máquina cosa de forma
uniforme y teja
siempre despacio
para controlar
perfectamente su
puntada.

EFECTOS ADICIONALES DE BORDADO

*Use las puntadas zigzag para añadir detalles demasiado
pequeños para hacerlos en tejido, como los nervios de
las hojas de una planta o los pétalos de una flor.
También puede emplear los puntos de bordar
de su máquina de coser para hacer otros efectos.
Otra posibilidad en las aplicaciones a máquina
es utilizar un hilo de color fuertemente
contrastado.*

1 Corte las aplicaciones y prepare la base siguiendo las
indicaciones de la página 200. Siga los pasos 1, 2 y 4 para
aplicaciones a mano. Coloque las piezas sobre el tejido en la
posición correcta y péguelas con cola en barra e hilvanes.

2 Cosa con la
máquina siguiendo la
línea de contorno y
utilice para ello
pequeños pespuntes
y un hilo de color
acorde con el diseño.

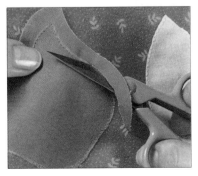

3 Utilice unas tijeras
de bordar afiladas
para cortar el margen
sobrante, más allá
de la línea cosida.
Corte tan cerca de
los pespuntes como le
sea posible.

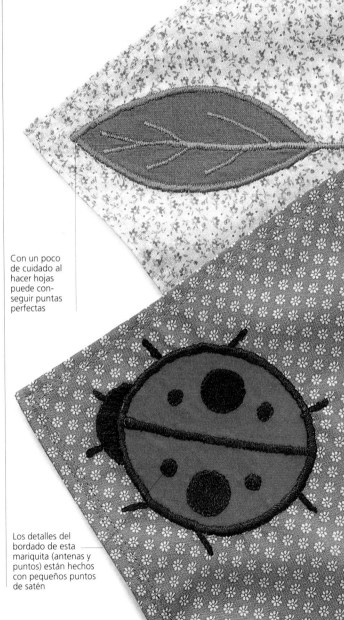

Con un poco
de cuidado al
hacer hojas
puede con-
seguir puntas
perfectas

Los detalles del
bordado de esta
mariquita (antenas y
puntos) están hechos
con pequeños puntos
de satén

COMPOSICIONES

HAY MUCHAS FORMAS de unir los bloques de patchwork para formar un edredón. Cada método tiene unos resultados muy diferentes, incluso usando los mismos bloques. Aquí les mostramos algunas de las formas tradicionales de unión. El tipo llamado de bandas toma su nombre de las tiras de tejido que rodean cada bloque de una composición. En el borde a borde, los bloques se cosen juntos directamente. Otras veces, los cuadrados de conexión unen las pequeñas bandas y enmarcan los diferentes bloques. También se usa la técnica de aplicación para esconder costuras y decorar los bloques.

RETAZOS

Esta composición hecha con trozos de tela, llamada Estrella nocturna está unida por bandas grises y cuadrados de conexión azul marino.

BANDAS

Los bloques estilo medallón de esta composición tipo Estrella solitaria están enmarcados por bandas verdes.

BORDE A BORDE

Esta composición tiene un borde de tela que la ribetea. Los bloques forman la composición interior.

BALTIMORE

Las costuras entre los bloques de este acolchado estilo Álbum Baltimore están decoradas con aplicaciones que imitan encajes.

MONTAR UN ACOLCHADO

UN ACOLCHADO es una superficie formada por tres capas: la superior, la guata y la inferior. Estas capas se mantienen juntas con puntos de acolchado o acolchadas con nudos (ver páginas 206-210). Hilvane cuidado-samente las diferentes capas antes de acolchar para impedir que en el lado del revés del acolchado se formen arrugas o haya partes tirantes cuando esté acabado.

Cómo juntar las capas

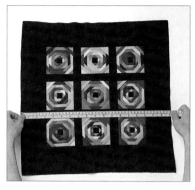

1 Mida la superficie de la composición para saber la medida de la capa posterior. Añada 5 cm de margen a todos los lados. Después se cortarán. Quizá deba unir piezas para formar la parte de detrás, pero normalmente se utiliza una sola costura central. Si se trata de una acolchado muy grande necesitará unir unas 3 piezas.

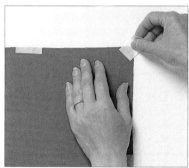

2 Planche cuidadosa-mente el tejido por la capa posterior y déjelo del revés sobre una superficie grande y plana. Si es posible, sujete los bordes con cinta para impedir que el tejido resbale mientras teje.

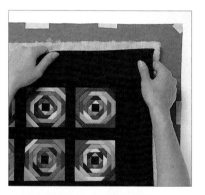

3 Corte una pieza de guata que tenga la mis-ma medida que la su-perficie y colóquela centrada sobre la capa posterior. Planche cuidadosamente la superficie sacando también todos los hilos sueltos o trozos de tejido que pueda haber. Colóquela des-pués sobre la guata con el lado derecho hacia usted.

4 Sujete las capas con alfileres para que se mantengan juntas y no se deslicen mientras hilvana.

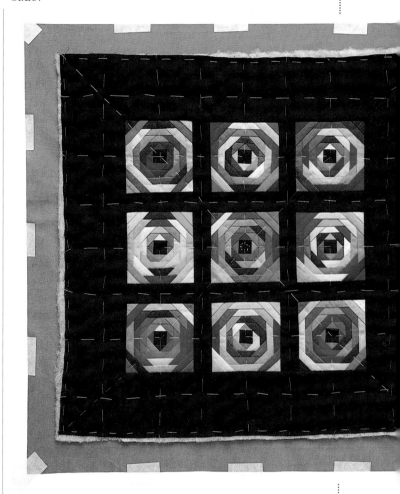

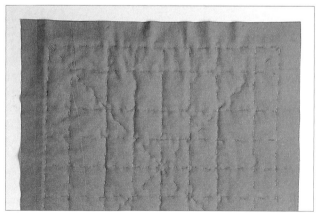

5 Hilvane las tres capas juntas, empezando siempre desde el centro y siguiendo hasta los bordes; primero horizontal y verticalmente, y después en diagonal en todas direcciones. Asegure todos los lados del acolchado con hilvanes adicionales empezando desde el centro.

ACOLCHADO A MANO

EL PROPÓSITO BÁSICO de la técnica de acolchado es mantener juntas la superficie, la guata y la base para impedir que resbalen cuando el acolchado se usa o lava. Los puntos de acolchar son simples bastillas que pasan a través de las tres capas, sujetándolas firmemente. Los puntos se pueden hacer tanto sobre tejidos lisos como en tejidos formados por retazos de tela, de acuerdo siempre con el dibujo. Los puntos de acolchado dan vida a su labor, ya que forman otro dibujo que enriquece y realza la labor de retazos.

1 Corte una hebra de 45 cm de hilo para acolchar y anude el cabo. Pase el hilo por la superficie y tire de él hasta que el nudo quede en la guata. Oirá el sonido que hace al traspasar el tejido.

2 Le recomendamos que use un dedal. Con una mano bajo el acolchado para guiar la aguja hacia arriba, haga pequeñas bastillas atravesando las tres capas. Los puntos deben tener la misma medida en el lado derecho y en el revés de la labor.

3 Haciendo oscilar la aguja de la superficie a la base y de nuevo hacia arriba intente dar 3 o 4 puntos a la vez; tire después del hilo. Si acolcha sobre un bastidor podrá tirar firmemente del hilo y dará así mayor definición a las puntadas.

4 Si tiene problemas para tirar de la aguja, utilice un globo para cogerla.

5 Cuando termine la hebra de hilo haga un nudo cerca de la superficie del acolchado. Haga entonces un punto hacia atrás cogiendo la superficie y la guata, tirando del nudo hacia abajo y sepultándolo entre la guata.

CÓMO USAR UN BASTIDOR

Los bastidores especiales para acolchar suelen ser de tamaño considerable y pocos tienen espacio para colocarlo. Afortunadamente, una composición de cualquier tamaño puede acolcharse utilizando un bastidor redondo (de 50 cm, específicamente diseñado para ello (también necesitará hilvanar primero el acolchado). La tensión del acolchado colocado en este bastidor puede variar de muy tirante a ligeramente flexible. Pruebe hasta conseguir la tensión que prefiera.

1 Desenrosque el tornillo de su bastidor y separe los aros interior y exterior. Coloque el aro interior sobre una superficie plana y el centro de la labor sobre él. Coloque el aro exterior sobre el interior y apriete el tornillo después de ajustar la tensión de la labor.

2 Para acolchar los bordes exteriores, deberá hilvanar tiras de muselina a los bordes. Colóquelos después en el bastidor.

ACOLCHAR A MÁQUINA

MÁS RÁPIDO QUE ACOLCHAR A MANO, el acolchado a máquina es una forma eficaz de acabar los acolchados demasiado gruesos para ser cosidos a mano. Utilice un tejido estampado de trama media para la base. El secreto de un buen acolchado a máquina es mantener una ten-

sión uniforme entre el hilo superior y el de la bobina. Le recomendamos que haga pruebas utilizando dos trozos sobrantes de tela y guata, y que ajuste la tensión antes de empezar a coser sobre el acolchado.

CÓMO PREPARAR LA MÁQUINA DE COSER

Utilice una aguja de medida 80/12 y un hilo de algodón mercerizado número 50 de tres cabos. El hilo de la bobina debe ser de un color acorde con el tejido de la base, para que no se vean las puntadas irregulares. Si el acolchado no es muy grueso y está bien hilvanado puede usar un pie prensatelas normal. Teja sobre una mesa lo suficientemente grande para apoyar la labor completa, porque si queda colgante, la operación será más difícil. Si la superficie se mueve sobre la guata utilice un pie prensatelas móvil (ver más abajo).

Coser a máquina

 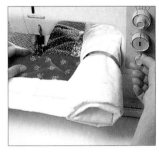

1 Para asegurar los cabos de hilo al principio y al final de una línea de pespuntes, cosa varias veces hacia delante y hacia atrás. Corte después los hilos a ras de tejido.

2 Para coser líneas paralelas sin necesidad de marcarlas primero, puede utilizar una guía que se adjunta al pie prensatelas.

3 Coloque las manos a ambos lados de la aguja y acompañe suavemente el tejido mientras cose. No tire o retenga el tejido, porque podrían producirse puntos tirantes o arrugas por el revés. Compruebe a menudo el lado del revés para solucionar los problemas cuando ocurran.

4 Fije primero el acolchado con un hilván que atraviese los centros horizontales y verticales de la pieza. Acolche después cada cuarto consecutivamente, empezando siempre desde el centro y siguiendo hacia los lados.

5 Los principiantes deberían realizar primero una labor pequeña. La técnica más sencilla es seguir la costura tan cerca como sea posible y coser por el lado contrario al de los márgenes de costura.

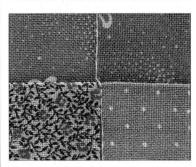

6 Si cose siguiendo una costura donde los márgenes se alternan a un lado y a otro, deberá hacer un pequeño punto en la intersección y cambiar también su línea de acolchado.

7 Enrolle las labores grandes dejando sólo al descubierto el área que hay que acolchar. Asegure el rollo con abrazaderas.

PRENSATELAS MÓVIL

Puede usar un prensatelas móvil (o un pie prensatelas normal) con la mayoría de máquinas. Este pie tiene unas guías similares a las de la base. Con los dos juegos de guías funcionando juntas, el tejido corre más suavemente bajo la aguja.

DIBUJOS DE ACQLCHADO

LOS PRIMEROS ACOLCHADOS solían formar líneas verticales y horizontales, que creaban simples cuadrados o formas de diamante (rombos); sin embargo, al usar curvas entrelazadas y círculos se crea un efecto más decorativo: los que presentamos aquí son conjuntos de medallones hechos sobre tejidos lisos.

Si quiere crear su propia forma de llenar el espacio dentro de un contorno, debe tener en cuenta que las líneas de relleno tienen como finalidad sujetar la guata. Trate siempre de crear un dibujo con líneas separadas por la misma distancia. Consulte la página 248 si quiere copiar estos diseños.

MOTIVO DE PARRA

La variante de un motivo parra forma un borde adecuado para ser bordado alrededor de un acolchado.

MOTIVO DE HOJAS

En este acolchado americano antiguo, el contorno de la hoja se ha llenado con un elaborado dibujo que representa los nervios de la hoja. El espacio entre las líneas exteriores se amplía progresivamente.

MOTIVO JAPONÉS

El acolchado tradicional japonés se llama Sashiko y se teje contrastando colores o en blanco y negro. El motivo repetido de la fotografía se llama Asanoha u hoja de cáñamo.

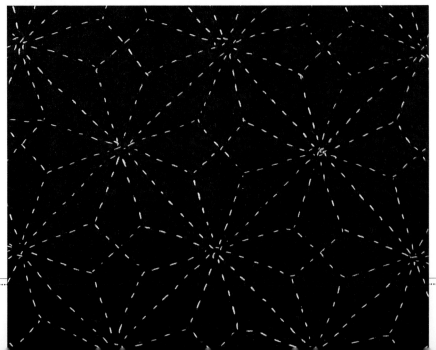

BORDE DE PÉTALOS

Entrelazando curvas simples se forma el borde de pétalos; en cada esquina puede añadir un dibujo basado en el mismo motivo.

DIBUJOS INTEGRALES

El diseño del medallón superior izquierdo muestra un círculo con un centro enrejado. El centro puede variar según su gusto. Otro dibujo tradicional es la concha de almeja (abajo).

CORAZONES ENTRELAZADOS

Esta banda de corazones y curvas unidos está basado en un motivo tradicional. Se puede utilizar para rellenar o como borde.

ACOLCHADO CON NUDOS

EL ACOLCHADO CON NUDOS es una alternativa rápida y fácil al acolchado a mano o a máquina. Es práctico para confeccionar edredones para niños o labores que tengan una gruesa capa de guata. Se realiza haciendo series de nudos dobles que atraviesan las tres capas y las sujetan. Si el acolchado se anuda por el lado del revés, será prácticamente invisible por el lado derecho; tan sólo se nota-

rán pequeñas muescas que pueden formar un sugerente diseño por sí solas.

Como alternativa, y si quiere que los hilos anudados sean decorativos, ate el acolchado por la parte frontal, de forma que los cabos sueltos de los hilos sean visibles, o use un hilo de color contrastado para que destaque sobre el fondo.

CÓMO ANUDAR EL ACOLCHADO

Las lazadas deben estar a una distancia de 6 cm si usa relleno de polyester y más cerca si el relleno es de algodón. Para las lazadas, puede usar hilo de seda o algodón, hilo o hilo de bordar. Teja con una aguja lanera y una hebra de 45 a 60 cm del hilo que haya escogido.

Con lazadas individuales

1 Coloque las capas del acolchado como le indicamos en la página 205. Decida dónde quiere que se vean los cabos de los nudos y cosa desde ese lado. Deje un pequeño cabo de hilo y haga un punto atrás a través de las tres capas.

Las lazadas anudadas en el lado derecho de un acolchado pueden usarse como decoración

2 Haga otro punto atrás en el mismo lugar y corte el hilo dejando un pequeño cabo.

3 Anude los dos cabos formando un doble nudo. Corte los extremos de forma uniforme y continúe dejando espacios regulares en toda la superficie.

Con lazadas ligadas

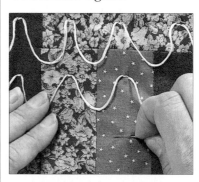

1 Si los nudos han de quedar poco espaciados, haga los dos puntos atrás y, sin cortar el hilo, vaya hasta el lugar siguiente. Continúe dejando la misma longitud de hilo hasta que acabe.

2 Corte el hilo entre las puntadas y anude los cabos con un doble nudo.

RIBETEAR UN ACOLCHADO

AÑADIR UN RIBETE es el último paso en la confección de un acolchado y el toque final que determina su apariencia general. Los bordes han de ser suaves, sin arrugas ni pliegues. Deberá ribetear cuidadosamente usando bandas o ribetes que tengan el mismo peso y calidad que el tejido de la labor.

CÓMO COSER EL RIBETE

Corte tiras de 4 cm de anchura siguiendo el ancho del tejido y a recto hilo. Corte suficientes tiras para rodear el acolchado más 10 cm. Una las tiras y planche las costuras hacia un lado. Planche el ribete por la mitad y a lo largo, con el revés encarado. Planche después uno de los bordes largos, con el revés de la tela encarado y hacia el pliegue del centro. Necesitará un espacio adecuado para desplegar la labor.

Cómo añadir el ribete

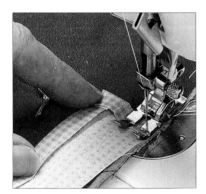

1 Coloque en la máquina el centro de uno de los lados de la labor con la cara superior hacia arriba. Doble el borde del ribete 12 mm hacia el revés y colóquelo sobre el acolchado con los dos lados derechos encarados y los bordes sin desbastar a la misma altura. Cosa el ribete al acolchado dejando una costura de 6 mm de ancho.

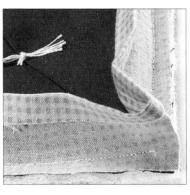

2 Cuando se acerque a la primera esquina, acorte el tamaño de la puntada y alinee el ribete al siguiente borde de la labor; deje un pliegue de ribete que quede en línea recta con el borde del acolchado. Cosa hasta la esquina del pliegue y pare.

3 Levante la aguja y el pie prensatelas y doble de nuevo el ribete para que el pliegue esté ahora en el borde del acolchado que acabamos de coser. Baje la aguja exactamente en el pliegue para que no se introduzca en el pliegue anterior; baje el pie prensatelas y continúe cosiendo. Después de

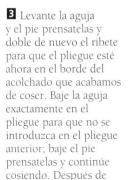

unos 12 mm, deberá ajustar la longitud de puntada a la medida normal. Continúe cosiendo a máquina hasta la esquina siguiente.

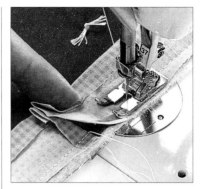

4 Cosa cada esquina de la misma forma. Cuando llegue al punto donde comenzó a colocar el ribete, deje que se solapen en el principio. Doble unos 12 mm y corte el ribete sobrante.

5 Cubra el borde planchado y doblado hacia el revés de la labor y colóquelo cubriendo la línea de pespuntes. Fije con alfileres. Con un hilo de color adecuado, deberá hacer puntos deslizados para unir el ribete al revés del acolchado.

6 Cuando llegue al final de la tira de ribete, doble el final del ribete 12 mm hacia el revés, para hacer así una unión pulcra y bien acabada allí donde los bordes se superponen.

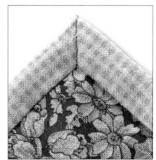

7 Utilice un alfiler para ajustar los pliegues de todas las esquinas hasta formar una esquina perfecta. Cósalas cuidadosamente.

ALFOMBRAS

*L*as alfombras, como otros productos artesanales, pueden ser a la vez bonitas y funcionales. Estas técnicas nacieron con la necesidad de aprovechar materiales que se tenían a mano para crear objetos y accesorios útiles. A continuación mostramos dos de las técnicas más fáciles y conocidas: el trenzado y la técnica de enlazado con gancho. En el trenzado se entrelazan tiras de tela formando óvalos, rectángulos o círculos. No se necesita ninguna herramienta especial y la técnica admite mucha imaginación, con un resultado delicado, colorista y duradero. Con restos de lana o algodón podrá crear pequeñas alfombras para pasillos, esteras o cojines para sillas. Cuando trabajamos la técnica de enlazado con gancho, llevamos el hilo o el tejido a través del tejido base para crear alfombras, fundas de cojín y tapices para la pared. También podemos realizar alfombras sobre cañamazo utilizando una aguja de lengüeta y cortando el hilo o lana antes de empezar a trabajar para obtener lanas con pelo. Ya sea trenzadas o tejidas con ganchos, las alfombras admiten infinidad de diseños. Se puede seguir un patrón o dibujarlo directamente sobre el tejido base. Aunque hoy en día la mayoría de objetos se fabrican industrialmente, el lector de este libro descubrirá el placer de aprender la técnica de las alfombras hechas a mano y la satisfacción de usar sus creaciones y mostrarlas a sus amigos.

ÚTILES Y EQUIPO

EXISTEN TRES TÉCNICAS BÁSICAS para confeccionar alfombras: de enlazado ("enganchado"), anudado o trenzado. Todas ellas pueden utilizarse para elaborar tapices, alfombras y almohadones de vistosos colores. Las alfombras enlazadas se tejen estirando bucles de lana o de hilo a través de una base de tejido consistente con un gancho manual o con uno de punzón (ver más abajo). El pelo de las alfombras anudadas se forma al atar el hilo con un gancho de lengüeta a la malla. No se necesita ningún instrumento ni base de tejido especiales para confeccionar alfombras trenzadas; en cambio, para conseguir esteras sólidas, se deben unir tiras trenzadas de tejido con hilo fuerte. Si la alfombra es para colocar sobre el suelo, se deberán escoger materiales resistentes, especialmente si el espacio es de paso frecuente.

Gancho manual

Gancho de punzón

Gancho de lengüeta

Trenzado

ÚTILES Y TEJIDOS DE BASE

Arpillera

Tejido uniforme de mezcla de algodón y lino

Cañamazo

El gancho manual, la herramienta tradicional para elaborar alfombras de tejido, es parecido a un ganchillo con mango de madera. El gancho de punzón también se utiliza para confeccionar alfombras con el método de enlazado. Tiene una varilla de metal hueca a través de la cual se pasa el hilo. El gancho de lengüeta tiene una barra que se abre y se cierra, para anudar el hilo en el cañamazo. La plegadora de tejido, que sirve para doblar las tiras, se utiliza para las alfombras trenzadas.

Para las alfombras hechas con gancho manual y de punzón, utilice como base la arpillera, un tejido de yute de entramado tupido; entre las que haya disponibles, escoja la más resistente. Otra base muy corriente para estas alfombras es el tejido de trama regular de algodón con mezcla de lino. Es más caro que la arpillera pero más duradero. Las alfombras confeccionadas con el método de gancho de lengüeta precisan un tejido de cañamazo cuya malla está formada por agujeros (de 1 a 3 por centímetro).

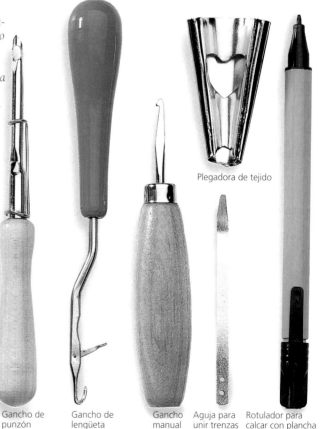

Plegadora de tejido

Gancho de punzón

Gancho de lengüeta

Gancho manual

Aguja para unir trenzas

Rotulador para calcar con plancha

HILOS Y TEJIDOS

El hilo para alfombras, suave, grueso y de 4 a 6 cabos, es el adecuado para la confección con gancho manual, de punzón y de lengüeta. Se puede adquirir en ovillos o madejas. Para tejer alfombras con punzón y gancho de lengüeta, se puede usar hilo de Rya; generalmente se utilizan juntas varias hebras de hilo de 2 cabos retorcido. Para tejer las alfombras con el gancho de lengüeta pueden comprarse ambos hilos en tramos preparados, lo cual es más práctico que cortar los hilos uno mismo aunque más caro. Cualquier retal de tela tupida puede servir para confeccionar alfombras con la técnica de gancho manual o de trenzado. El tejido debe lavarse antes para que luego no encoja. La lana es la fibra más duradera y que mejor repele la suciedad.

Lana para alfombras

Hilo de *Rya*

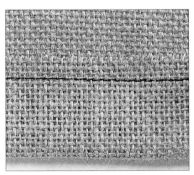

Hilo precortado

Tiras de tejidos

PREPARACIÓN DE LA BASE

Los bordes de la base de tejido deben reforzarse para que la labor no se deshilache mientras se teje.

Para las alfombras que se tejen con gancho manual o con punzón, corte la base de tejido a la medida dejando 10 cm de margen alrededor de los bordes para que se pueda sujetar con un bastidor. Haga un dobladillo de 12 mm en los bordes y cósalo a máquina.

Para las alfombras con gancho de lengüeta, corte el cañamazo a la medida dejando entre 2,5 y 5 cm de espacio alrededor de los bordes para hacer un dobladillo. Doble el cañamazo hacia atrás y teja los primeros puntos a través del cañamazo doblado.

COPIAR LOS DIBUJOS EN LA BASE DE TEJIDO

Una vez tenga preparado el esquema, puede copiar el dibujo a mano en la base de tejido con un rotulador indeleble. También puede dibujar un motivo a tamaño natural y calcarlo mediante alguno de los dos métodos siguientes.

Alfombras de gancho manual y de gancho de lengüeta

Dibuje su diseño en papel de calco con un rotulador especial para planchado (*a la izquierda*) y a continuación, déle la vuelta al papel y ponga la cara con el dibujo directamente sobre la base de tejido. Plánchelo con cuidado (*a la derecha*).

Nota: Si está elaborando una alfombra con punzón, recuerde que deberá hacer el dibujo en el dorso de la base. Esto significa que el dibujo debe calcarse por ese lado y con la imagen invertida, como en un espejo.

Alfombras confeccionadas con gancho de lengüeta

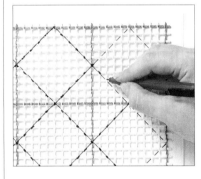

Centre el dibujo (boca arriba) debajo del cañamazo y sujételo con alfileres o cinta adhesiva. El trazado del diseño será visible a través del cañamazo. Calque el dibujo en el cañamazo con un rotulador de tinta indeleble.

ACABADO

Para confeccionar una alfombra grande y alfombras de tiras trenzadas, utilice hilo de coser moquetas. Los bordes de las alfombras se rematan con una cinta de tela tejida o ribete para alfombras.

Hilo de moquetas

Ribete para alfombras

215

ALFOMBRAS CONFECCIONADAS CON GANCHO MANUAL

LAS ALFOMBRAS hechas con gancho manual se tejen estirando los bucles de una tira continua de tejido o hilo a través de un tejido base. Los bucles quedan sujetos al estar apretados unos a otros. Para que estos rizos queden a una altura uniforme, la base se debe tensar en un bastidor rectangular antes de empezar a tejer (ver página 121).

El gancho manual es una herramienta tradicional de los primeros colonos americanos, que confeccionaban maravillosas alfombras con finos detalles de tiras de retales. Las tiras finas de tela son las mejores, ya que los ganchos manuales suelen partir las hebras de lana cuando éstas se estiran.

ALFOMBRA CON CORDERO

La simplicidad del arte folclórico de las primitivas alfombras americanas está representada en este simpático diseño; la textura rizada del cordero está formada por tiras de lana. Instrucciones en la página 249.

ALFOMBRA DE PATCHWORK

Esta decorativa y útil alfombra se ha realizado combinando las técnicas de patchwork y el arte de confección de alfombras. Instrucciones en la página 249.

Este cordero con lazo está rodeado por una cenefa que imita una valla rústica a modo de marco

Las muestras de colchas Amish sirven de inspiración para ésta alfombra tejida con gancho manual

PREPARACIÓN DEL TEJIDO

Lave el tejido, sobre todo si es nuevo, para que pierda el apresto. Utilice unas tijeras afiladas para cortarlo en tiras largas y delgadas. El ancho de las tiras dependerá del tipo de tejido y del efecto que quiera conseguir, por lo que se debe probar primero en un trozo de la base. Para que parezca hecho en casa, recomendamos que las tiras tengan 6 mm de ancho. Las tiras de tejido pueden cortarse a 12 mm o a 3 mm de ancho, según el efecto que se quiera crear. La tela se debe cortar al recto y el tejido de punto, a lo largo. No se deben cortar nunca las tiras al bies.

Técnica básica

1 Teja de derecha a izquierda. Sujete la tira por el revés con la mano izquierda dejando que corra libremente entre el pulgar y el índice.

2 Coja el gancho como si fuera un lápiz, con la mano derecha y el gancho hacia arriba. Introduzca el gancho entre dos hilos de la labor desde el lado derecho. Engánchelo en la tira y tire de un extremo hacia arriba y hacia el lado derecho de la base de la labor.

3 Para formar el primer bucle, empuje el gancho a través de la base de tejido, hacia la cara derecha de la labor y dos hilos a la izquierda de la tira que acaba de estirar. Siga sujetando sin tensar la tira por debajo de la labor con la mano izquierda. Si la sujeta demasiado tirante corre el riesgo de estirar el extremo hacia fuera al enganchar el bucle.

4 Por el lado derecho de la labor, enrolle el gancho y tire del bucle hasta conseguir la medida deseada. Por regla general, la altura del bucle tendrá la misma medida que el ancho de la tira.

5 Continúe estirando las tiras hacia arriba formando bucles y dejando uno o dos hilos de la base de la labor entre ellos. Por el revés el trabajo realizado parecerá una hilera uniforme de puntadas consecutivas. Cuando alguna puntada forma bucles en el reverso de la labor significa que no los está estirando suficientemente hacia arriba y hacia el lado derecho de la labor.

6 Deje uno o dos hilos de la base entre cada hilera de bucles. Comience y termine siempre cada fila estirando los extremos de la tira hacia el lado derecho de la labor. Si es necesario, una vez haya acabado la alfombra, recorte estos extremos a la misma altura que los bucles.

CÓMO TEJER UN DISEÑO

Dibuje primero los detalles del diseño y rellene el fondo. En primer lugar, trace el contorno con una hilera de bucles. A continuación, rellene el área perfilada con filas de bucles. Nunca lleve el hilo o las tiras tejidas de un área a otra, puesto que los bucles que arrastra por el revés de la labor podrían romperse al pasar el gancho. Si la alfombra empieza a torcerse, puede ser debido a que está tejiendo los bucles y las filas demasiado cerca. Si es así, aumente el espacio de la base de tejido en un hilo. Si la base se ve a través de la labor, disminuya el espacio en un hilo.

ALFOMBRAS CONFECCIONADAS CON PUNZÓN

LAS ALFOMBRAS HECHAS CON LA TÉCNICA de gancho con punzón se tejen sobre una base de tejido tensada en un bastidor rectangular. El acabado es parecido al de una alfombra tejida con gancho manual, ya que con esta técnica se consigue una superficie elevada, formada por los rizos tupidos del hilo o del tejido. La diferencia es que una alfombra confeccionada con punzón se teje con el revés de la

labor de cara, por lo que tendrá que calcar una imagen invertida de su diseño en este lado. El punzón con gancho, una vez aprendido el truco, es más rápido de manejar que el gancho manual ya que suministra el hilo a través del tejido base y regula la altura de los rizos de manera automática. Los hilos son más fáciles de utilizar que las tiras, pues se deslizan más rápidamente por la varilla.

ÚTILES

Los ganchos con punzón se fabrican en varias medidas para que se puedan utilizar hilos de diferente grosor. Al escogerlos, asegúrese de que el hilo pasa fácilmente por el ojo de la aguja del gancho. El gancho con punzón puede ajustarse para formar rizos de diferente altura, desde 6 hasta 18 mm, girando y cerrando el mango.

El hilo debe pasar fácilmente por el ojo de la aguja

1 Enhebre el gancho con el hilo siguiendo las instrucciones del fabricante. Una vez enhebrado, tire del hilo con cuidado para comprobar si se mueve con facilidad.

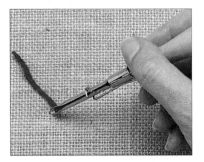

2 Coja el gancho como un lápiz, con la parte acanalada de cara a la dirección en la que teje. Si la parte acanalada no está encarada correctamente, el hilo no correrá bien a través de la aguja.

3 Empuje una parte de la aguja hacia abajo y a través de la base de tejido hasta llegar al mango.

4 Saque la aguja hasta que toque la superficie de la base. No la saque del todo. Deslice la aguja a lo largo de la superficie de la base unos cuantos puntos, y vuélvala a meter.

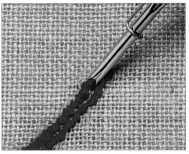

5 Continúe de esta manera y cambie de dirección cuando sea necesario. Deje unos pocos hilos de la base entre cada hilera de rizos.

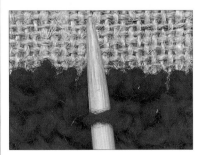

6 Compruebe si los rizos son uniformes. En caso contrario, deslice una aguja de coser por debajo de éstos y estírelos hacia arriba hasta el mismo nivel que el resto.

Cómo rematar el hilo

Cuando el hilo se acabe, empuje el gancho a través de la base (*izquierda*). Estire el hilo y córtelo por detrás de la aguja. Saque el gancho. Recorte el extremo del hilo a la altura del pelo (*derecha*).

ALFOMBRAS CONFECCIONADAS CON GANCHO DE LENGÜETA

LAS ALFOMBRAS CONFECCIONADAS con la técnica de gancho de lengüeta se tejen con cañamazo y no necesitan bastidor. El hilo debe estar cortado a la medida necesaria y cada trozo se anuda por separado a la base de tejido. Es más fácil utilizar lana para hacer alfombras, pero con este gancho también se pueden anudar diferentes tipos y texturas de hilo así como tiras de cinta y trenzados. Los detalles finos se pierden debido a que esta clase de alfombra tiene un pelo tupido. Los diseños más marcados son los más adecuados.

ANUDADO

Corte el hilo en trozos largos y haga un dobladillo al cañamazo (ver derecha). Teja las filas de nudos horizontalmente, empezando por abajo. Compruebe que todos los nudos siguen la misma dirección.

1 Doble el hilo por la mitad alrededor de la varilla del gancho. Junte los dos extremos del hilo, introduzca la punta del gancho por debajo de un hilo horizontal del cañamazo y empújela a través de éste hacia la cara derecha hasta que la lengüeta del gancho se abra.

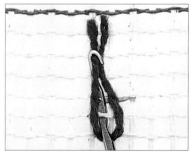

2 Coja los dos extremos del hilo a través de la lengüeta y sitúelos debajo del gancho.

3 Tire del gancho hacia Ud. de forma que la lengüeta se cierre alrededor del hilo. Siga tirando hasta que los dos extremos del hilo pasen a través del bucle hasta formar un nudo.

4 Compruebe que el nudo está tenso tirando de los dos extremos. Haga un nudo entre cada par de hilos verticales del cañamazo a lo largo de la misma fila horizontal.

TÉCNICAS DE HILO Y DE ACABADO

Se puede comprar el hilo cortado o bien cortarlo uno mismo. Cada hebra debe medir el doble del largo del pelo y debe añadirse una longitud aproximada de 12 mm más para el nudo. Es conveniente un tramo mínimo de unos 6,5 cm para conseguir una altura de unos 2,5 cm. Antes deberá realizar unos cuantos nudos como prueba. Remate su alfombra con un dobladillo no visible, que puede ser plano o con flecos.

Preparación del hilo

Corte los rizos a lo largo y abra el borde de la tira para conseguir los tramos de hilo necesarios

Corte una tira larga de cartón el doble de ancho del largo que se desee y añada 12 mm más para el nudo. Doble el cartón a lo largo, por la mitad. Enrolle el hilo alrededor de la tira sin que se superponga.

Cómo realizar un dobladillo

Doble el cañamazo, de 2,5 a 5 cm hacia atrás. Compruebe que los hilos de la urdimbre y de la trama del doblez estén alineados y teja las primeras hileras de nudos a través del doblez.

Cómo añadir un fleco

Haga un dobladillo tal como hemos visto. Deje la primera hilera de agujeros del cañamazo a lo largo del borde del doblez sin tejer. Una vez terminada la alfombra, anude hebras de hilo más largas al dobladillo para formar un fleco.

ALFOMBRAS TRENZADAS

ESTE TIPO de alfombra se confecciona con tiras de tejido trenzadas. Los rollos de trenzas se unen hasta que la alfombra tenga la medida deseada. Se necesita una gran cantidad de tela, ya que las tiras quedan reducidas a una tercera parte de su longitud al trenzarse. La lana es lo mejor para conseguir alfombras duraderas, aunque los algodones poco pesados resultan también muy atractivos y vistosos. Utilice el mismo tipo y peso de tejido en toda la alfombra para que la textura sea uniforme. Existen dos maneras básicas de utilizar el color. Las rayas o bandas se consiguen trenzando primero en un color y luego, en otro. Los efectos multicolores se crean trenzando tiras de tres colores diferentes o añadiendo tiras de tejido con muestras.

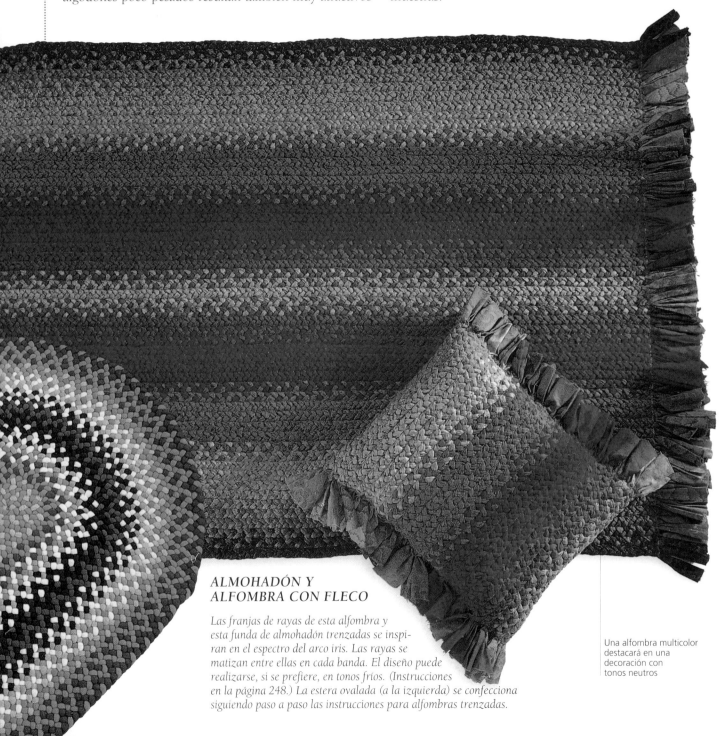

ALMOHADÓN Y ALFOMBRA CON FLECO

Las franjas de rayas de esta alfombra y esta funda de almohadón trenzadas se inspiran en el espectro del arco iris. Las rayas se matizan entre ellas en cada banda. El diseño puede realizarse, si se prefiere, en tonos fríos. (Instrucciones en la página 248.) La estera ovalada (a la izquierda) se confecciona siguiendo paso a paso las instrucciones para alfombras trenzadas.

Una alfombra multicolor destacará en una decoración con tonos neutros

PREPARACIÓN DEL TEJIDO

Antes de empezar, lave las telas, sobre todo si son nuevas. Córtelas en tiras largas que correspondan al recto del tejido. Normalmente éstas miden de 2,5 a 4 cm de ancho; la medida depende del peso del tejido y del grosor deseado para las trenzas acabadas. Antes de empezar a cortar todas las telas, experimente tejiendo unas cuantas trenzas cortas de diferentes grosores.

Cómo unir las tiras

1 Corte un extremo corto de cada tira en diagonal.

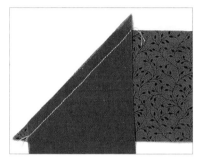

2 Coloque las dos tiras, con ambas caras al derecho, juntas y con los extremos cortados en diagonal y unidos, como se muestra arriba. Cosa las tiras a máquina o pespuntee a mano, por la diagonal.

3 Abra las tiras unidas hacia fuera y recorte las esquinas de las costuras que sobresalgan.

Cómo doblar las tiras

1 Ponga cada tira plana con la cara derecha hacia abajo. Doble los lados de los bordes hacia el centro.

2 Vuelva a doblar las tiras a lo largo de la línea central, por la mitad. Hilvane a lo largo de los bordes abiertos para que la tira doblada no se mueva o plánchela para que quede plana. Planchándolas se consiguen trenzas mucho más planas.

TRENZADO DE LAS TIRAS

Le será más fácil tejer con las manos libres. Una vez haya unido las tres tiras, utilice una abrazadera para fijar la trenza mientras teje o bien sujete la parte superior de la trenza con un imperdible, y cuélguela de un gancho atornillado a la pared. Cuando quiera dejar de trenzar, sujete el final de la trenza con una pinza para que no se deshaga. Usando una plegadora de tejido en cada tira conseguirá que los dobleces sean iguales.

1 Una dos tiras, tal como se muestra a la izquierda. Coloque una tercera tira dentro del doblez, con el borde abierto a la derecha. Cosa, a lo largo, los tres extremos superiores de las tiras para que queden fijas.

2 Pase la tira derecha sobre la tira del centro y mantenga el borde abierto a la derecha.

3 Pase la tira izquierda sobre la nueva tira del centro manteniendo el borde abierto a la derecha.

4 Continúe trenzando alternativamente, pasando la tira derecha y la izquierda sobre la del centro. Mantenga siempre los bordes abiertos a la derecha de cada tira para que no se vean al trenzarlas.

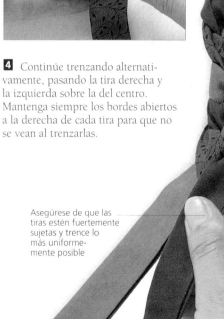

Asegúrese de que las tiras estén fuertemente sujetas y trence lo más uniformemente posible

CÓMO AÑADIR NUEVAS TIRAS A LA TRENZA

De vez en cuando, necesitará coser tiras nuevas de tejido a los extremos de las tiras trenzadas para aumentar la longitud total de la trenza. Corte las tiras trenzadas en diferentes medidas para que los añadidos no coincidan siempre en el mismo sitio. Cosa cada tira añadida a la tira trenzada justo antes de pasarla al centro para que, al cruzar la siguiente sobre ésta, no se vea la costura.

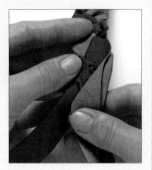

1 Sujete el final de la trenza con una pinza para que no se deshaga. Corte el final de la tira en diagonal.

2 Corte un extremo de la tira que va a añadir y cosa las dos tiras a lo largo de la diagonal. Vuélvalas a doblar y continúe trenzando.

ALFOMBRAS REDONDAS

Las alfombras redondas trenzadas deben tejerse en espiral. Para que la trenza curvada se mantenga plana, añada más bucles o anillos en el borde exterior. Estos bucles extra se llaman "vueltas en redondo". Para formar las curvas cerradas del centro de una alfombra, las vueltas en redondo deberán repetirse hasta doce veces seguidas. A medida que la alfombra aumente de tamaño, necesitará menos vueltas en redondo y podrá continuar trenzando de forma normal.

1 Una tres tiras de tejido y efectúe el trenzado normal.

2 Para empezar una vuelta en redondo, pase la tira izquierda al centro.

3 A continuación, pase lo que es ahora la tira izquierda por encima de la tira del centro otra vez.

4 Pase la tira derecha, tensa, por encima del centro para que la trenza se curve hacia la derecha. Continúe trenzando normalmente hasta que necesite efectuar otra vuelta en redondo.

ALFOMBRAS OVALADAS

Para confeccionar una alfombra ovalada, comience con un tramo de trenza recta en el centro y enrolle el resto de trenza alrededor, en espiral. Para curvar la trenza, necesitará efectuar tres vueltas en redondo en cada extremo del tramo de trenza recta (ver pasos 1 al 4 para confeccionar alfombras redondas).

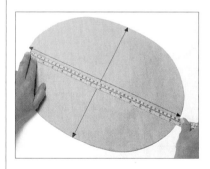

1 La longitud de la trenza recta, que inicia la espiral, dependerá de la medida de la alfombra acabada. El largo de la trenza será igual a la diferencia entre el largo y el ancho de la alfombra terminada.

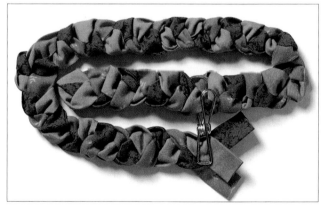

2 Extienda el largo recto de la trenza y, después, teja tres vueltas en redondo para que el trenzado se tuerza. Continúe en trenzado recto hasta la próxima curva y efectúe tres vueltas en redondo para que la trenza se enrolle alrededor del extremo inicial. Siga trenzando en línea recta y efectuando vueltas en redondo cuando sea necesario.

COSIDO DE LAS TRENZAS

Este método para unir es más rápido y resistente que el de coser tejido. Necesitará una aguja de zurcir para coser el hilo de cordón y una de tapicería de punta roma, o una para cordón (diseñada especialmente para las labores de trenzado) para tejer. Cosa las trenzas de igual peso con hilo de coser moqueta y los tejidos ligeros con hilo fuerte de coser colchas. Teja siempre sobre una superficie plana. Aquí se ha utilizado un hilo que contraste para que se vea bien, pero normalmente se usa hilo del mismo tono.

Cosido recto

Coloque las trenzas una junto a otra. Deslice la aguja a través del primer bucle de la trenza de la mano derecha y, a continuación, el bucle correspondiente de la mano izquierda. Tire del hilo con fuerza. Siga cosiendo con el hilo tenso para que la unión sea casi invisible.

Cosido en curvas

En una alfombra redonda, la trenza exterior será más larga que la interior. Tejiendo como si se tratase de un cosido recto, deje de coser, de vez en cuando, un bucle de la trenza exterior para que la alfombra quede plana.

Cosido oval

1 Para las alfombras ovaladas, necesitará combinar cosidos rectos y curvados. Partiendo del centro de la trenza, teja hacia la primera curva empezando por el extremo inferior de la trenza.

2 Cuando llegue a la curva, cambie de dirección y siga hasta la siguiente.

ENTRETEJIDO DE LAS TRENZAS

Es preciso utilizar un ganchillo largo para poder tejer con este método de unión. Las trenzas rectas se tejen más fácilmente, aunque no quedan tan planas como en el método anterior. En las curvas deben pasarse dos tiras sucesivas a través del mismo bucle.

Haga una trenza y teja la segunda más cercana a ésta. A medida que cada tira pase por el interior (*izquierda*), estírela con el ganchillo a través del correspondiente bucle de la trenza terminada (*derecha*).

REMATADOS

Cuando haya terminado la alfombra, debe dar la vuelta al extremo final de la trenza y fijarlo. Cosa con esmero los extremos a la alfombra.

Cómo rematar una trenza recta

Cosa los extremos inferiores de la trenza hacia atrás, por dentro de los bucles de la tira por el revés de la labor. Cóselos con pequeños puntos con hilo del mismo tono. Recorte el tejido que sobresalga por los extremos finales.

Cómo rematar una trenza curvada

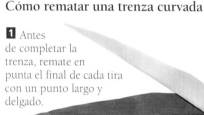

1 Antes de completar la trenza, remate en punta el final de cada tira con un punto largo y delgado.

2 Al continuar, la trenza se irá haciendo más fina. Alforce los extremos finales dentro de los bucles de la hilera contigua y fíjelos con puntadas cortas y con hilo del mismo tono.

TÉCNICAS DE ACABADO

LOS BORDES INACABADOS de una alfombra tejida con gancho suelen rematarse con un ribete. Conseguirá una alfombra anudada más resistente si cose una tira de ribete por detrás de todo el dobladillo que la bordea. Puede forrarse por detrás, pero no es absolutamente necesario.

De hecho, muchas personas consideran que es mejor que la suciedad y el polvo pasen a través de la base de tejido en vez de que quede atrapado entre la base y el forro. De todos modos, si desea forrarla, utilice una arpillera gruesa, o bien cualquier tejido fuerte y tupido.

RIBETEADO

Para proteger del uso y de posibles desgarrones los bordes inacabados de una alfombra, debe ribetearlos. Los ribetes para alfombras son cintas fuertemente tejidas y especialmente diseñadas para este menester. Compre ribete suficiente para coser todo el borde de la alfombra, y añada 5 cm suplementarios para sobreponer los extremos finales. Para coser el ribete a la alfombra se necesita hilo de algodón o lino grueso, una aguja fuerte y un dedal.

Cómo ribetear una alfombra rectangular

1 Recorte la base de tejido dejando 2 cm alrededor del área tejida. Extienda el ribete por la cara derecha de la alfombra, para que el borde interior del ribete esté alineado con el borde exterior del área tejida. Afloje la cinta alrededor de las esquinas y cósala cerca del borde interior de la cinta.

2 Doble el ribete y la base de tejido hacia el revés de la alfombra. Ingletee las esquinas doblando el ribete que sobra por dentro para formar un pliegue en diagonal bien hecho. Cosa la cinta a la alfombra y las esquinas en escuadra por la diagonal.

Cómo ribetear una alfombra redonda u ovalada

Recorte la base de tejido dejando un margen de 2 cm. Efectúe pequeños cortes alrededor de las curvas para que la base pueda extenderse plana cuando la doble hacia el revés. Para unirla, proceda como si se tratase de una alfombra rectangular, doblando la cinta sobrante en pequeñas sesgaduras por el revés de la alfombra.

FORRADO

Si desea forrar la alfombra, utilice un tejido fuerte y tupido como la arpillera gruesa. El método de "dar la vuelta" (volver del derecho) es una forma rápida de forrar pequeños tapetes a los que se puede dar la vuelta fácilmente. Para las alfombras grandes, emplee el método de revés con revés. Cuando cosa el forro a la alfombra, compruebe que la parte recta de ambos tejidos esté en la misma posición.

Cómo volver del derecho

Recorte la alfombra a la medida, dejando 12 mm de base de tejido. Corte el forro a la misma medida. Coloque el forro y la alfombra encarados al derecho. Cósalos por el borde de la labor y deje una abertura para poder darles la vuelta. Vuélvalos al derecho y cosa la abertura con puntos invisibles.

Método de revés con revés

Corte la base de tejido y el forro dejando un margen de 2,5 cm alrededor del área tejida. Ingletee las esquinas de ambos tejidos y haga un dobladillo en cada uno, por el revés. Sujete juntos los reveses del forro y la base con alfileres. Cosa los dos bordes con punto de escapulario (*ver página 131*).

LIMPIEZA Y CUIDADO DE LAS ALFOMBRAS

Guarde el hilo y los tejidos sobrantes para arreglos posteriores. Para remendar una alfombra confeccionada con gancho, corte y estire con cuidado los puntos por el revés del área estropeada. Anude o teja con gancho el área con el hilo sobrante.

Sacuda y pase el aspirador a la alfombra regularmente. Limpie las manchas lo antes posible con una tela húmeda y con un quitamanchas de confianza. Al guardar la alfombra, enróllela (no la doble) con el pelo hacia dentro y envuélvala en una sábana limpia.

INSTRUCCIONES

COJÍN FORMADO CON CUADROS DE MUESTRAS

Página 26

Materiales: Use restos de hilos y téjalos con las agujas apropiadas. Compre un relleno para cojines cuadrados de 35 cm de lado.

Frente: Teja 4 piezas de 11,5 cm por 23 cm en los siguientes puntos: A Zigzag doble (ver página 29), B Punto de escalera (ver página 27), C Punto de cesta (ver página 29), D Canalé 3 x 3 (ver página 27) y una pieza de 11,5 cm de lado en E Cordoncillo a punto bobo (ver página 29)

Detrás: Teja una pieza de 34 cm de lado en pt jersey.

Coloque las piezas de acuerdo con el esquema, o como prefiera. Una las piezas. Cosa el frente con la parte de atrás uniéndolos por tres de los lados. Introduzca el relleno para cojín, y cosa el cuarto lado a punto de escalera.

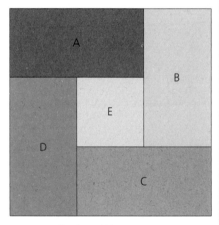

Cojín cuadrado tejido

COJÍN FORMADO CON RECTÁNGULOS DE MUESTRAS

Página 26

Materiales: Use restos de hilo y teja con las agujas adecuadas. Compre un relleno para cojín de 45 cm por 36 cm.

Frente: Teja 6 piezas de 18 cm por 15 cm en los puntos siguientes: A Textura salpicada (ver página 28), B Falso canalé de pescador (ver página 27), C Celosía cuadrada (página 29), D Canalé con punto diagonal (ver página 28), E Punto de arroz doble (ver página 28), F Brocado de diamantes (ver página 28).

Detrás: Teja una pieza de 45 cm por 36 cm en pt jersey.

Coloque las piezas de acuerdo con el diagrama o como usted desee. Una 3 piezas juntas por el lado más largo para formar una tira. Repita con las otras 3 piezas. Una horizontalmente las dos tiras. Cosa el frente y la espalda por e lado, introduzca el relleno del cojín y cosa el cuarto lado con punto de escalera.

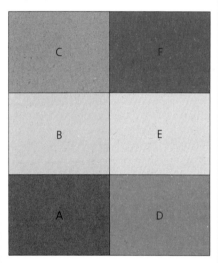

Cojín rectangular tejido

JERSEY DE ESPIGAS

Página 37

Materiales: 460 (570-570) gr de lana gruesa, agujas de tejer de 6 mm o del número adecuado que iguale la tensión de la muestra.

Tallas: Damos las instrucciones para la talla pequeña. Las tallas mediana y grande se indican entre (). Si sólo aparece una cifra, es adecuada para todas las tallas.

Medidas: 4 pts = 2,5 cm; 6 vueltas = 2,5 cm.

Medidas finales: Pecho: 90 cm (96c m - 103 cm); Anchura delantera tomada desde la sisa: 46 cm (49 cm - 53 cm); Anchura de la espalda en la sisa: 44 cm (46 cm - 50 cm); Largo de sisa: 44,5 cm; Anchura de la manga en la sisa: 33,5 cm (35 cm - 36 cm).

Delantero: Monte 73 (77-83) pts. Teja en canalé d1, r1 durante 4 cm, aum 0 (1-0) pt en última vuelta - 73 (78-83) pts.

Vuelta siguiente (revés de la labor):

Muestra de espigas:

Vuelta 1 (derecho de la labor): D3, [r2, d3] hasta el final.

Vuelta 2: r2, [d2, r3] hasta el último pt, d1.

Vuelta 3: r2, [d3, r2] hasta el último pt, d1.

Vuelta 4: D2, [r3, d2] hasta el último pt, r1.

Vuelta 5: D2, [r2, d3] hasta el último pt, r1.

Vuelta 6: r3, [d2, r3] hasta el final.

Vuelta 7: r1, [d3, r2] hasta los últimos 2 pts, d2.

Vuelta 8: r1, [d2, r3] hasta los últimos 2 pts, d2.

Vuelta 9: D1, [r2, d3] hasta los últimos 2 pts, r2.

Vuelta 10: D1, [r3, d2] hasta los últimos 2 pts, r2.

Vueltas 11 a 20: Rep vueltas 1 a 10.

Vuelta 21: Rep vuelta 1.

Vueltas 22 a 27: Rep vueltas 6, 5, 4, 3, 2, *1*, hasta muestr inversa.

Vueltas 28 a 32: Rep vueltas 10, 9, 8, 7, 6.

Vueltas 33 a 42: Rep vueltas 23-32. Rep otra vez vueltas 1 a 42, después rep vueltas 1 a 12 una vez.

Forma de sisas: Siguiendo la muestra, cerrar 2 pts al princ de las siguientes 2 vueltas 69 (74-79) pts. Teja la muestra de Espiga 6 vueltas más, dism 0 (1-0) pts al final de la última vuelta - 69 (73-79) pts.

Canesú acanalado: Trabaje en canalé d1, r1 hasta que las sisas midan 18 cm (18,5 cm-19 cm).

Forma de hombros: Cerrar 17 (18-21) pts de canalé al princ de las siguientes 2 vueltas, después rest 35 (37-37) pts cerrados flojos para el cuello.

Espalda: Montar 69 (73-79) pts. Tejer canalé d1, r1 durante 4 cm. R una vuelta. Tejer en pt jersey hasta tener el mismo largo de sisa que delantero. Coloque un marcador a los dos lados y teja 8 vueltas más.

Canesú acanalado y hombros: Teja como el delantero.

Mangas: Montar 41 (43-43) pts. Teja en canalé d1, r1 durante 11,5 cm para puño vuelto. Continue en pt jersey, aum 1 pt a cada lado de la vuelta 13 y después cada 16 (16-12) vueltas 5 (5-6) veces más -53 (55-57) pts. Siga tejiendo hasta 53,5 cm desde princ, o el largo deseado incluyendo puño vuelto. Cierre.

Acabado: Cierre costura de hombro. Marque el centro superior de manga. Tome como guia la costura de hombros y cosa las mangas colocando los bordes hasta la sisa del jersey. Cosa las costuras laterales y de las mangas.

JERSEY CON PUNTO DE PANAL, PUNTO TRINIDAD Y DIAMANTES DOBLES

Página 30

Materiales: Lana Arán tradicional 850 (910-970-*1020*-1080) g, 1 par agujas de 4 mm, 1 par agujas 6 mm.

Tallas: Las instrucciones se dan para 96,55 cm. Las diferencias para 96,5 cm, 101,5 cm, 107 cm, 112 cm están en ( ). Si sólo aparece un número es para todas las tallas.

Medidas finales: 96,5cm (10,1 cm-107 cm 112 cm-117 cm).

Tensión: 16 pts/20 vueltas = 10 cm pt arroz doble tejido con agujas 6 mm.

Abreviaciones especiales

D2D = teja por detrás de los siguientes 2 pts.

T3D = deslice siguiente pt sobre at, sujete por el revés de la labor, D2D desde la aguja izquierda, r1 a la at.

T3F = deslice siguientes 2 pts sobre at, mantenga por delante de la labor, teja pt al revés desde la aguja izquierda, D2D de la at.

C2F = teja por detrás del 2º punto sobre la aguja, Teja entonces 1 pt jersey en 1 pt, deslizándolos a la vez fuera de la aguja.

C4D = deslice siguientes 2 pts sobre at, sujete por el revés de la labor, teja al derecho 2 pts desde la aguja izquierda, d2 de la at.

C4F = deslice siguientes 2 pts sobre at, mantenga por delante de la labor; d2 de la aguja izquierda, d2 de la at.

C5F = deslice siguientes 3 pts sobre at, mantenga por delante de la labor, d2 desde la aguja izquierda, D2D, r1 de la at.

Punto de arroz doble (nº impar de pts):

Vuelta 1: D1, *r1, d1, rep desde * como indicado.

Vuelta 2: r1, *d1, r1, rep desde * como indicado.

Vuelta 3: como vuelta 2.

Vuelta 4: como vuelta 1.

PANEL A – Punto de panal: 8 pt, rep cada 8 vueltas.

Vuelta 1: D8.
Vuelta 2: R8.
Vuelta 3: C4D, C4F.
Vuelta 4: R8.
Vuelta 5: D8.
Vuelta 6: R8.
Vuelta 7: C4F, C4D.
Vuelta 8: R8.

PANEL B – Punto trinidad: 8 pts, rep cada 4 vueltas.

Vuelta 1: R8.
Vuelta 2: R3jun, [d1, r1, d1] en el siguiente pt; rep una vez más.
Vuelta 3: R8.
Vuelta 4: [D1, r1, d1] en el siguiente pt, r3jun; rep una vez más.

PANEL C – Punto de Diamante Doble: 15 pts, rep en vuelta 24.

Vuelta 1: R5, D2D, r1, D2D, r5.
Vuelta 2: D5, r2, d1, r2, d5.
Vuelta 3: R4, T3D, d1, T3F, r4.
Vuelta 4: D4, r2, d1, r1, d1, r2, d4.
Vuelta 5: R3, T3D, d1, r1, d1, T3F, r3.
Vuelta 6: D3, r2, [d1, r1] dos veces, d1, r2, d3.
Vuelta 7: R2, T3D, [d1, r1] dos veces, d1, T3F, r2.
Vuelta 8: D2, r2, [d1, r1] 3 veces, d 1, r2, d2.
Vuelta 9: R1, T3D [d1, r1] 3 veces, d1, T3F, r1.
Vuelta 10: D1, r2, [d1, r1l 4 veces, d1, r2, d1.
Vuelta 11: T3D, [d1, r1] 4 veces, d1, T3F.
Vuelta 12: R2, [d1, r1] 5 veces, d1, r2.
Vuelta 13: T3F, [r1, d1] 4 veces, r1, T3D.
Vuelta 14: como vuelta 10.
Vuelta 15: R1, T3F, [r1, d1] 3 veces, r1, T3D, r1.
Vuelta 16: como vuelta 8.
Vuelta 17: R2, T3F, [r1, d1] dos veces, r1, T3D, r2.
Vuelta 18: como vuelta 6.
Vuelta 19: R3, T3F, r1, d1, r1, T3D, r3.
Vuelta 20: como vuelta 4.

Vuelta 21: r4, T3F, r1, T3D, r4.
Vuelta 22: como vuelta 2.
Vuelta 23: R5, C5F, r5.
Vuelta 24: D6, r4, d5.
Vuelta 25: R5, D2D, T3F, r5.
Repita las vueltas 2 a 25.

Espalda: Montar 88 (91-97-100-103) pts sobre agujas de 4 mm. Teja 20 vueltas en canalé retorcido como indicamos:

Vuelta 1: *R1, C2F, rep desde * hasta el último pt, r1.

Vuelta 2: *D1, r2; rep desde * hasta el último pt, d1. Aum 1 (2-0-1-2) pts en la última vuelta -89 (93-97-101-105) pts. Cambiar a agujas de 6 mm.

Vuelta 1: Pt de arroz doble 5 (7-9-11-13) pts, r1, vuelta 1 panel A dos veces, r1, C2F, r1, vuelta 1 panel B, r1, C2F, vuelta 1 panel C, C2F, r1, vuelta 1 panel B, r1, C2F, r1, vuelta 1 panel A dos veces, r1, punto de arroz doble 5 (7-9-11-13) pts.

Vuelta 2: Punto de arroz doble 5 (7-9-11-13) pts, d1, vuelta 2 panel A dos veces, d1, r2, d1, vuelta 2 panel B, d1, r2, vuelta 2 panel C, r2, d1, vuelta 2 panel B, d1, r2, d1, vuelta 2 panel A dos veces, d1, punto de arroz doble 5 (7-9-11-13) pts.

Continúe con la muestra indicada, trabajando 5 (7-9-11-13) pts punto de arroz doble a lado y lado de una vuelta hasta que la longitud desde el principio sea de 44,5 cm (46 cm-46 cm-47 cm-47 cm) acabando con vuelta 2.

Forma renglán: Cerrar 6 pts al princ de las siguientes 2 vueltas

Vuelta 1: D1, C2F, r2jun, trabaje según muestr hasta los últimos 5 pts, r2jun, C2F, d1.

Vuelta 2: D1, r2, d1, trabaje según muestra hasta los últimos 4 pts, d1, r2, d1.

Repita estas 2 vueltas 21 veces más; quedarán 33 (37-41-45-49) pts; continue disminuyendo en cada vuelta por dentro del borde inclinado hasta que queden 25 pts. Pase pts a la aguja recoge puntos.

Delantero: Como la espalda hasta que queden 51 pts. Divida para el cuello y pase 9 pts centrales al recogepuntos. Dism en borde de cuello 8 veces 1 pt en vueltas alternativas; a la vez continúe forma renglán como la espalda hasta que queden 2 pts. Teja el otro lado del cuello.

Mangas:

Nota: Las mangas tienen un panel central de 35 pts formados por 2 pts revés, 8 pts panel A, 15 pts panel C, 8 pts panel A, 2 pts revés. El resto de la manga y los aumentos son en punto de arroz doble.

Montar 43 pts con agujas 4 mm. Trabaje 20 vueltas en canalé retorcido como espalda, aum 0 (2-2-2-2) pts en la última vuelta -43 (45-45-45-45) pts. Cambiar a agujas de 6 mm. Teja 4 (5-5-5-5) pts en pt arroz doble a cada lado de la manga. Aum 1 pt en cada borde cada 4 vueltas 15 veces -73 (75-75-75-75) pts. Trabaje hasta que larfo desde centro manga mida 43 cm (46 cm-46 cm-48 cm-48 cm).

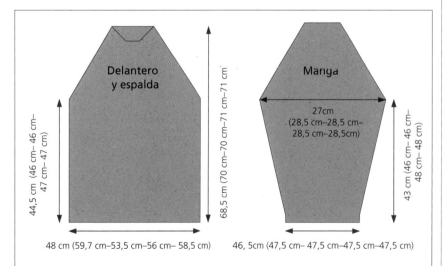

Delantero y espalda

44,5 cm (46 cm- 46 cm- 47 cm- 47 cm)

68,5 cm (70 cm-70 cm-71 cm-71 cm)

48 cm (59,7 cm-53,5 cm- 56 cm- 58,5 cm)

Manga

27cm (28,5 cm-28,5 cm-28,5 cm-28,5cm)

43 cm (46 cm- 46 cm- 48 cm-48 cm)

46, 5cm (47,5 cm- 47,5 cm-47,5 cm-47,5 cm)

Jersey con punto de panal, trinidad y diamantes dobles

Forme renglán como espalda hasta que queden 17 (19-19-19-19) pts. Deje pts en sujeta puntos.

Cuello: Una las dos costuras ranglán de la manga izquierda y costura ranglán delantera de la manga derecha. Con agujas de 4 mm, derechos encarados, recoja 25 pts de detrás del cuello, 17 (19-19-19-19) pts de parte superior manga izquierda, 14 pts del escote delante izquierdo, 9 pts del centro delantero, 14 pts en delantero derecho, 17 (19-19-19-19) pts en parte superior manga derecha -96 (100-100-100-100) pts. Teja 22 vueltas en canalé d1, r1. Cerrar el canalé flojo. Cosa la costura de cuello, doble hacia dentro y cósalo con punto deslizado suficientemente flojo para pasar la cabeza.

Acabado: Cosa la costura ranglán de manga derecha. Una las costuras de mangas y laterales.

CHALECO DE LAS ISLAS ESMERALDA

Página 36

Materiales: Lana tipo Arán 310 (310-400-400) g; Agujas de tejer de 4,5 mm o las adecuadas según tensión; ganchillo de 4,25 mm; aguja de doble punta o para trenzas; 5 botones de 20 mm.

Talla: Instrucciones son para Talla 10 las Tallas 12, 14 y 16 están entre (). Si solo aparece un número, se aplica para todas las tallas.

Tensión: 9 pts = 5cm; 6 vueltas = 2,5 cm. Panel de trenzas: 18 pts = 9cm.

Medidas finales: Pecho: 82,5 cm (87,5 cm- 93 cm- 99 cm). Anchura trasera en sisas: 40,5cm (43 cm-47 cm-49 cm). Anchura de cada delantero en sisa: 22 cm (23,5 cm-25,5 cm-26 cm).

Abreviaciones especiales

T2 (Torcer 2): Desl siguiente pt a at y deje por delante de la labor, k1, k1 de la at.

T6: Desl siguientes 3 pts a at y mantener por detrás de la labor, d3, d3 de la at.

Trenza (trabajado sobre 18 pts):

Vueltas 1, 3, 5, 7 (revés de la labor): D2, r2, d2, r6, d2, r2, d2.

Vueltas 2, 4, 6: R2, T2, r2, d6, r2, T2, r2.

Vuelta 8: r2, T2, r2, T6, r2, T2, r2. Rep estas 8 vueltas para trabajar la trenza del panel.

Espalda: Montar 66 (71-76-81) pts. Princ vuelta r, trabaje en pt jersey hasta 7,5 cm desde princ, acabando vuelta r. Señalar la cintura en cada lado. Continuar en pt jersey, aum 1 pt al final de siguiente vuelta, y dos veces más cada 6,5 cm - 72 (77-82-87) pts. Siga trabajando hasta 28 cm desde princ, o el largo deseado hasta sisa y acabe vuelta r.

Forma de sisas: Cerrar 5 (6-6-7) pts al princ de siguientes 2 vueltas. Dism 1 pt al final de cada vuelta dos veces, después cada vuelta d: 3 (3-4-4) veces - 52 (55-58-61) pts. Siga trabajando hasta que la sisa mida 18 cm (19 cm-19 cm-46 cm), acabando vuelta r.

Forma de hombros: Cerrar 7 (8-8-9) pts al princ de las 2 siguientes vueltas, 8 (8-9-9)

pts al princ de las 2 siguientes. Cerrar rest 22 (23-24-25) pts para el cuello.

Delantero izquiero: Monte 2 pts.

Vuelta 1 (revés de la labor): aum en cada pt -4 pts; marcar princ de vuelta 1 como borde delantero.

Vuelta 2: Aum en el primer pt, d2, aum en último pt.

Vuelta 3: Aum, r4, aum.

Vuelta 4: Aum, r1, d5, aum - 10 pts.

Vuelta 5: Aum, r6, d2, aum.

Vuelta 6: Aum, d1, r2, d6, r1, aum.

Vuelta 7: Aum, d2, r6, d2, r2, aum.

Vuelta 8: Aum, r1, T2, r2, T6, r2, d1, aum - 18 pts.

Vuelta 9: Aum, r2, d2, r6, d2, r2, d2, aum.

Vuelta 10: Aum, d1, r2, T2, r2, d6, r2, T2, r1, aum.

Vuelta 11: Aum, d2, r2, d2, r6, [d2, r2] dos veces aum -24 pts.

Vuelta 12: Aum, d3, colocar marcador en aguja, r2, T2, r2, d6, r2, T2, r2, colocar marcador, d1, aum. (Nota: corra marcadores).

Vuelta 13: aum, r hasta el marcador, d2, r2, d2, r6, d2, r2, d2, r hasta el último pt, aum - 28 pts, con 6 pt jersey en borde lateral, 18 pts en panel de trenza, y 4 pts jersey hasta borde derecho.

Trabaje la trenza empezando en la vuelta 6, sobre los 18 puntos entre marcadores y teja pt jersey por fuera de los marcadores; continúe aum 1 st cada vuelta en el borde lateral 1 (3-3-5) veces más, y 10 (10-13-13) veces más en el borde delantero, trabajando los aum en pt jersey y tejiendo el borde lateral recto cudo los sum laterales estén completos - 39 (41-44-46) pts despuÉs de todos los aum. Siga tejiendo la trenza y el pt jersey, hasta 7,5 cm del último aum en borde lateral. Marque la cintura en el lateral. Siga trabajando el borde delantero recto y aum 1 pt en borde lateral en la siguiente vuelta y dos veces más cada 6,5 cm-42 (44-47-49) sts. Siga trabajando hasta que el borde lateral mida igual que el de la espalda; acabe con una vuelta por el revés.

Forma de sisa y cuello en V:

Vuelta 1 (derecho de la labor): Cerrar 5 (6-6-7) pts, trabajar siguiendo el dibujo hasta los últimos 2 pts, d2jun (dism cuello).

Siguiendo muestr, dism en el borde de sisa 2 veces 1 pt en cada vuelta, después cada 2

vueltas 3 (3-4-4) veces. A la vez, en el borde del cuello, dism 2 veces más 1 pt cada 2 vueltas, después cada 3 vueltas 11 (11-12-12) veces, -18 (19-20-21) pts. Para llegar al hombro, haga 2 vueltas más que en la espalda, acabe en el borde de sisa.

Forma de hombro: Seguir muestr empezando en borde de sisa, cerrar 9 (9-10-10) pts una vez, 9 (10-10-11) pts una vez. En la parte recta del delantero marcar 5 botones a la misma distancia colocando el primero justo debajo del princ del cuello en V y el último justo sobre el último aum inferior.

Delantero derecho: Tejer igual que delantero izquierdo. El final de la vuelta 1 será borde delantero.

Vuelta 3 (revés de la labor): aum, r4, aum -8 pts.

Vuelta 4: aum, d5, r1, aum.

Vuelta 5: aum, d2, r6, aum.

Vuelta 6: aum, r1, d6, r2, d1, aum.

Vuelta 7: aum, r2, d2, r6, d2, aum.

Vuelta 8: aum, d1, r2, T6, r2, T2, r1, aum.

Vuelta 9: aum, d2, r2, d2, r6, d2, r2, aum.

Vuelta 10: aum, r1, T2, r2, d6, r2, T2, r2, d1, aum.

Vuelta 11: aum, [r2, d2] dos veces, r6, d2, r2, d2, aum -24 pts.

Vuelta 12: aum, d1, colocar marcador, r2, T2, r2, d6, r2, T2, r2, colocar marcador, d3, aum. Princ vuelta 13, Trabaje simétrico a delantero izquierdo, girando todas las formas y haciendo ojales como sigue: desde borde delantero, d2, cerrar 2, completar siguiendo mustr. En la siguiente vuelta montar 2 pts sobre los cerrados.

Acabado: Haga dos lazos para la espalda. con un ganchillo haga una cadeneta de 48 cm (50 cm-53 cm-56 cm) o el largo deseado; desl pt en 2ª cad a partir del ganchillo y en las siguientes. Remate. Cierre costura de hombros, adaptando el delantero al borde hombros de la espalda. Cosa las costuras laterales, entrecosiendo el cabo de los lazos a la línea de cintura.

Borde de ganchillo:

Vuelta 1: Ganchillo por el derecho de la labor; deberá empezar por el borde inferior espalda. Mantenga los bordes planos; gd alrededor de todo el borde del chaleco, terminar con pt desl en el primer gd.

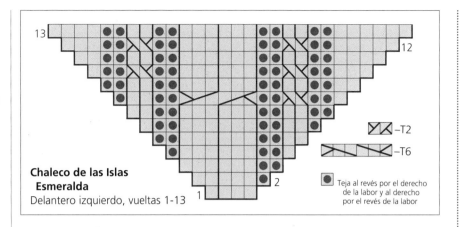

Chaleco de las Islas Esmeralda
Delantero izquierdo, vueltas 1-13

⬛−T2

⬛ Teja al revés por el derecho de la labor y al derecho por el revés de la labor

Vuelta 2: No gire y trabaje de izquierda a derecha, gd en cada gd para formar el cordoncillo, una y remate. Trabaje el mismo borde en cada sisa.

CHAL TEJIDO CON DIAMANTES
Página 42

Materiales: 400g de hilo de dos cabos; aguja de tejer circular de 80cm-100cm de 5mm o la medida adecuada según tensión. Ganchillo de 3,5 mm.
Medidas finales: Borde superior: 160 cm. Largo: 87,5 cm.
Tensión: 12 pts (1 muestr) = 6,5 cm.
Nota: Trabaje hacia delante y hacia atras en la aguja circular; no una en redondo.
Princ en borde superior: montar 297 pts.
Vuelta siguiente: D2, r hasta los últimos 2 pts, d2.

Cenefa:
Vuelta 1 (derecho de la labor): D2, desl 1, d1, pptde, d4, d2jun, * hsa, d1, hsa, desl 1, d1, pptde, d7, d2jun; rep desde * hasta los últimos 11 pts, hsa, d1, hsa, desl 1, d1, pptde, d4, d2jun, d2.
Vueltas 2, 4, 6 y 8: D2, r hasta los últimos 2 pts, d2.
Vuelta 3: D2, desl 1, d1, pptde; d2, d2jun, d1, * [hsa, d1] dos veces, desl 1, d1, pptde, d5, d2jun, d1; rep desde * hasta los últimos 10 pts, [hsa, d1] dos veces, desl 1, d1, pptde, d2jun, d2.
Vuelta 5: D2, desl 1, d1, pptde, d2jun, d2, * hsa, d1, hsa, d2, desl 1, d1, pptde, d3, d2jun, d2; rep desde * hasta los últimos 9 pts, hsa, d1, hsa, d2, desl 1, d1, pptde, d2jun, d2.
Vuelta 7: D2, desl 1, d1, pptde, d2jun, d1, * hsa, d1, hsa, d3, desl 1, d1, pptde, d1, d2jun, d3; rep desde * hasta los últimos 8 pts, [hsa, d1l dos veces, desl 1, d1, pptde, d2jun, d2.
Vuelta 9: D2, desl 1, d1, pptde, d2jun, * hsa, d1 hsa, d4, desl 1, d2jun, pptde, d4; rep desde * hasta los últimos 7 pts, hsa, d1, hsa, [d2jun] dos veces, d2.
Vuelta 10: D2, r2jun, r hasta los últimos 4 pts, r2jun prbu, d2.
Rep vueltas 1 a 10 para formar muestr hasta últimos 9 pts. Teja entonces como sigue:
Vuelta 1: D2, desl 1, d1, pptde, d1, d2jun, d2.
Vuelta 2: D2, r3, d2.
Vuelta 3: D2, desl 1, d2jun, pptde, d2.
Vuelta 4: D2, r1, d2.
Vuelta 5: D2jun, d1, d2jun.
Vuelta 6: D1, r1, d1.
Vuelta 7: Desl 1, d2jun, pptde.
Cerrar.

Borde: Montar 4 pts.
Vuelta 1 (revés de la labor): D2, hsa, d2.
Vueltas 2, 4 y 6: D.
Vuelta 3: D3, hsa, d2.
Vuelta 5: D2, hsa, d2jun, hsa, d2.
Vuelta 7: D3, hsa, d2jun, hsa, d2.
Vuelta 8: Cerrar 4 pts, d hasta el final.
Continúe trabajando estas 8 vueltas hasta que, estirando el borde ligeramente, pueda rodear el chal. Cerrar y coser.

JERSEY MULTICOLOR
Página 51

Materiales: Lana tipo Aran: 200g Rojo A, 100g Amarillo B, 250g Azul C, 150g Verde D, 250g Azul jaspeado E. (Observe que B y D son de algodón mercerizado; A, C y E son hilos fantasía del mismo peso); dos pares de agujas de 3,75 mm y 5 mm o de medida adecuada según tensión; dos botones de 12 mm.
Talla: Es una talla única ya que es una prenda muy amplia.
Tensión: 17 pts = 10 cm; 24 vueltas = 10cm.
Nota 1: La prenda se ha tejido de lado con vueltas verticales
Nota 2: Para el delantero, d vuelta 1 y todas las vueltas impares para el derecho de la labor; r todas las vueltas pares. Para la espalda, r la vuelta 1 y todas las vueltas impares para el revés de la labor; d todas las vueltas pares.
Muestra tipo pata de gallo para el delantero (ver arriba Nota 2 para la espalda):
Vuelta 1 (lado derecho de la labor): D1 D, *d1 B, d3 D; rep desde * hasta los últimos 3 pts, acabar d1 B, d2 D.
Vuelta 2: *R3 B, r1 D; rep desde * hasta el final.
Vuelta 3: *D3 B, d1 D; rep desde * hasta el final.
Vuelta 4: r1 D, * r1 B, r3 D; rep desde * hasta los últimos 3 pts, acabar r1 B, r2 D. Rep vueltas 1 a 4 para formar la muestra

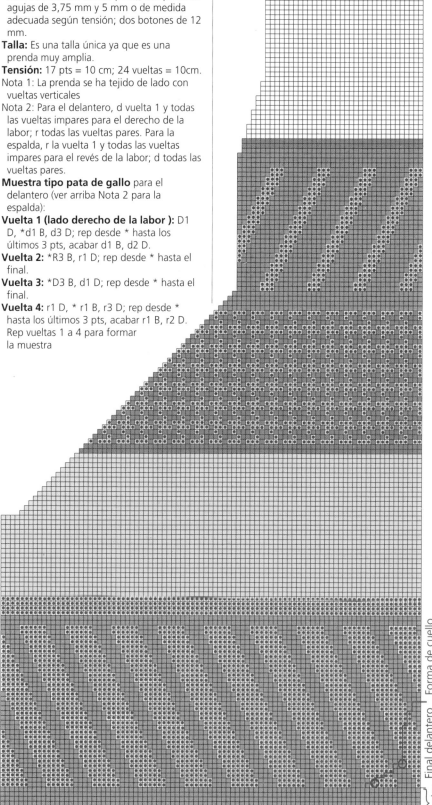

Centro espalda | Final delantero | Forma de cuello derecho

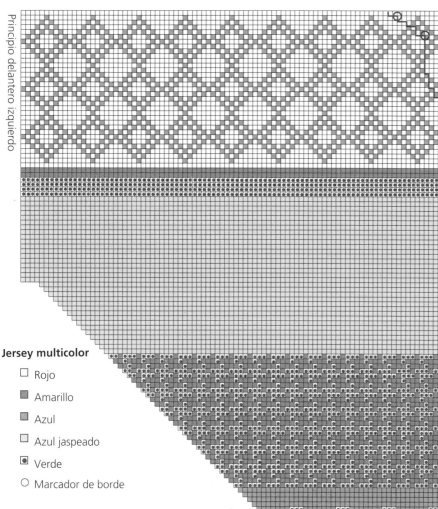

Principio delantero izquierdo

Jersey multicolor

- ☐ Rojo
- ▨ Amarillo
- ▨ Azul
- ☐ Azul jaspeado
- ◉ Verde
- ◯ Marcador de borde

Aumentar bajo el brazo para formar el delantero derecho: D y después r en mismo pt sobre vueltas d; R y después d en el mismo punto en las vueltas r. Si se deben añadir varios puntos a la vez, móntelos en vez de aum.

Disminución bajo el brazo para formar el delantero derecho: Para vueltas d: d1, desl siguiente pt cog-d, d pt siguiente, pptde. Si se disminuyen varios puntos a la vez, en vez de dism, cerrar al princ de la vuelta. Para vueltas r: r hasta los últimos 3 pts, r2jun, r último pt.

Disminución borde cuello para delantero derecho: Para vueltas d: d hasta los últimos 3 pts, d2jun, d último pt. Si se indican 2 dism, d hasta los últimos 5 pts, [d2jun] dos veces, d último pt. Para vueltas r: *r1, r2jun. Si se indican 2 dism, r1 [r2jun] dos veces.

Aumento borde cuello para delantero izquierdo: Para vueltas d: d hasta los últimos 2 pts, *introducir aguja bajo la hebra entre el último pt tejido y siguiente pt y d, d1 *, d el último punto. Cuando se indican 2 aum, d hasta los últimos 3 pts, rep dos veces entre *.*, d último pt. Para vueltas r: r2, * pasar aguja bajo hebra y r1 entre el último st revés y el pt siguiente, r1*, r hasta final. Cuando se señalan 2 aum, repetir otra vez *.* y r hasta el final.

Delantero derecho: Para el borde de muñeca, montar 34 pts con las agujas más

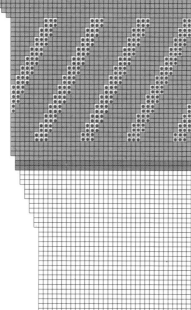

largas y A. Teja en pt jersey siguiendo el esquema de formas y colores. Por ejemplo, con lana A, teja 18 vueltas lisas con 34 pts. **Vuelta siguiente:** aum 1 pt al princ de la vuelta, después aum 5 veces más 1 pt cada 3 vueltas; asegúrese de tejer dos vueltas de Amarillo (B) según el esquema. Empiece la muestra de Pata de Gallo (vea

arriba) en la vuelta 67, siguiendo muestr como indica mientras aumenta por debajo de la manga.

Delantero izquierdo: Montar 79 pts para el delantero con las agujas gruesas y A. Siga esquema para formar el cuello y las diminuciones por debajo de la manga; Teja en pt jersey hasta el borde muñeca.

Espalda: Nota: La espalda igual que las piezas delanteras, pero trabajada en una pieza desde el borde muñeca de la manga derecha hasta el borde muñeca de manga izquierda, con una banda vertical de 6 vueltas de color C en el centro espalda. El cuello espalda se teje recto sin dar forma. Para el borde muñeca de manga derecha monte 34 pts con las agujas gruesas y A. Siga esquema; teja a punto revés las vueltas impares y al derecho las vueltas pares.

Acabado: Casando los dibujos, cosa el delantero a la espalda por la parte superior de mangas y hombros.

Puños: Con C y las agujas más finas, con el lado derecho de la labor hacia usted, recoja 1 pt entre los puntos del borde muñeca - 33 pts. Teja canalé r1, d1 durante 6,5 cm. Cerrar canalé. Coser costuras laterales y de manga.

Canalé con cintura: Derechos encarados, con las agujas más delgadas y C, recoger 1 pt en cada vuelta de todo el borde inferior. Vuelta r1, dism 73 pts repartidos -161 pts. Trabaje 6,5 cm en canalé d1, r1. Cerrar canalé.

Borde delantero izquierdo: Coloque marcadores en borde cuello como se indica en esquema. Empezando en costura de hombro y derecho de la labor hacia usted, recoja con las agujas más finas y color C y d 16 pts hasta primer marcador; recoja y d 7 pts entre este y próximo marcador; recoja y d 5 pts en delantero y canalé de cintura acabe en borde inferior; trabaje 1 vuelta en canalé d1, r1. **Vuelta siguiente:** Siguiendo canalé, teja 16 pts, (d1, r1, d1) en siguiente pt, r1, d1, r1, d1, r1, (d1, r1, d1) en siguiente pt; continue en canalé en rest 95 pts. Teja 4 vueltas más en canalé. Cerrar canalé. Marcar 2 botones, el primero a 2,5 cm del borde inferior y el segundo 4 cm encima.

Borde delantero derecho: Colocar marcadores en borde cuello según esquema. Empezar por borde inferior y con C y agujas finas recoja y d 95 pts hasta primer marcador; recoja y d 7 pts entre marcadores; recoja y d 16 pts hasta costura hombro, y 46 pts por cuello espalda. Teja 1 vuelta en canalé d1, r1. **Vuelta siguiente:** Teja 95 pts siguiendo canalé; (r1, d1, r1) en pt siguiente, d1, r1, d1, r1, d1, (r1, d1, r1) en pt siguiente. Continue canalé en rest 62 pts.

Vuelta con ojales: continúe el canalé y cierre 2 pts en línea en cada marca de botón. **Vuelta siguiente:** Montar 2 pts sobre pts cerrados. Siga dos vueltas en canalé y cerrar. Coser botones y la costura del cuello.

JERSEY CON MUESTRA TIPO CABAÑA DE TRONCOS

Página 56

Materiales: Hilo jaspeado tipo Arán, ovillos de 100 g: 5 Púrpura CP, 1 de cada en Azul oscuro, Fucsia, Rojo, Azul verdoso, Gris y Azul medio; Agujas de tejer de 4 mm y 4,5 mm (5 mm-5,5 mm) o la medida adecuada según tensión, agujas circulares de 40 cm de largo de 4 mm, 4,5 mm y 5 mm, y 4 agujas sujeta puntos.

Talla: Se dan instrucciones para Pequeña (8-19). Los cambios para Mediana (12-14) y Grande (16) se dan entre (). Si sólo aparece una cifra es válida para todas las tallas.

Nota: este suéter se ha realizado con el mismo número de pts para todas las tallas; Se ha utilizado una aguja de tejer diferente para cada talla.

Tensión: 17 pts = 10 cm, 13 vueltas 5 cm en agujas de 4,5 mm; 16 pts = 10 cm , 12 vueltas = 5 cm en agujas de 5 mm; 15 pts = 10 cm, 11 vueltas = 5 cm en agujas de 5,5 mm.

Medidas finales: Busto: 99 cm (105,5 cm-112 cm). Anchura de la manga en sisa: 47 cm (51 cm-55 cm).

Delantero: Montar 83 pts con las agujas más finas y CP. Trabajar en canalé d1, r1 durante 7,5 cm, aum un pt al final de la última vuelta - 84 pts. Cambie a agujas mayores y trabaje en pt jersey siguiendo el esquema para la muestra. Teja una vez el esquema y repita después hasta vuelta 56.

Vuelta 57: siguiendo esquema, trabaje 36 pts y colóquelos en sujetapuntos, teja los 12 puntos centrales y coloque otro sujetapuntos; trabaje rest 36 pts y coloque el tercer sujetapuntos.

Forma de cuello y hombros: lado derecho:

Vueltas 1, 3, 5, y 7: R.

Vueltas 2, 4, 6 y 8: Cerrar 2 pts al princ de cada vuelta - 28 pts. Siga tejiendo hasta completar esquema. Cierre todos los puntos de la vuelta.

Lado izquierdo: Complete como lado derecho invirtiendo la forma de escote.

Espalda: Teja como delantero, pero sin dibujo. Siga tejiendo en pt jersey en CP hasta que mida igual que el delantero.

Forma de cuello y hombros: Cerrar 28 pts. D 28 pts centrales y coloque en el sujeta puntos del cuello espalda. Cierre rest 28 pts.

Manga: Con agujas finas y CP montar 31 (33-35) pts. Teja en canalé d1, r1 rib durante 7,5 cm . Con las agujas más gruesas, vuelta r1, aum 19 pts repartidos en la vuelta -50 (52-54) pts. Siga tejiendo en pt jersey hasta que la pieza enga 13 cm desde princ. Aum 1 st a cada lado de la vuelta siguiente y 14 veces cada 5 vueltas - 78 (80-82) pts. Cerrar flojo cuando la manga mida 51cm desde princ.

Acabado: Cosa el delantero y espalda por los hombros.

Cuello: Con la aguja circular pequeña y cp con LD de cara a usted, recoja y d 76 (80-84) pts alrededor del borde de cuello incluyendo pts de sujetapuntos de delante y de espalda. Coloque marcador al princ de la vuelta; trabaje en canalé d1, r1 durante 6,5 cm más. Cerrar canalé. Para colocar las mangas: marque cada lado del delantero y espalda a 23,5 cm (25,5 cm-27,5 cm) de la costura de hombro. Cosa mangas entre los marcadores. Una las costuras laterales y de manga.

CHAQUETA CON AMAPOLAS BORDADAS

Página 57

Materiales: Ovillos de 100 g de lana acrílica gruesa: 5 (5-6) ovillos en Azul oscuro CP, 1 ovillo Terracota CC. Para el bordado: 45 cm de tejido fino color azul oscuro; Lana de estambre, madejas de 38 m -1 de cada en Verde, Rojo y Terracota; Madejas de 10 m -2 de cada en Verde claro, Marrón, Terracota claro, Azul claro, Azul, 1 madeja color oro, 3 madejas Rosa; Agujas de tejer de 4,5 mm y 5,5 mm o las adecuadas según tensión; 3 sujetapuntos; seis botones de 15 mm de diámetro; aguja lanera o de tapicería.

Tallas: Se dan instrucciones para Pequeña (8-10). Los cambios para Mediana (12-14) y Grande (16-18) están entre (). Cuando aparece sólo un número es válido para todas las tallas.

Tensión: 15 pts = 10 cm; 20 vueltas 10 cm.

Medidas finales: Busto: 92 cm (99,5 cm-108,5 cm); Anchura de manga en sisa: 54,5 cm.

Espalda: Montar 69 (75-81) pts con las agujas más finas y CP. Tejer canalé retorcido como sigue:

Vuelta 1 (derecho de la labor): D1, r1, *d1 prbu, r1; rep desde *, acabando d1.

Vuelta 2: r1, *d1 prbu, r1; rep desde *. Rep vueltas 1 y 2 durante 7,5 cm , acabando con una vuelta por el revés. Cambie a las agujas más gruesas y trabaje en pt jersey con CP hasta que la pieza mida 16,5 cm desde princ, acabando con una vuelta r. Continue en pt jersey, tejiendo la muestra como a continuación:

Nota: Para evitar agujeros, cuando cambie los colores, retuérzalos juntos por el lado revés y deslice floja por detrás la hebra del color que usa.

Vuelta 1: con CP, d.

Vuelta 2: con CP, r.

Vuelta 3: D1 CP, *d1 CC, d5 CP; rep desde *, acabando d1 CC, d1 CP.

Vueltas 4, 6 y 8: con CP, r.

Vueltas 5, 7, y 9: con CP, d.

Vuelta 10: R4 CP, *r1 CC, r5 CP; rep desde *, acabando última rep, r4 CP.

Vueltas 11 y 13: con CP, d.

Vueltas 12 y 14: con CP, r.

Rep vueltas 1 a 14 para formar muestra hasta que la pieza mida 53 cm desde princ, acabando con una vuelta r.

Forma de hombros y cuello: con CP, cerrar 22 (24-26) pts; d 25 (27-29) pts centrales y coloquelos en sujetapuntos para el cuello; cerrar rest pts.

Delantero izquierdo: Con las agujas más finas y CP, montar 31 (35-37) pts. Tejer a canalé retorcido durante 7,5 cm, acabando con una vuelta por el revés, inc 1 pt al final de la vuelta sólo en talla mediana y pequeña -32 (35 38) pts. Cambie a agujas más gruesas y trabaje en pt jersey con CP hasta que la A) pieza mida 16,5 cm desde princ, acabando con una vuelta r.

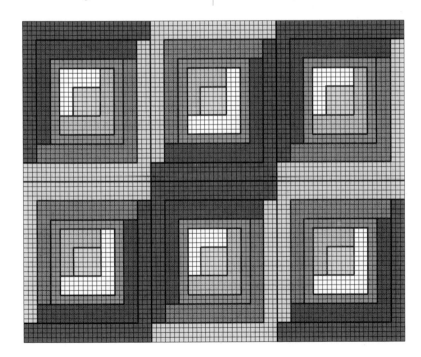

Cuello cisne con cabaña de troncos

| ■ Púrpura CP | ■ Azul oscuro | □ Fucsia |
| ■ Rojo | ■ Azul verdoso | □ Gris | ■ Azul medio |

Delantero

Centro

Espalda

Doblar

Manga

■ Rojo
■ Marrón
□ Amarillo
■ Azul claro
■ Azul
□ Dorado
■ Rosa

Cardigan con amapolas bordadas

1 cuadrado = 2,5 cm

Tejiendo la vuelta r como indicamos: r13 (12-13), coloque el marcador sobre aguja, r rest pts. Nota: suba el marcador cada vuelta y continúe tejiendo los 13 (12-13) pts hasta marcador sólo con CP, y resto pts siguiendo esta muestra:

Vuelta 1: Con CP, d.
Vuelta 2: Con CP, r.
Vuelta 3: D1 (0-1) CC, *d5 CP, d1 CC; rep desde *, acabando d O (5-0) CP.
Vueltas 4, 6, y 8: Con CP, r.
Vueltas 5, 7, y 9: Con CP, d.
Vuelta 10: R3 (2-3) CP, *r1 CC, r5 CP; rep desde *, acabando r1 CC, 3 (2-3) CP.
Vueltas 11 y 13: Con CP, d.
Vueltas 12 y 14: Con CP, r.
Repetir las vueltas 1 a 14 para formar la muestra. Siga tejiendo hasta que la pieza mida 48 cm desde princ, acabando con una

vuelta por el derecho de la labor.
Forma del cuello: Siguiendo la muestr, trabaje 4 (4-5) pts y coloquelos en un sujetapunts. En el mismo borde, cerrar 2 pts alternativamente 3 veces; Dism después 1 pt 0 (1-1) veces, quedan -22 (24-26) pts. Siga tejiendo hasta que el delantero mida igual que la espalda. Para el hombro, cerrar 22 (24-26) pts en el borde lateral.
Delantero derecho: Teja como delantero izquierdo pero invirtiendo muestra y hechuras.
Mangas: Montar 37 (39-41) pts con las agujas más finas y CP. Teja a canalé retorcido durante 7,5 cm, acabando con una vuelta por el derecho. Cambie a agujas más gruesas y r una vuelta, aum

8 (6-4) pts regularmente distribuidos -45 pts. Teja en pt jersey con sólo CP hasta que la pieza mida 11,5 cm desde princ. Aum 3 veces 1 pt a cada lado cada 4 vueltas - 51 pts. Siga la muestr como indicamos y siga aumentando cada 4 vueltas hasta tener 81 pts.
Vuelta 1: Con CP, d.
Vuelta 2: Con CP, r.
Vuelta 3: D1 CP, *d1 CC, d5 CP; rep desde *, acabando d1 CC, d1 CP.
Vueltas 4, 6, y 8: Con CP, r.
Vueltas 5, 7, y 9: Con CP, d.
Vuelta 10: R4 CP, *p1 CC, r5 CP, rep desde *, acabando última rep r4 CP.
Vueltas 11 y 13: Con CP, d.
Vueltas 12 y 14: Con CP, r.
Rep vueltas 1 a 14 para formar muestr hasta que la manga mida 51 cm desde princ. Cerrar flojo.

Acabado: De forma a las piezas con cuidado. Aumente y traslade el dibujo al tejido azul oscuro, invirtiendo el diseño en el delantero izquierdo y la manga. Corte el tejido por el borde del dibujo e hilvánelo al LR del suéter a 1 o 2 vueltas de bordes y canalé. Desde LR, pase bastilla sobre el dibujo para marcar el lado derecho de las piezas del suéter, usando la bastilla como guía para el bordado. Borde las volutas con vueltas a punto de tallo en color Terracota, detalles en Terracota claro. Teja con punto de contorno (tallo) las hojas y tallos verdes y la parte superior con Verde claro. Las flores con punto satén largo y corto y el centro con nudos franceses, vea los colores en el diagrama. Saque hilvanes y pula uniendo el tejido alrededor del bordado. Después de completar el bordado cosa delanteros y espalda por los hombros.

Tira de cuello: Con agujas más finas y derechos encarados, con CP recoja y d todos los pts de sujetapuntos y 4 1/2 pts cada 2,5 cm en los bordes de cuello delanteros. Teja en canalé retorcido durante 8 vueltas. Cerrar canalé.

Borde delantero izquierdo: Con agujas más finas y derechos encarados, con CP, recoja y d 4 1/2 pts cada 2,5 cm en el centro delante. Teja en canalé retorcido durante 8 vueltas. Cerrar canalé. Marcar 6 botones, colocando el superior a 2,5 cm por debajo centro de cuello y el inferior a 4 cm sobre borde inferior, espacie el resto entre ellos.

Borde delantero derecho: Con agujas más finas y derecho de cada a usted, con CP, teja igual como borde delantero izquierdo en canalé retorcido durante 3 vueltas.

Fila de botones: Cerrar 2 pts según marcadores en lado opuesto

Vuelta siguiente: Montar 2 pts sobre pts cerrado. Teja 3 vueltas más en canalé. Cerrar canalé. Coser botones. Coser mangas y costuras laterales y de manga después.

BUFANDA MULTICOLOR
Página 57

Materiales: Unos 250 g de lana gruesa en diez colores; agujas de tejer de 6 mm o la medida adecuada según tensión.

Tensión: 4 pts = 2,5 cm en pt jersey.

Montar 33 pts. Con color A trabajar a punto de arroz: D1, *r1, d1; Repita desde * hasta el final. Repita esta vuelta durante 11,5 cm; acabando en una vuelta por el revés. Cambie a color B.

Trabaje la muestra de punto de avellana doble

Vuelta 1: D.

Vuelta 2: R.

Vuelta 3: D1, *hacer el punto de avellana doble como sigue: d dos veces por delante y detrás del bu, después deslice 2°, 3° y 4° pts sobre 1 pt jersey, d5; Repita desde * hasta los últimos 7 pts, d5, haga avellana doble, d1.

Vuelta 4: R.

Vuelta 5: D.

Vuelta 6: R.

Vuelta 7: D4, *haga avellana doble, d5; Repita desde * hasta los últimos 5 pts, haga avellana doble, d4.

Vueltas 1 a 7 forman muestr; repita durante 11,5 cm, acabando sobre LD.

Con C, r 1 vuelta, teja a punto de arroz doble como sigue:

Vuelta 1: *D2, r2; Repita desde * hasta el último pt, d1.

Vuelta 2: R1, *d2, r2; Repita desde * hasta el final.

Vuelta 3: *R2, d2; Repita desde * hasta el último pt, r1.

Vuelta 4: D1, *r2, d2; Repita desde * hasta el final.

Vueltas 1 a 4 forman muestr; repita estas vueltas durante 11,5 cm, acabando en LD.

Con D, rep muestr de avellana doble durante 11,5 cm, acabando sobre LD.

Con E, r 1 vuelta. Rep punto de arroz durante 11,5 cm, acabando sobre LD.

Con F, r 1 vuelta. Rep muestr avellana doble durante 11,5 cm, acabando sobre LD.

Con G, r 1 vuelta. Rep punto de arroz doble durante 11,5 cm, acabando en LD.

Con H, rep muestr avellana doble durante 11,5 cm, acabando sobre LD.

Con I, r 1 vuelta. Rep punto de arroz durante 11,5 cm, acabando en LD.

Con J, rep muestr avellana doble durante 11,5 cm. Cerrar.

Para hacer el fleco: Cortar hebras de 25,5 cm de largo en A y J. Con un ganchillo pase 6 hebras dobladas por el borde de la bufanda y anude hasta formar flecos a ambos bordes.

GORRO Y GUANTES NÓRDICOS
Página 60

Materiales: Lana de dos cabos en ovillos de 50 g: 3 Crema A, 1 de cada en Azul B, Ocre C, Tostado D. Juego de agujas de doble punta de 3,25 mm y 3,75 mm.

Talla: Una talla.

Tensión: 7 pts y 7 1/2 vueltas = 2,5 cm con agujas de 3,75 mm sobre muestr.

Medidas finales: Guantes: 10 cm de anchura en el dorso. Largo: 26,5 cm. Gorro: anchura aproxd 48 cm, alto 28 cm.

Manopla derecha: Montar 58 pts con agujas de 3,25 mm y A; dividir entre 3 agujas. Repase para evitar pts torcidos, unir y trabajar en redondo en canalé d1, r1 durante 7,5 cm. Cambie a agujas de 3.75 mm. Trabaje en pt jersey (d cada vuelta) durante 11 vueltas. Añada D.

Próxima vuelta: *D1 A, d1 D; rep en redondo desde *.

Vuelta 2: *D1 D, d1 A, rep en redondo desde *.

Abertura para pulgar: D 32 pts siguiendo esquema (vuelta 1) deslice siguientes 8 pts en sujetapuntos, montar 8 pts, trabaje siguiendo la muestr hasta final. Teja vueltas 2 a 26 según esquema.

Vuelta 27 a 29: Con A, d.

Vuelta 30: Añada D, *d1 A, d1 D; rep en redondo desde *.

Vuelta 31: *D1 D, d1 A, rep en redondo desde *.

Forma superior:

Vuelta 1: *D1, desl 1, d1, pptde, d23, d2jun, d1, colocar marcador en aguja; rep desde * una vez, arrastre los marcadores.

Dism vuelta 2: *D1, desl 1, d1, pptde, d hasta los 3 pts del marcador d2jun, d1; rep una vez desde *.

Rep 8 veces más "Dism vuelta 2" -18 pts. Rompa el hilo, deje un cabo de 38 cm. Una con puntos tipo Injerto (página 65).

Pulgar: Con A, d pts de sujetapuntos, recoja 1 pt en espacio antes de pts montados, 1 pt en cada pt montado, 1 pt en siguiente espacio - 18 pts. repártalos sobre 3 agujas. Trabaje en pt jersey hasta que el pulgar mida 6,5 cm o el largo deseado.

Dism vuelta: D2jun en redondo. Rep última vuelta una vez - 5 pts. Rompa a y deje un cabo de 20cm. Pase el cabo entre pts y desl de agujas. Tire fuertemente y remátelo.

Manopla izquierda: Teja para corresponder a manopla derecha, siguiendo esquema para manopla izquierda y trabajando la abertura del pulgar como sigue: d 18 pts según muestr, desl siguientes 8 pts al sujetapuntos, monte 8 pts y teja siguiendo la muestr hasta final.

Gorro: Montar 128 pts con 3 agujas y A; Repartir en 3 agujas. Procure no torcer pts, una y teja en redondo en canalé d1, r1 durante 10 cm. Cambie a agujas de 3,75 mm. Teja en pt jersey durante 5 vueltas.

Vuelta 6: Añada D, *d1 A, d1 D; rep en redondo desde *.

Vuelta 7: *D1 D, d1 A; rep en redondo desde *.

Break D, d dos vueltas A. Añada B. Siga esquema gorro, vueltas 1 a 25 una vez, rep 4 veces muestr en gorro. Break B. Con A d dos vueltas. Rep una vez vueltas 6 y 7. Rompa D.

Parte superior:

Dism vuelta: * D2jun, d 14; rep en redondo desde * - 120 pts.

En cada vuelta tendrá un punto menos entre dism (d13, d12, d11, etc.), rep "Dism vuelta" 14 veces más - 8 pts. Rompa hilo, deje un cago de 30cm. Pase el cabo entre pts y desl de agujas, estire fuertemente y remátelo.

Pompóm: Enrolle la lana B alrededor de dos círculos de cartón y siga las instrucciones de la página 63.

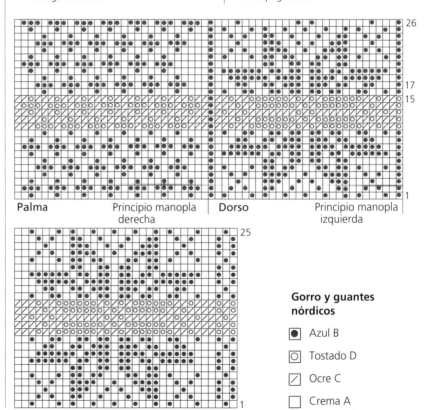

Palma   Principio manopla derecha   Dorso   Principio manopla izquierda

Gorro y guantes nórdicos

- ⦿ Azul B
- ○ Tostado D
- ⧄ Ocre C
- □ Crema A

GANCHILLO

TAPETE CON CUENTAS

Página 98

Materiales: 25 g de algodón para ganchillo n° 20 cuentas pequeñas de cristal o cerámica de aprox 6 mm de diámetro y 12 cuentas más grandes; ganchillo de acero de 1,5 mm o la medida necesaria según tensión. Aguja suficientemente pequeña para pasar por las cuentas.

Talla: 23 cm de diámetro.

Tensión: El tapete mide 8 cm de diámetro después de la vuelta 10.

Abreviatura especial

Ent = Punto entorchado (ver página 95) trabajado con [hag] 10 veces.

Nota: No gire entre vueltas – el derecho siempre de cara a usted.

Para empezar: Cad 4, unir con ptra para formar anilla.

Vuelta 1: Cad 3 (no se cuenta como pt), 12 Ent en anilla, ptra sobre primer Ent.

Vuelta 2: Cad 1 (no se cuenta como pt), 2 pb en cada Ent de toda la vuelta, ptra en primer pb.

Vuelta 3: Cad 1 (no se cuenta como pt), 1 pb en mismo lugar, [cad 3, saltar 1, 1 pb] 11 veces, cad 1, saltar 1, 1 pma en primer pb - 12 bu.

Vuelta 4: [Cad 4, 1 pb en sig bu] 11 veces, cad 2, 1 pa in pma.

Vuelta 5: [Cad 5, 1 pb en sig bu] 11 veces, ch 2, 1 pa in tr.

Vuelta 6: [Cad 4, (3 pa, cad 2, 3 pa) en sig bu, ch 4, 1 pb en sig bu] 6 veces, [ptra en sig cad de primer bucle de 4 cad] dos veces.

Vuelta 7: Cad 1 (no se cuenta como pt), *1 pb in bu cad, cad 4, 3 pa,(2 pa, cad 2, 2 pa) en 2° esp cad, 3 pa, cad 4, 1 pb en sig bu, cad 4; rep desde * 5 veces más dejando sin hacer últimas cad 4 y acabar cad 2, 1 pa en primer pb.

Vuelta 8: * Cad 4, 1 pb en sig bu, cad 4, 5 pa, (2 pa, cad 2 - llamado punta en V, 2 pa)en 2° esp cad, 5 pa,[cad 4, 1 pb en sig bu] dos veces; rep desde * 5 veces más dejando sin hacer último (cad 4, 1 pb) y acabar cad 2, 1 pa en pa.

Vuelta 9: *[Cad 4, 1 pb en sig bu] dos veces, cad 4, saltar (7 pa, 2 cad, 7 tr), 1 pb en sig bu, cad 4, 1 pb en sig bu; rep desde * 5 veces más dejando sin hacer último (cad 4, 1 pb) y acabar cad 2, 1 pa en pa.

Vuelta 10: Cad 3 (cuenta como primer pa), 2 pa introduciendo ganchillo bajo cuerpo del pa que cerraba vuelta alterior , cad 1, *5 pa en sig bu, cad 1; rep desde * en redondo, 2 pa en primer bu, ptra sobre 3 cad - 24 bloques de 5 pa.

Vuelta 11: Cad 1 (no se cuenta como pt), * 1 pb en 3° de 5 pa, cad 4, (3 pa,cad 2, 3 pa) en 3° de sig 5 pa, cad 4, 1 pb en 3° de sig 5 pa, cad 4, introduciendo el ganchillo por esp 2 cad en la punta en V de Vuelta 8 y después en 3° de sig 5 pa trabajar 1 pa, cad 4; rep desde * 5 veces más dejando sin hacer última cad 4 y acabar cad 2, 1 pa en primer pb.

Vuelta 12: *Cad 4, 1 pb en sig bu, cad 4, 3 pa, (2 pa, cad 2, 2 pa) en 2° esp cad, 3 pa,[cad 4, 1 pb en sig bu] 3 veces; rep desde * 5 veces más dejando sin hacer último (cad 4, 1 pb) y acabar cad 2, 1 pa en pa.

Vuelta 13: *[cad 4, 1 pb en sig bu] dos veces, cad 4, 5 pa, (2 pa, cad 2, 2 pa) en 2° esp cad, 5 pa, [cad 4, 1 pb en sig bu] 3 veces; rep desde * 5 veces más dejando sin hacer último (cad 4, 1 pb) y acabar cad 2, 1 pa in tr.

Vuelta 14: *[cad 4, 1 pb en sig bu] 3 veces, cad 4, saltar (7 pa,2 cad, 7 pa), 1 pb en sig]p [cad 4, 1 pb en sig bu] dos veces; rep desde * 5 veces más dejando sin hacer último (cad 4, 1 pb) y acabar cad 2, 1 pa en pa.

Vuelta 15: como vuelta 10 - 36 bloques de 5 pa.

Vuelta 16: cad 1 (no se cuenta como pt), *1 pb en 3° de 5 pa, cad 4, (3 pa, cad 2, 3 pa)en 3° de sig 5 pa, cad 4, [1 pb ien 3° de sig pa, cad 4] dos veces, introduciendo ganchillo a través esp 2 cad en punta en V en vuelta 13 y después en 3° de sig 5 pa trabajar 1 pa, cad 4, 1 pb en 3° de sig 5 pa, cad 4; rep desde * 5 veces más dejando sin hacer última cad 4 y acabar cad 2, 1 pa en primer pb.

Vueltas 17 a 19: Trabajar como en vueltas 12 a 14 con cad 4 bu adicional, como indicado.

Vuelta 20: como vuelta 10 - 48 bloques de 5 pa.

Vuelta 21: cad 1 (no se cuenta como pt), *1 pb en 3° de 5 pa, [cad 4, 1 pb en 3° de siguientes 5 pa] 3 veces, cad 4, introduciendo ganchillo a través esp 2 cad en punta en V de vuelta 18 y después en 3ª de sig 5 pa trabajar 1 pa, cad 4, [1 pb en 3° de sig 5 pa, cad 4] 3 veces; rep desde * 5 veces más dejando sin hacer última cad 4 y acabar cad 2, 1 pa en primer pb.

Vuelta 22: *Cad 5, 1 pb en sig bu; rep desde * toda la vuelta, acabar cad 2, 1 pa en pa.

Vuelta 23: *Cad 6, 1 pb en sig bu; rep desde * toda la vuelta, acabar cad 3, 1 pa en pa.

Vuelta 24: *Cad 7, 1 pb en sig bu; rep desde * toda la vuelta, acabar cad 3, 1 pad en pa.

Vuelta 25: *Cad 8, 1 pb en sig bu; rep desde * toda la vuelta, acabar cad 4, 1 pad in pad. Rematar.

Vuelta 26: Pase el hilo por todas las cuentas para formar lágrimas de 3 cuentas cada una. Indicaciones: *Ensarte 1 cuenta pequeña, una grande y 1 pequeña, después, alrededor de la última y por detrás de la cuenta más grande y la primera más pequeña en dirección contraria; rep desde * 11 veces más. (Nota: Para mover las lágrimas por el hilo, empuje suavemente sobre la última más pequeña). Vuelva a añadir el hilo en el centro de cualquier bu cad.

*Cad 10, coloque la lágrima directamente bajo el ganchillo y cierre firmemente con cad 1, cad 9, 1 pb en sig bu, [cad 8, 1 pb en sig bu] 3 veces; rep desde * 11 veces más, ptra en las uniones de los hilos. Rematar.

COJÍN CON SANDÍA

Página 91

Materiales: Lana doble, 50 g de cada en Rojo A, Blanco B y 25g de cada uno en Verde Pálido C, y verde oscuro D, unos metros en Negro E; ganchillo de 5 mm o medida necesaria según tensión; relleno para cojín de 30 cm de lado; aguja lanera.

Talla: 30 cm de lado.

Tensión: 15 pa = 10 cm; 2 pa vueltas 2,5 cm.

Para empezar: Delante y detrás iguales; utilizando A: cad 4.

Vuelta 1 (lado derecho de la labor): saltar 2 cad, 2 pa en sig, girar - 3 pts.

Vueltas 2 a 22: Girar siempre al final de la vuelta y realizar cad 3 como primer pa de la primera rep de siguiente vuelta. Se cuenta así:

Vuelta 2: [2 pa en sig] 3 veces - 6 pts.

Vuelta 3: [1 pa, 2 pa en sig] 3 veces - 9 pts.

Vuelta 4: [2 pa, 2 pa en sig] 3 veces - 12 pts.

Vuelta 5: [3 pa, 2 pa en sig] 3 veces - 15 pts.

Vuelta 6: [4 pa, 2 pa en sig] 3 veces - 18 pts.

Cont trabajando 1 pa adicional al principio de cada una de las 3 rep de cada vuelta y cambiar el color al trabajar vuelta 20 y utilizar C; en vueltas 21 y 22 utilizar D - 66 pts.

Vuelta 23: Utilizar B, cad 1, 1 pb, 1 pma, 16 pa, 2 pa en sig, 26 pa, 2 pa en sig, 16 pa, 1 pma, 2 pb, girar.

Vuelta 24: 5 ptra, 2 pb, 1 pma, 25 pa, 2 pa en sig, 26 pa, 1 pma, 2 pb, ptra, girar.

Vuelta 25: Cad 1, saltar ptra, 2 pb, 1 pma, 10 pa, [2 pa en sig, 11 pa] dos veces, 2 pa en sig, 10 pa, 1 pma, 2 pa, ptra, girar.

Vuelta 26: cad 1, saltar ptra, 4 ptra, 2 pb, 1 pma, 40 pa,1 pma, 2 pb, ptra, girar.

Vuelta 27: cad 1, saltar ptra, 5 ptra, 2 pb, 1 pma, 9 pa, 2 pa en sig, 10 pa, 2 pa en sig, 9 pa, 1 pma, 2 pb, ptra, girar.

Vuelta 28: cad 1, saltar ptra, 4 ptra, 2 pb, 1 pma, 24 pa, 1 pma, 2 pb, ptra, girar.

Vuelta 29: cad 1, saltar ptra, 4 ptra, 1 pb, 1 pma, 5 pa, 2 pa en sig, 6 pa, 2 pa en sig, 5 pa, 1 pma, 1 pb, ptra, girar.

Vuelta 30: cad 1, saltar ptra, 4 ptra, 1 pb, 1 pma, 12 pa, 1 pma, 1 pb, ptra, girar.

Vuelta 31: cad 1, saltar ptra, 4 ptra, 1 pb, 1 pma, 4 pa, 1 pma, 1 pb, ptra, girar.

Vuelta 32: cad 1, saltar ptra, 3 ptra, cad 3, pma3jun, girar.

Orilla: Cad 1, pb en todo el borde de la pieza, combinando colores y trabajando 3 pb en cada esquina; ptra en primer pb y rematar. Enhebre la aguja con negro y trabaje las pepitas con unas puntadas al azar (con punto de margarita, ver página 133) en una parte de la pieza en A. Con el revés encarado podrá coser la parte delantera a la posterior por 3 lados. Introduzca el relleno para cojín y cosa el 4° lado.

ESTRELLITA

Página 91

Materiales: Hilo doble, 50 g. de cada color A, B, y C; ganchillo de 3,5 mm o medida necesaria según tensión; Anilla de 12 mm para el botón.

Tensión: 4 dc = 2.5 cm.

Nota: Termine todas las vueltas con un punto raso sobre el prime punto. Al principio de cada vuelta a partir de la vuelta 2 trabaje cad 1 (no se cuenta como primer punto). No gire entre vueltas; el derecho siempre de cara a usted.

Para empezar: con A, cad 2.

Vuelta 1: pas 1, 6 pb en sig.

Vuelta 2: 1 pb, [cad 5 para empezar punta, pas 1 cad, 4 pb, 1 pb en sig pb en centro] 5 veces, terminando cad 5 para empezar punta, pas 1 pb, 4 pb - 6 pb en centro y 6 puntos.

Vuelta 3: unir B en pb más cercano a punta de cualquier punto, [4 pb, pas 1 pb en centro, trabajando bajo cad de siguiente punto, 4 pb, cad 2, pas 1 cad] 6 veces.

Vuelta 4: [3 pb, 2 ptra, 3 pb, 3 pb en 2° esp cad] 6 veces. Rematar B.

Vuelta 5: unir C en pb central de cualquier punta, 13 pb en pb central de punta, 4 pb, pas 2 ptra, 4 pb] 6 veces.

Vuelta 6: Ptra en sig pb, [3 pb en pb central de punta, 4 pb, pb2jun, 4 pb] 6 veces.

Vuelta 7: Ptra en sig pb, [3 pb en pb central de punta, 5 pb, pas 1, 5 pb] 6 veces. Rematar C.

Vuelta 8: unir B en cualquier pb, 1 pb en cada pb de vuelta, Rematar. Hacer la 2ª estrella.

Acabado: Lados revés de la labor jun, una los bucles por detrás sólo desde pt central de una punta al pt central de 5ª punta.

Banda: Con 2 hebras B, hacer 70 cm cadeneta. Cosa los cabos en pt central de primera y 5° puntas.

Botón: Pb en anilla de plástico hasta cubrirla. Coser al sexto punta de delante. En la 6° punto de detrás, hacer bu cad adecuado al botón.

CORAZÓN TIERNO

Página 90

Materiales: Hilo doble (madeja de 25 g) 1 madeja en rojo; ganchillo de 5 mm o medida necesaria según tensión; botón.

Tensión: 4 pa = 2,5 cm.

Nota: trabajar las vueltas en espiral contínua.

Para empezar: (Hacer 2): cadeneta 8.

Vuelta 1 (lado derecho de la labor): pas 2, 2 pa en sig, 1 pa, 1 pma, 1 pb, cad 1; mantener rest 2 cad por detrás y trabajar en el otro lado de cad, 1 pb en misma cad, 1 pma, 1 pa, 2 pa en sig, cad 2, ptra en misma cad como primer pa de vuelta - parte superior del corazón.

Vuelta 2: 1 pb en sig cad hecha al princ de Vuelta 1, (1 pb, 1 pma) en sig cad, (1 pma, 1 pa) en pa, 2 pa en sig, 2 pa, 1 pma, 1 pb en cada una de 2 rest cad de cad 8, cad 1; Trabajando en el otro lado de cad, 2 pb, pas cad 1 of Vuelta 1, 1 pma,

2 pa, 2 pa en sig, (1 pa, 1 pma) en sig, (1 pma, 1 pb) en sig cad, 1 pb en sig cad, ptra in ptra.

Vuelta 3: 2 ptra, (1 pb, 1 pma) en sig, *(1 pma, 1 pa)en sig, 2 pa en sig, (1 pa, 1 pma) en sig, ** 3 pma, 3 pb, 1 pb en cad, 3 pb, 3 pma; rep desde * to ** una vez, (1 pma, 1 pb) en sig, 2 ptra.

Vuelta 4: 3 ptra, (1 pb, 1 pma) en pma, (1 pma, 1 pa) en sig, 2 pa en sig, 1 pa, 2 pa en cada uno de sig, 2 pa, 2 pa en sig, 4 pa, (1 pa, cad 1, 1 pa) en sig, 4 pa, 2 pa en sig, 2 pa, 2 pa en cada uno de sig 2, 1 pa, 2 pa en sig, (1 pma, 1 pa) en sig, (1 pma, 1 pb) en sig, ptra to centre. Rematar.

Banda: Hacer 115 cm cad. Girar, pas 1 cad, ptra seguir. Rematar, dejando un cabo de 50 cm.

Acabado: De forma a las piezas. Mantenga los corazones encarados al revés y con aguja o ganchillo, trabaje sobre las dos piezas sujetando firmemente la banda a un lado de la labor como en la fotografía. Continúe uniendo las piezas por su parte inferior hasta el lado opuesto y fije el otro cabo de la banda. Cosa el botón sobre un lado y haga un bucle de cad en el contrario.

ALMOHADÓN CON CUADROS TIPO MOSAICO

Página 91

Medida aproximada: 60 cm x 17 cm (diámetro).

Materiales: 120 g de lana de 4 cabos color principal CP y un total de 170 g en lana de 4 cabos en al menos 20 colores contrastados C a escoger. Ganchillo de 2,25 mm (o medida adecuada según tensión). Relleno para almohadón; material para almohadón, 1 pieza de 62 x 56 cm y dos piezas circulares de 18,5 cm de diámetro.

Tensión: El cuadrado mide 6,5 cm de lado y el motivo circular 17 cm de diámetro.

Nota: Al empezar cada vuelta deberá trabajar cadeneta de vuelta para igualar el primer punto de la primera rep de la muestra como indicamos: Pb - cad 1; pa - cad 3. Termine cada vuelta con ptra sobre este primer punto. No gire entre vueltas - el derecho siempre de cara a usted.

Para empezar el motivo cuadrado: (Hacer 72) usando cualquier C, cad 6, unir con ptra para formar anilla.

Vuelta 1: [3 pa en anilla, cad 2] 4 veces.

Vuelta 2: Ptra en cada pt hasta esquina en 2° esp cad, [(1 pa, cad 1, 1 pa, cad 2, cad 1, 1 pa) en 2° esp cad, cad 1, saltar 3 pa] 4 veces. Rematar.

Vuelta 3: Unir siguiente C en cualquier esquina de esp 2 cad, [(1 pa, cad 1, 1 pa, cad 2, 1 pa,cad 1, 1 pa)en 2° esp cad, cad 1 , saltar (1 pa, 1 cad, 1 pa), (1 pa, cad 1, 1 pa)en esp cad, cad 1, saltar (1 pa, 1 cad, 1 pa)] 4 veces.

Vuelta 4: Ptra en cada pt hasta esquina esp 2 cad, {(1 pa, cad 1, 1 pa, cad 2, 1 pa, cad 1, 1 pa) en esp 2 cad, [cad 1, saltar (1 pa, 1 cad, 1 pa), (1 pa, cad 1, 1 pa) en esp cad] dos veces, cad 1, saltar (1 pa, 1 cad, 1 pa),

1 cad, 1 pa)} 4 veces. Rematar.

Vuelta 5: Unir CP en cualquier esquina esp 2 cad, {(1 pa, cad 1, 1 pa, cad 2, 1 pa, cad 1, 1 pa)en 2° esp cad, [cad 1, saltar (1 pa, 1 cad, 1 pa), (1 pa, cad 1, 1 pa) en esp cad] 3 veces, cad 1, saltar (1 pa, 1 cad, 1 pa)} 4 veces. Rematar.

Para empezar el motivo circular: (Hacer 2).

Nota: Evite unir los nuevos colores en el mismo lugar donde termina la vuelta anterior. Con cualquier C, cad 4, unir con ptra para formar anilla.

Vuelta 1: [1 pa en anilla, cad 1] 12 veces.

Vuelta 2: Ptra en esp cad, [2 pa en esp cad, cad 1, saltar 1] 12 veces.

Vuelta 3: [2 pa, 1 pa en esp cad] 12 veces - 36 pts. Rematar.

Vuelta 4: (y todas vueltas alt): Con CP, pb toda la vuelta, Rematar.

Vuelta 5: con siguiente C, [2 pa, cad 1] 18 veces. Rematar.

Vuelta 7: con siguiente C, [3 pa, cad 1] 18 veces. Rematar.

Vuelta 9: con siguiente C, [4 pa, cad 1] 18 veces. Rematar.

Vuelta 11: con siguiente C, [5 pa, cad 1] 18 veces. Rematar.

Vuelta 13: con siguiente C, [6 pa, cad 1] 18 veces. Rematar.

Vuelta 15: con siguiente C, [7 pa, cad 1] 18 veces. Rematar.

Una los motivos cuadrados para hacer el panel de 9 x 8 motivos.

Remate de conchas: con CP y derecho de la labor de cara a usted, trabajar sobre los 2 lados cortos del panel como indicamos: unir en esquina esp cad, *(1 pb, cad 3, 3 pa - llamado concha) en esquina esp 2 cad, [saltar (1 pa, 1 cad, 1 pa), 1 concha en esp cad] 4 veces, saltar (1 pa, 1 cad, 1 pa), 1 concha en esquina esp 2 cad; rep desde * 7 veces más, dejando sin hacer concha final y acabar con 1 pb en esquina esp 2 cad. Rematar. Deje el borde de la concha libre y cosa los lados cortos del panel a motivos circulares para completar la funda del almohadón. Deje 12 mm de margen para costura, cosa y rellene almohadón. Introduzca el almohadón en la funda de ganchillo y cierre las costuras.

Borlas (Hacer 2): Para cada borla enrolle el hilo aprox. 100 veces alrededor cartón de 10 cm ancho y corte un borde para formar hebras. Doble hebras por la mitad y ate firmememte. Coser en el centro del motivo circular de cada lado.

BOLSITO DORADO
Página 91

Materiales: ovillo de 100 m de hilo 4 cabos; ganchillo de acero de 2,25 mm o medida necesaria según tensión; Anilla de plástico de 5 mm.

Tensión: 5 dc = 2,5 cm; 6 vueltas = 2,5cm.

Para empezar: cad 23.

Vuelta 1: pas 1, pb seguir, girar - 22 pb.

Vuelta 2: cad 1, pb seguir, girar. Rep vuelta 2 hasta que la pieza mida 20 cm, marcar borde para princ de tapeta.

Tapeta: Trabajar 4 vueltas recto, después dism 1 pt a cada lado de la vuelta hasta que queden 2 pts. Rematar.

Cómo unir y terminar: Doble el lado recto a 10 cm; sujete con alfileres. Con el borde doblado hacia arriba añadir hilo al princ del bolso en el lado derecho y, a través de los dos gruesos, tejer 1 pb, * cad 3, ptra entre hebras verticales del mismo pb (piquillo terminado), trabajar 4 pb**, rep desde * a **, tejiendo 3 pb en esquinas y a lo largo del borde inferior doblado, del lado, y después por la tapeta hasta la punta, cad 10 desde bu botton, continuar como desde * para terminar con ptra en primer pb. Rematar.

Banda: Un hilo al princ de tapeta por el derecho de la labor, cad hasta la longitud deseada, girar, ptra en cada cad. Rematar. Unir cabo a lado izquierdo.

Botón: Pb sobre anilla de plástico hasta cubrirla. Rematar. Unir hilo por detrás de botón, cad 1, unir en lado opuesto. Rematar. Coser botón a bolso.

CHAQUETA MULTICOLOR
Página 90

Materiales: 400 g de estambre Negro A, 120 g de cada uno: Verde B, Rosa oscuro C, Rosa D, Naranja E, Escarlata F, Azul G, Púrpura H, Esmeralda I, y 60 g Malva J; ganchillo de 4,25 mm o adecuado según tensión.

Talla: Talla única.

Tensión: Cada motivo = 11,5 cm de lado.

Medidas finales: Pecho (incl. remate) 115 cm, Espalda en sisa: 48 cm.

Motivos: Hacer 93.

Nota: Vueltas 1 y 2 forman centro de motivo; hacer 5 centros en J y 11 centros en cada uno de B, C, D, E, F, G, H, e I. Cada motivo debe ser diferente añadiendo nuevos colores en cada vuelta hasta vuelta 6; repita el color central en vuelta 7. Al empezar cada vuelta teja una cadeneta de vuelta para igualar el primer punto de la primera repetición de puntos, siga: pb - cad 1; pa - cad 3; pad - cad 4. Cierre cada vuelta con un punto raso sobre este primer punto. No gire entre vueltas - el derecho siempre de cara a usted.

Vuelta 1: cad 2, pas 1, 8 pb.

Vuelta 2: [2 pa in pb, cad 3] 8 veces. Rematar.

Vuelta 3: Añadir nuevo color en cualquiera de 3 bu cad, [5 pb en 3 bu cad] 8 veces. Rematar.

Vuelta 4: Añadir nuevo color en pb central de cualquier gr de 5 pb, [3 pb en pb central, 1 pb, pb2jun, 1 pb] 8 veces. Rematar.

Vuelta 5: Añadir color in cualquier pb2jun, [(1 pad, cad 3, 1 pad - esquina) en pb2jun, pa2jun, 7pb, pa2jun] 4 veces. Rematar.

Vuelta 6: Añadir color in cualquier sp esquina, [5 pb en esp esquina, 11 pb] 4 veces. Rematar.

Vuelta 7: Añadir color central en pb central de cualquier esquina, [3 pb en pb esquina, 15 pb] 4 veces. Rematar.

Vuelta 8: Añadir A en pb central de cualquier esquina, [3 pb en pb esquina, 17 pb] 4 veces. Rematar.

Medio motivo: Hacer 1. Con cualquier color cad 2, 5 pb en 2ª cad desde ganchillo. Rematar.

Vuelta 2: Unir mismo color primer pb, cad 6, [2 pa en sig, cad 3] 3 veces, 1 pa.

Vuelta 3: Unir nuevo color en 3ª cad al princ de vuelta 2, 1 pb en misma cad, 4 pb en sig bu 6 cad, [5 pb en sig bu] dos veces, 4 pb en sig bu, 1 pb en último pa. Rematar.

Vuelta 4: Unir nuevo color en primer pb de vuelta 3, cad 1, pas primero, 1 pb (cuenta como pb2jun), [3 pb en sig, 1 pb, pb2jun, 1 pb] 3 veces, 3 pb en sig, pb2jun, Rematar.

Vuelta 5: Unir nuevo color en primer pt de vuelta 4, 1 pb en mismo pt, 2 pb, * pa2jun, (1 pad, cad 3, 1 pad) en sig, pa2jun, **7pb; rep desde * to **, 3 pb. Rematar.

Vuelta 6: Unir nuevo color en primer pb, 5 pb, 5 pb en esp esquina, 11 pb, 5 pb en esp esquina, 5 pb. Rematar.

Vuelta 7: Unir color central en primer pb, 7 pb, 3 pb en pb esquina, 15 pb, 3 pb en pb esquina, 7 pb. Rematar.

Vuelta 8: Unir A en primer pb, 3 pb en mismo pb, 7 pb, 3 pb en pb esquina, 17 pb, 3 pb en pb esquina, 7 pb, 3 pb en último pb, no remate.

Acabado: Coloque los motivos distribuyendo los colores equilibradamente siguiendo los diagramas y colocando el borde central del medio motivo hacia fuera. Con A, por el derecho de la labor una los cuadros trabajando en bu desde pb central de una esquina al pb central de esquina siguiente. Coser los hombros. Coser las costuras de manga (C a C).

Cuello: Con A, teja 1 vuelta pb en un borde largo de la tira vista (borde exterior); No trabaje en las costuras. Con el revés de la labor jun, sujete el collar con alfileres encarando las tiras jun. Después de encarar la tira al borde interior cosa los bordes internos del cuello y tiras vueltas al borde central de la chaqueta en todos los grosores; cosa los motivos de tiras A y B a la sección A y B del cuello de la chaqueta y el motivo central de la tira al medio motivo.

Borde de mangas: Con el derecho de la labor de cara a usted, unir A sobre un lado libre en pb esquina de cualquier motivo; cad 16, ptra en 2ª cad desde ganchillo y cada rest cad; 15 ptra. Introducir ganchillo, hag y pase bu por sig 3 pb en borde del motivo, pase el último bu sobre el ganchillo a través de rest 3 bu en ganchillo, girar.

* Vuelta 1: Cad 1, tejiendo sólo por detrás bu, ptra en cada ptra, girar.

Vuelta 2: Cad 1, tejiendo sólo por detrás bu, ptra en cada ptra, introducir ganchillo, hag y pase un bu entre sig 3 pb del motivo, pasar último bu a través 3 bu en ganchillo. Rep desde * en redondoo, termine en el borde del motivo. Cortar un cabo de 30 cm. Coser en el orillo.

Borde de la chaqueta: Sujete cuello con alfileres y encárelo por borde exterior. Teja el borde cogiendo los dos gruesos. Con el derecho de la labor de cara a usted, unir A en cualquier pb lateral del borde inferior; cad 6, ptra en 2ª cad desde ganchillo y en cada cad rest; 5 ptra. Ptra en sig pb en borde del motivo.

* Vuelta 1: cad 1, girar, tejiendo sólo por detrás bu, ptra en cada ptra.

Vuelta 2: cad 1, girar, tejiendo sólo por detrás bu, ptra en cada ptra; ptra en sig pb en borde de motivo a través de ambos bu. Rep últimas 2 vueltas dos veces; al final de última vuelta, introducir ganchillo, hag y pase un bu entre cada uno de los sig 2 pb en borde motivo, pasando último bu a través de los 2 bu sobre ganchillo. Rep desde * entre 3 pts en pb central de esquina. Tejer 3 canalés en cada uno de sig 5 pb, teja el borde delantero como antes acabando en costura entre los 4º y 5º motivos. Tejer 1 canalé como 1 pt alrededor del cuello para unir los motivos 4º y 5º en el delantero izquierdo. Acabe el canalé como la primera mitad, trabajando en redondo para empezar. Cosa los bordes juntos como en las mangas. Coser mangas.

Cinturón: Con A, hacer cad de 120 cm de largo, pas 1, ptra seguir, girar.

Vuelta 2: Cad 1, ptra por detrás bu seguir. Rep vuelta 2 durante 3 cm. Rematar.

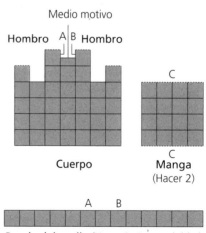

Medio motivo
Hombro A B Hombro
Cuerpo
C
Manga (Hacer 2)
A B
Banda del cuello (Hacer 2: 1 para doblar)

Chaqueta multicolor

PUFF MULTICOLOR

Página 91

Materiales: Hilo doble - 100 g de cada en Rojo A, Amatista B, Azul C, Verde D, Amarillo E, Naranja F, ganchillo de 5 mm o medida necesaria según tensión; Cojín de relleno de 30 cm de diámetro.

Medida: 30 cm de diámetro.

Tensión: 4 pb = 2,5cm
14 vueltas = 2,5 cm.

Nota: Deje cada hilo al final de cada sección de color. En vueltas 2-16 lleve el hilo por el revés para empezar la sècción, después trabaje sobre la hebra. En vueltas 17-22 corte hilo al final de cada sección.

Para empezar: Con A, cad 4, unir con ptra en primer cad para formar anilla, cad 1.

Vuelta 1: Tejiendo en anilla, trabajar 2 pb de cada A, B, C, D, E y F; no una.

Vuelta 2: Tejiendo una espiral en redondo, saltar primer pb, *2 pb en sig, 1 pb en primer pb de siguiente color, cambiar a nuevo color; repetir desde * en redondo.

Vuelta 3: *1 pb, 2 pb en sig, 2 pb en primer pb de siguiente color, cambiar a nuevo color en último pt; repetir desde * en redondo.

Vuelta 4: *2 pb, 2 pb en sig, 1 pb, 1 pb en primer pb de siguiente color, cambiar a nuevo color; repetir desde * en redondo.

Vuelta 5: *2 pb en sig, 1 pb en cada pb de la sección, 1 pb en primer pb de siguiente color, cambiar a nuevo color; repetir desde * en redondo.

Vueltas 6 a 22: Vaya variando la posición de los aumentos para que no caigan uno sobre otro, continúe aumentando 1 pt en cada sección de cada vuelta y desplazando cada sección 1 pt a la izquierda en cada vuelta; acabe última vuelta con ptra en último pt; rematar – 24 pts en cada sección. Realizar de la misma forma la 2ª pieza pero en el siguiente orden de colores – A, F, E, D, C y B. Sujete las piezas con el derecho de la labor fuera. Con hilo a tono, pb alrededor de las dos bases, introducir cojín de relleno antes de cerrar completamente.

JERSEY CON CONCHAS

Página 109

Materiales: 12 ovillos de 250 m en hilo de algodón 4 cabos, ganchillo de 2,75 o medida necesaria según tensión.

Medida: 8-10. Los cambios para talla 12-14 están entre ( ). Si sólo aparece una cifra, se refiere a todas las tallas.

Tensión: 10 mallas = 7,5 cm;
5 vueltas = 5 cm.

Medidas finales: Pecho: 79 cm (85 cm), (La prenda cede y se adapta). Anchura de mangas: 26,5 cm (30 cm).

Nota: Cad 3 al princ de cada vuelta cuenta como 1 pa. Para tejer 1 malla seguir inicial cad 3 o pa, tejer cad 1, pas 1, 1 pa.

Espalda: cad 108 (116).

Vuelta 1 (derecho de la labor): pas 3 cad, 1 pa, *cad 1, sk 1 cad, 1 pa;

rep desde * seguir, girar - 52 (56) mallas.

Vuelta 2: cad 3, 1 pa en primer esp cad, *cad 1, 1 pa en sig esp cad; rep desde * seguir, acabar sobre cad-v, girar.

Rep vuelta 2, llamado punto de malla, hasta completar 28 vueltas.

Forma de sisa:

Vuelta 1: Ptra en cada pt seguir hasta 4º pa,c ad 3, 1 pa en sig esp cad, cont en pt de malla hasta últimos 2 sps – 46 (50) mallas, girar.

Vuelta 2 (Dism): cad 3, pas primer sp, 1 pa en sig esp (dism), cont en pt de malla, acabar pas 1 pa ,1 pa sobre cad-v (dism), girar.

Vuelta 3: como vuelta 2.

Vuelta 4: cad 3, 1 pa en sig esp, cont en pt de malla, acabar cad 1, 1 pa en cad-v, girar – 42 (46) mallas. Seguir recto según muestr hasta que las sisas midan 16,5 cm (18 cm). Rematar. Marcas los 22 esp centrales de última vuelta para formar cuello.

Motivo delantero (hacer tres de 10cm/4 " de lado.)

Abreviatura especial

Esponja - hecha como pma4jun en mismo lugar (ver página 95).

Nota: Empezar cada vuelta con cad 2 (no se cuenta como pt) y terminar con ptra sobre primer pt y en sig cad; Tejer todas las vueltas con Ld de cara a Ud.

Cad 5, ptra en primera cad made para formar anilla.

Vuelta 1: En anilla, tejer [1 Esponja, cad 3, 1 Esponja, cad 2] 4 veces.

Vuelta 2: [(1 Esponja, cad 3, 1 Esponja) en 3 esp cad, cad 2, 4 pa en 2º esp cad, cad 1] 4 veces.

Vuelta 3: [(1 Esponja, cad 3, 1 Esponja) en 3 esp cad, cad 2, 3 pa en 2º esp cad, pas 1 pa, 3 pa,3 pa en esp 1 cad, cad 1] 4 veces.

Vuelta 4: [(1 Esponja, cad 3, 1 Esponja) en esp 3 cad, cad 2, 3 pa en esp 2 cad, pas 1 pa, 8 pa, 3 pa en esp 1 cad, cad 1] 4 veces.

Vuelta 5: [(1 Esponja, cad 3, 1 Esponja) en esp 3 cad, cad 2, 3 pa en esp 2 cad, pas 1 pa, 13 pa,3 pa en esp 1 cad, cad 1] 4 veces. Rematar.

Cosa los cuadros juntos para formar una tira.

Borde: Siga tejiendo a lo largo de la tir, desde LD unir el hilo en esquina derecha, 2 pb en esp esquina, *1 pb en cada pt y esp hasta costura, 1 pb en costura; rep desde * dos veces, acabar 2 pb en último esp de esquina - 79 pb. Rematar. Rep en lado opuesto, pero no remate.

Malla lateral:

Vuelta 1: cad 3, tejer sobre lado corto, 1 pa en esp esquina, cad 1, pas Esponja, 1 pa en esp 2 cad, [cad 1, pas 1, 1 pa] 4 veces, cad 1, pas 1 pa, (1 pa,cad 1, 1 pa) en sig, [cad 1, pas 1, 1 pa] 5 veces, cad 1 , pas Esponja, (1 pa, cad 1, 1 pa) en esp esquina, girar. Seguir recto y tejer 5 (7) vueltas más en pt de malla; rematar. Con LD de cara a Ud, añadir hilo en esquina derecha del lado opuesto al final y repita el pt de malla para igualar al primero.

Delantero inferior:

Vuelta 1: con LD de cara a Ud, añada hilo es esquina inferior izquierda (derecho de la prenda), cad 3; tejer en esp a lo largo de la vuelta [1 pa en esp, cad 16 (8) veces, [1 pa en pb, cad 1, pas 1 pb] 39 veces, 1 pa en pb, [cad 1, 1 pa en esp] 6 (8) veces, girar - 51 (55) mallas.

Vuelta 2: tejer pt de malla, girar.

Pt de esponja:

Vuelta 1: cad 3, 1 pa en primer esp, tejer 5 (7) mallas, cad 1, 1 Esponja en sig esp, *[cad 1, 1 pa en sig esp] 10 veces, cad 1, 1 Esponja en sig esp; rep desde * dos veces más, [cad 1, 1 pa en sig esp] 11 (13) veces, cad 1, 1 pa sobre 3 cad, girar.

Vuelta 2: cad 3, 1 pa en primer esp, tejer 10 (12) mallas, *[cad 1, 1 Esponja en sig espl dos veces, [cad 1, 1 pa en sig esp] 9 veces; rep desde * dos veces más, acabar [cad 1, 1 Esponja en sig esp] dos veces, [cad 1, 1 pa en sig esp] 5 (7) veces, cad 1, 1 pa sobre 3 cad.

Vuelta 3: Rep Pt de esponja vuelta 1.

Vueltas 4 a 6: Rep Pt de esponja vueltas 1-3. Repita una vez las últimas 6. Repita una vez la vuelta 2 del Delantero Inferior; rematar.

Delantero superior:

Vuelta 1: Con el LD de cara a Ud, añada hilo en la esquina superior derecha (izquierda de la prenda) tejer como la vuelta 1 de delantero superior.

Vuelta 2: Rep vuelta 1 de Pt de esponja.

Forma de sisa:

4 vueltas siguientes: Siguiendo en Pt de Esponja, dism en sisa como en espalda -41 (45) mallas. Seguir Pt de Esponja y trabajar 2 vueltas rectas.

Forma de cuello:

Marcar el 14ª (16º) esp de cad desde cada lado. Tejer siguiendo la muestra como indicado, acabar con último pa en primer esp marcado, girar.

Vuelta de Dism: Cad 3, pas primer esp (dism); empezar en sig esp, seguir tejiendo en Pt de esponja. Siguiendo muestr, rep dos veces más Vuelta de Dism cada 2ª vuelta. Seguir recto según muestr hasta la misma longitud que en la espalda -10 (12) mallas. Rematar. Unir en sig pa siguiendo 2º esp marcado y tejer igual que el primer lado.

Manga (Hacer 2): cad 74 (82).

Vuelta 1: Rep vuelta 1 de espalda - 35 (39) mallas. Tejer igual que la espalda durante 6,5cm.

Forma de copa: Trabaje como sisa de espalda durante vuelta 3. Rep vuelta 3, 9 (10) veces más - 7 (9) mallas. Rematar.

Acabado: Coser costuras laterales y de manga; coser las mangas.

Borde inferior:

Vuelta 1: con LD de cara a Ud, una hilo y trabajar 1 pb en primer esp en la parte inferior izquierda de espalda, *cad 2, pas 1 esp, 5 pa en sig esp cadp, cad 2, pas 1 esp, 1 pb en sig esp, rep desde * toda la vuelta, acabar cad 2, pas 1 esp, ptra en primer pb; no girar.

Vuelta 2: *Cad 2, 1 pa en sig pa, [cad 3, 1 rfpb alrededor del cuerpo del mismo same pa (piquillo terminado), 1 pa en esp antes de sig pa] 4 veces, trabajar piquillo, cad 2, 1 pb en sig pb., rep desde * toda la vuelta. (Nota: si lo desea, puede pasar un cordón elástico en la base de la primera vuelta del borde.)

Borde de Mangas: Igual que borde inferior.

Borde del cuello: Con derecho de la labor de cara a usted, añada el hilo en la costura de hombro derecho, trabaje aprox 41 pb por detrás de cuello; continuar con pb siguiendo forma de cuello (trabajando aprox. 28 pb en las 14 mallas centrales del cuello), unir en primer pb después de trabajar un total de pb múltiple de 8.

Vuelta 1: 1 pb, *cad 2, pas 3 pb, 5 pa en sig pb, cad 2, pas 3 pb, 1 pb; rep desde *, ptra en primer pt.

Vuelta 2: Rep vuelta 2 del borde inferior.

CHAQUETA CALADA

Página 108

Tallas: Se dan las indicaciones para la talla Pequeña, para las tallas Mediana y Grande se indican entre (). Si sólo aparece una cifra, es válida para todas.

Materiales: (ovillos de 175 m): 14 (14-16) de algodón 4 cabos; ganchillo de 3,75 mm o número adecuado según tensión.

Tensión: 18 pts y 12 vueltas = 10 cm.

Medidas finales: Pecho: 91,5 (99 cm-105,5 cm). Anchura de mangas: 35,5 cm (37 cm-39 cm).

Nota:Cad 2 al princ de cada vuelta cuenta como 1 pma. Para tejer 1 malla, después de cad 2 inicial o pma, trabajar cad 1, 1 pma.

Espalda: cad 44 (52–56).

Vuelta 1 (lado derecho de la labor): pas 2 cad, 1 pma como sigue: hag, introducir ganchillo, hag, pasar bu a través y estire hasta aprox 6 mm, hag, pasar bu a través de 3 bu en ganchillo (pma largo terminado); siga haciendo pma de la misma forma; pma toda la vuelta, girar - 43 (51-55) mallas.

Vuelta 2: cad 2, pas primer pt, *cad 1, pas 1, 1 pma; rep desde * seguir, girar -21 (25-27) mallas.

Vuelta 3: cad 2, * 1 pma en esp cad, 1 pma en pma; rep desde * seguir, girar.

Vueltas 4, 5, 6: Rep vueltas 2, 3, 2.

Muestra con diamante:

Vuelta 7: cad 2, trabajar 9 (11-12) mallas, cad 1, pas 1 malla, 4 pma (bloque) en sig esp cad, cad 1, pas esp, 1 pma en pma, continuar mallas hasta final, girar -1 bloque en el centro, 10 (12-13) mallas a cada lado.

Vuelta 8: cad 2, tejer 8 (10 - 1 1) mallas, cad 1, pas 1 malla, 4 pma en sig esp cad, cad 1, pas bloque, 4 pma en sig esp cad, cad 1, pas esp, 1 pma en pma, continuar mallas hasta final, girar.

Vuelta 9: cad 2, tejer 7 (9 - 10) mallas, cad 1, pas 1 malla, 4 pma en esp, cad 1, pas 3 pma del bloque, 1 pma, cad 1 , pas esp, 1 pma en pma, cad 1, pas 3 pma del bloque, 4 pma en esp, continuar mallas seguir, girar. Continuar Muestra con diamante siguiendo vueltas 10-17 en el diagrama, después, then rep vueltas 8-17, 3 veces más.

Borde:

Vuelta 1: Tejer a lo largo del borde con el

derecho de la labor de cara a usted: unir en esquina, cad 2, tejer 2 pma al final de cada vuelta, sólo en el borde lateral, girar.

Vuelta 2: cad 2, pma seguir, girar.

Vuelta 3: cad 1, (1 pb y 3 pma) en primer pt - concha terminada, * pas 2 pts, (1 pb y 3 pma) en sig; rep desde * seguir. Rematar. Tejerr el lado opuesto de la misma forma.

Panel delantero izquierdo: cad 28 (32-32). Tejer vueltas 1-6 de panel espalda - 27 (31-31) pma; 13 (15-15) mallas.

Muestra con diamante:

Vuelta 7: cad 2, trabajar 5 (6-6) mallas, cad 1, pas 1 malla, 4 pma en sig esp cad, cad 1, pas esp, continue mallas seguir - 1 bloque en el centro, 6 (7-7) mallas a cada lado. Seguir recto en Muestra con diamante como indicado siguiendo con las vueltas 8-17 del diagrama, 4 veces. Seguir recto hasta unos 5 cm antes que el largo de espalda hasta hombro, acabar en borde lateral.

Forma de cuello:

Vuelta 1: cad 2, trabajar 6 (7-7) mallas, pas 1 cad, 1 pma en pma (mallas dism), girar.

Vuelta 2: cad 2, pas primer esp, 1 pma en pma, trabajar 5 (6-6) mallas. Seguir recto sobre 5 (6-6) mallas hasta la misma distancia que en la espalda hasta los hombros. Rematar.

Borde: Solo sobre borde lateral, trabaje como en borde espalda.

Panel delantero derecho: teja como en el panel delantero izquierdo pero invirtiendo la forma.

Paneles laterales (Hacer 2): cad 20 (20-24). Trabajar vueltas 1-6 como panel espalda - 19 (19-23) pma. Seguir rep vuelta 2 de espalda, seguir recto en mallas hasta 18,5 cm (19 cm-20 cm) menos que el largo de espalda a hombro. Rematar.

Borde: Sobre cada borde lateral, trabajar borde como en panel espalda.

Manga, panel superior: cad 28 (32-32). Trabajar vueltas 1-6 como panel espalda - 27 (31-31) pma.

Muestra con diamante:

Vuelta 7: cad 2, trabajar 5 (6-6) mallas,

cad 1, pas 1 malla, 4 pma en sig esp cad, cad 1, pas esp, tejer mallas seguir - 1 bloque en el centro, 6 (7-7) mallas a cada lado. Seguir recto en Muestra con diamante como indicado hasta completar 3 diamantes. Tejer 1 vuelta de malla. Rematar.

Panel inferior: cad 24 (24-28). Trabajar igual que en panel lateral hasta 7,5 cm (7,5 cm-8 cm) menos que el panel superior de manga - 23 (23-27) pma.

División para costadillos:

Primera mitad: Seguir recto sobre 5 (5-6) mallas hasta tener la misma longitud que panel superior. Rematar.

Segunda mitad: pas esp central de la última vuelta completa. Trabajar las restantes 5 (5-6) mallas hasta la misma longitud que primera mitad. Rematar.

Borde: en cada borde lateral de los paneles superior e inferior de manga debe tejer borde como en panel espalda.

Acabado: Dar forma a las piezas. Coser hombros delanteros a pts correspondiente en borde superior de panel espalda. Empezar por el borde inferior: coser paneles laterales a paneles delanteros y espalda, uniendo los pts centrales de las conchas. Coser juntos de la misma forma los paneles superiores e inferiores de mangas. En la sisa, marcar el centro de los paneles laterales, y coser las mangas, uniendo los bordes de sisa al borde superior del panel lateral.

Borde exterior:

Vuelta 1: Con derecho de la labor de cara a usted. empezar por borde inferior costura espalda, y trabajar 1 vuelta pma regularmente repartidos alrededor de todo el borde exterior, aum en esquinas y dism en el borde de cuello tanto como sea necesario para que la labor quede plana; acabar con ptra en primer pt, no girar.

Vuelta 2: *(1 pb y 3 pma) en sig pma - llamado concha, pas 2 pts; rep desde * toda la vuelta, ptra en primer pt. Rematar. Tejer el borde igual en las mangas.

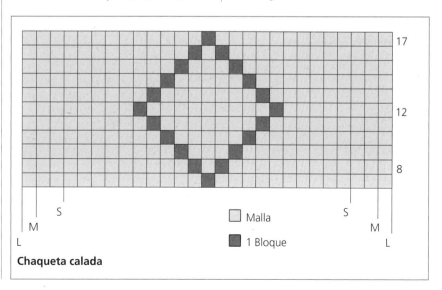

| | Malla |
| ■ | 1 Bloque |

Chaqueta calada

TAPETE DECORATIVO

Página 109

Materiales: 1 ovillo 250 m algodón n° 10, ganchillo de acero de 1,8 mm o medida necesaria según tensión; cojín de 40 cm de lado. Hilo de coser color crudo.

Tensión: Vueltas 1 a 3, 7,5 cm de lado.

Medidas especiales: 33 cm de lado.

Abreviatura especial

Pc (piquillo) - cad 3, ptra en 3ª cad desde ganchillo.

Nota: Tejer una cad de vuelta al principio de cada vuelta para estar a la misma altura que el primer punto de la primera muestra, tener en cuenta que: pb - cad 1; pa - cad 3; pad - cad 4. Cierre cada vuelta con un punto raso sobre este primer punto. No gire entre vueltas - el derecho siempre de cara a usted.

Para empezar: cad 5, unir con ptra en primera cad para formar anilla.

Vuelta 1: [Pad3jun en anilla, cad 5] 5 veces.

Vuelta 2: [1 pad, cad 4, pas 1, 1 pad, cad 4, pas 2] 6 veces.

Vuelta 3: *(Pad3jun, [cad 3, pad3jun] dos veces) en pad, cad 4, saltar 4 cad, [1 pma en pad, cad 4, saltar 4 cad] dos veces; rep desde * 3 veces más.

Vuelta 4: Ptra seguir hasta 2ª de 3 piñas, *(1 pad, cad 9, 1 pad) en 2ª de 3 piñas, cad 5, saltar 3 cad, 1 pad en sig piña, [cad 5, saltar 4 cad, 1 pad] 3 veces, cad 5, saltar 3 cad; rep desde * 3 veces más.

Vuelta 5: Ptra seguir hasta 5° de bu 9 cad, *(1 pa, cad 5, 1 pa) en 5° de bu 9 cad, cad 2, saltar 1 cad, 1 pa, [cad 2, saltar 2 cad, 1 pa] 12 veces, cad 2, saltar 1 cad, rep desde * 3 veces más.

Vuelta 6: Ptra seguir hasta 3° de bu 5 cad. *(1 pa, cad 5, 1 pa) en 3° de bu 5 cad, [cad 2, saltar 2 cad, 1 pa] 15 veces, cad 2, saltar 2 cad; rep desde * 3 veces más.

Vuelta 7: Ptra seguir hasta 3° de bu 5 cad, *(2 pa, cad 5, 2 pa) en 3° de bu 5 cad, [cad 5, saltar 2 pa, (1 pa, cad 5, 1 pa) en sig pa, cad 5, saltar 2 pa, 2 pa en sig pa] dos veces, cad 5, saltar 2 pa, (1 pa, cad 5, 1 pa) en sig pa, cad 5, saltar (2 pa, 2 cad); rep desde * 3 veces más.

Vuelta 8: *2 pa, cad 5, 1 pb en bu cad, cad 5, [2 pa, cad 5, saltar bu cad, 1 pa en pa, 8 pa en bu cad, 1 pa en pa, cad 5, saltar bu cad] 3 veces; rep desde * 3 veces más.

Vuelta 9: *2 pa, cad 4, [1 pb en bu cad, cad 4] dos veces, [2 pa, cad 4, saltar bu cad, 10 pb, cad 4, saltar bu cad] 3 veces; rep desde * 3 veces más.

Vuelta 10: *2 pa, cad 4, [1 pb en bu cad, cad 4] 3 veces, [2 pa, cad 4, saltar bu cad, 10 pb, cad 4, saltar bu cad] 3 veces; rep desde * 3 veces más.

Vuelta 11: *2 pa, cad 4, [1 pb en bu cad, cad 4] 4 veces, [2 pa, cad 4, saltar bu cad, 10 pb, cad 4, saltar bu cad] 3 veces; rep desde * 3 veces más.

Vuelta 12: *2 pa en primero de 2 pa, cad 4, 2 pa en sig pa, cad 4, [1 pb en bu cad, cad 4] 5 veces, [2 pa en sig pa, cad 4, 2 pa en sig bu cad, cad 4, saltar cad,

pb2jun, 6 pb, pb2jun, cad 4, saltar bu cad] 3 veces; rep desde * 3 veces más.

Vuelta 13: *2 pa, cad 4, 1 pb en bu cad, cad 4, 2 pa, cad 4, [1 pb en bu cad, cad 4] 6 veces, [2 pa, cad 4, 1 pb en bu cad, cad 4, 2 pa, cad 5, saltar bu cad, pb2jun, 4 pb, pb2jun, cad 5, saltar bu cad] 3 veces; rep desde * 3 veces más.

Vuelta 14: *2 pa, cad 4, [1 pb en bu cad, cad 4] dos veces, 2 pa, cad 4, [1 pb en bu cad, cad 4] 7 veces, [2 pa, cad 4, {1 pb en bu cad, cad 4} dos veces, 2 pa, cad 5, saltar bu cad, pb2jun, 2 pb, pb2jun, cad 5, saltar bu cad] 3 veces; rep desde * 3 veces más.

Vuelta 15: *2 pa, cad 4, [1 pb en bu cad, cad 4] 3 veces, 2 pa, cad 4, [1 pb en bu cad, cad 4] 8 veces, [2 pa, cad 4, {1 pb en bu cad, cad 4} 3 veces, 2 pa, cad 5, saltar bu cad, {pb2jun} dos veces, cad 5, girar, 1 pb en último pa realizado, girar, saltar bu cad] 3 veces; rep desde * 3 veces más.

Vuelta 16: Seguir en ptra hasta 2ª de bu 4 cad, *[1 pb en bu 4 cad, cad 4] 4 veces, 1 pb en cada uno de 2 pa, cad 4, [1 pb en bu cad, cad 4] 9 veces, 1 pb en cada uno de 2 pa, cad 4, [1 pb en bu cad, cad 4] 12 veces, saltando (2 pa, 1 pb, 2 pa) sobre una piña grande; rep desde * 3 veces más.

Vuelta 17: 4 pa en cada bu cad y 1 pb en cada uno de 2 pb en esquinas, seguir en redondo - 448 pts.

Vuelta 18: *7 pb, 1 Pc; rep en redondo desde *.

Terminación: Centrar el tapete sobre el cojín y fijarlo con hilo color crudo.

AZULEJOS HOLANDESES

Página 111

Materiales: Ovillos de 110 g en hilo doble: 14 ovillos de Blanco CP; 2 ovillos de cada uno de los siguientes: Azul claro B, Azul marino D; un ovillo de azul medio C;

Ganchillo tunecino de 6mm o número adecuado según tensión; ganchillo normal de 5 mm; aguja de tapicería.

Tensión: 4 pts, 3 vueltas = 2,5 cm en Punto simple tunecino (ver página 110).

Medida: Aprox. 120 cm por 170 cm más flecos.

Abreviatura especial

Aved - Avellana doble realizado con 5 pa (ver página 95).

Panel: Hacer 3. Con ganchillo tunecino y CP, trabajar flojos cad 43. Bordar en Punto simple tunecino durante 201 vueltas.

Vuelta siguiente: Ptra en cada barra vertical, seguir; rematar.

Bordado: Bordar los paneles siguiendo diagrama, repetir vueltas 1 a 40; acabar en vuelta 41. Bordar el punto de cruz sobre la barra vertical.

Ribetear los paneles:

Vuelta 1: con LD de cara a Ud, utilizar el ganchillo normal y A; unir en esquina derecha del borde largo de un panel, cad 1, 1 pb para terminar cada vuelta, seguir, acabando con 1 pb en vuelta a ptra - 202 pb. Rematar.

Vuelta 2: con LD de cara a Ud, unir B en primer pt, cad 1 , pb seguir. Rematar.

Vuelta 3: con D, rep vuelta 2.

Vuelta 4: con A, rep vuelta 2; no rematar, girar.

Vuelta 5: cad 3, pa seguir, girar.

Vuelta 6: cad 3, * 1 Aved, cad 2, pas 1, rep desde * hasta último pt, 1 pa, girar.

Vuelta 7: cad 3, * 1 pa en esp 2 cad, 1 pa en Aved; rep desde * hasta último pt, 1 pa, girar.

Vuelta 8: cad 1, pb seguir. Rematar.

Bordar el ribete en cada borde largo de los paneles. Coser los paneles.

Flecos: Enrollar A alrededor de una pieza de cartón de 14 cm; cortar las hebras de hilo por un borde. Anudar las hebras cada tres pts, seguir sobre los bordes cortos de la manta. Pulir y planchar ligeramente.

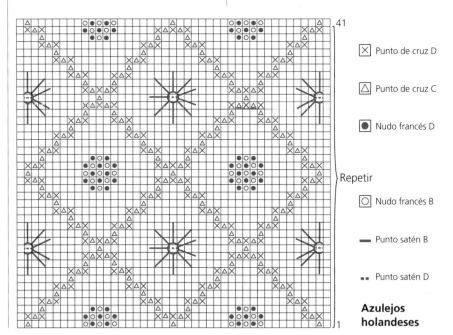

41

☒	Punto de cruz D
△	Punto de cruz C
●	Nudo francés D
◯	Nudo francés B
—	Punto satén B
▪▪	Punto satén D

Repetir

1

Azulejos holandeses

MANTA TIPO ROSA ANTIGUA

Página 113

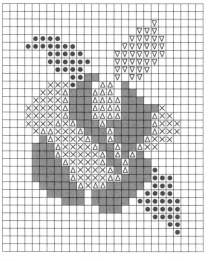

☐ MC	⊙ A	▨ B
△ C	☒ D	▽ E

Materiales: Lana tipo Arán: 750 g Azul CP, 250 g Rosa pálido B, 150 g de cada color en: Verde claro A, Rosa oscuro C, Rosa medio D y Verde oscuro; Bobinas de hilo; aguja para coser; ganchillo de 6,5 mm o medida necesaria según tensión.

Tensión: 6 pts, 7 vueltas = 5cm en pb.

Medida: Aprox. 107 cm por 130 cm.

Para empezar: Bloques en pb unicolor (hacer 10). Con CP, cad 28.

Vuelta 1 (lado derecho de la labor): pas 1 cad (no se cuenta como pt), pb seguir, girar - 27 pts.

Vuelta 2: cad 1 (no se cuenta como pt) pb seguir, girar. Rep vuelta 2 30 veces más. Rematar.

Bloques con Rosa (hacer 10) - Seguir esquema de colores y trabajar como bloque de pb. En el centro de cada hoja en A debe trabajar una vuelta en pt cad superpuesta en E. Sobre cada hoja en E, una vuelta pt cad en A (ver página 116 Cadenetas superpuestas).

Cómo unir: Asegúrese de que todos los bloques están al derecho y alineados en la misma dirección. Alternar los bloques y coser una tira de dos bloques unicolores y dos con rosa, con el bloque unicolor a la izquierda de la tira. Hacer otras dos tiras de la misma forma. Coser también otras dos tiras con el bloque con rosa a la izquierda. Asegúrese de que los bloques se alternan como un tablero de ajedrez y coser las tiras de forma invisible.

Cenefa: unir CP en una esquina con ptra. Tejer 498 pb repartidos regularmente alrededor: 108 pb en la parte superior e inferior; 138 pb en cada lado; 1 pb en cada esquina.

Vuelta 1: Con B [1 pb en pt esquina, *cad 4, pas 3 pb, 1 pb en cada uno de sig 2 pb; rep desde * hasta últimos 3 pts antes de la sig esquina, cad 4, pas 3 pb] 4 veces, ptra en primer pb.

Vuelta 2: Con B, ptra en esp 4 cad, trabajar cad 3 y contar como primer pa de la vuelta (2 pa, cad 2, 2 pa) en cada bu 4 cad y en cada esquina, pb en redondo, ptra sobre primer cad 3. Rematar.

Vuelta 3: Unir D en esp 2 cad de esquina, [(2 pb, cad 4, 2 pb) en esp 2 cad de esquina, *cad 4, 2 pb en sig esp 2 cad; rep desde * hasta esquina siguiente] 4 veces, ptra en primer pb.

Vuelta 4: Con D, ptra en sig pb y en sig bu cad, trabajar cad 3 y contar como primer pa de vuelta (2 pa, cad 2, 2 pa) en cada bu 4 cad de la vuelta, ptra sobre esp 3 cad. Rematar.

Vuelta 5: con C, rep vuelta 3.

Vuelta 6: con C, rep vuelta 4.

Vuelta 7: con E, rep vuelta 3.

Vuelta 8: con E, rep vuelta 4. Rematar.

MANTA CON ABANICOS

Página 112

Materiales: Lana mohair, 800 g en blanco CP; 90 g de cada en Rosa A, Turquesa B, Naranja C, Oro D, y amarillo E. Ganchillo de 5,5 mm o número adecuado según tensión. 5 bobinas grande de hilo.

Tensión: 3 pts = 2,5 cm; 3 vueltas 5 cm.

Medidas finales (sin flecos): Aproximadamente 127 cm por 173 cm. Cuadro del Abanico: aprox. 23 cm.

Cuadrado: Enrolle 5 m de cada A, B, C, D y E en bobinas separadas. Empezar en la esquina, con CP cad 4.

Vuelta 1 (revés de la labor): pas 3 cad, 4 pa en sig, girar - 5 pa.

Vuelta 2: cad 3, 1 pa en primer pa (aum terminado), 3 pa, 2 pa en último, girar – 7 pa.

Vuelta 3: cad 3, 1 pa en primer pa, [2 pa, 2 pa en sig] dos veces, cambiar a siguiente color sobre último pt, girar - 10 pa.

Muestra en abanico:

Vuelta 1 (lado derecho de la labor): cad 3, 1 pa en primer pa, 1 pa, cambiar a B; *2 pa en sig llamado aum, 1 pa, cambiar a C **; rep desde * a ** una vez, cambiar a D, y después de nuevo, cambiar a E; girar - 15 pa en 5 colores.

Vuelta 2: cad 3, pa seguir en los colores indicados, girar.

Vuelta 3: cad 3, pa seguir, trabajar aum hacia centro de cada color, girar - 5 pts aumentados.

Vueltas 4 a 8: Rep vueltas 2 y 3 de Muestra en abanico dos veces más, después rep vuelta 2 una vez, añadir CP al final - 30 pa. Cortar bobinas.

Punto de concha:

Vuelta 1: con CP, cad 1, 3 pb, cad 1, pas 1, 1 pa, cad 1 [pas 2, 6 pad en sig, pas 2, 1 pa] dos veces, pas 2, 6 pad en sig, cad 1, pas 3, 1 pa, cad 1, pas 1, 4 pb, girar - 34 pts.

Vuelta 2: cad 1, ptra cogido detrás bu de los primeros 10 pts, 1 pb, pas 2 pad, 6 pad en sig, pas 2 pad, 1 pad, pas 3 pad, 6 pad en sig pa, pas 2 pad, 1 pb, girar.

Vuelta 3: cad 1, ptra por delante bu de siguientes 4 pts, 1 pb, pas 2 pad, 6 pad en sig pad, pas 2 pad, 1 pb. Rematar.

Cenefa:

Vuelta 1: Con el derecho de la labor de cara a usted, unir CP en la punta del abanico, 3 pb en punta (esquina), trabajar 22 pb regularmente repartidos hasta siguiente esquina, 3 pb en esquina; repetir desde * dos veces más, trabajar 22 pb en el último lado, unir con ptra en primer pb, ptra en pb esquina. No girar - 100 pb.

Vuelta 2: Tejer cad 3 y contar como primer pa de la vuelta, [(5 pa en pb esquina - llamado concha), cad 1, pas 2, {2 pa, cad 1, pas 1) 6 veces, 2 pa, cad 1, pas 21, 4 veces, ptra sobre 3 cad - 22 pts a cada lado, concha en cada esquina. Rematar.

Hacer 34 cuadrados más, siguiendo la misma secuencia de color, pero con A colocado 7 veces en cada una de las 5 posiciones de color.

Acabado: De forma a los cuadrados, para que midan igual (hágalo muy ligeramente). Con el derecho de la labor hacia arriba según el diagrama, alternar las vueltas 1 y 2 para conseguir 7 vueltas de 5 cuadrados cada una.

Cómo unir: Empezar en un lateral, mantener 2 cuadrados jun por el derecho de la labor y trabajar a la vez entre los dos bu de cada punto que corresponda en cada cuadrado; unir CP en pa central de las conchas en la primera esquina, 1 pb en mismo pa, # * 1 pb en sig 2 pa, cad 1, pas 1 cad **; rep desde * a ** hasta sig concha, 1 pb en primer 3 pa of concha. Mantener los siguientes 2 cuadrados jun, 1 pb en tercer pa de la primera concha; rep desde # - seguir. Rematar. Unir todas las vueltas cortas, después unir igual las vueltas largas, trabajando así sobre las anteriores uniones en esquinas: 1 pb en tercer pa de la esquina en la concha al final de los cuadrado, cad 1, 1 pb en tercer pa de la enquina en la concha de los siguientes 2 cuadrados.

Cenefa:

Vuelta 1: Desde el revés de la labor, unir en tercer pa de la concha en una esquina, trabajar a lo largo del borde * [cad 5, pas 2 pa, 1 pb en esp cad] 8 veces, cad 5, 1 pb en la unión entre cuadrados; rep desde * en redondo, acabar con 1 pb en unión, girar - 45 bu en cada lado corto, 63 bu en los lados largos.

Vuelta 2: Ptra hasta 3ª cad en primer bu, trabajar cad 4 que se contarán como primer pad de la vuelta, [6 pad en primer bu lateral,* 1 pa en 3ª cad de siguiente bu, 6 pad en 3ª cad de siguiente bu **; rep desde * a ** hasta siguiente esquina], 4 veces, unir sobre 4 cad.

Vuelta 3: [Introducir ganchillo entre los grupos de 6 pad en la esquina y trabajar 1 pb, cad 5, pas 3 pad, 1 pb, * cad 5, pas 2 pad, 1 pb en pa, cad 5, pas 3 pad, 1 pb **; rep desde * a ** en un lado, cad 5] 4 veces, unir con ptra en primer pb. Rematar.

Flecos: Enrollar el hilo alrededor de un cartón de 13 cm, cortar un borde. Anudar 8 hebras jun en cada 2 bucles de toda la vuelta.

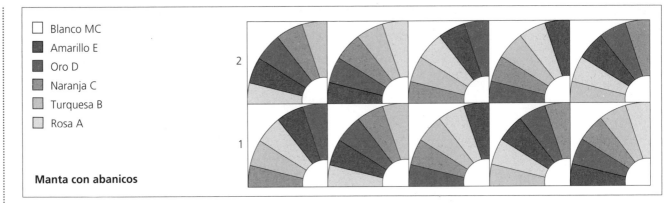

Blanco MC
Amarillo E
Oro D
Naranja C
Turquesa B
Rosa A

Manta con abanicos

MANTA TIPO CALEIDOSCOPIO

Página 113

Materiales: Lana gruesa – 700 g Rojo CP, 300 G Rosa A, 120 g de cada uno de estos colores: Borgoña B, Natural C, Tostado claro D, Mostaza E, Azul cobalto F, Azul claro G, Lila H, y Beige I; ganchillo de 6,5 mm o medida necesaria según tensión.

Tensión: 6 pts, 7 vueltas = 5 cm en punto bajo (pb).

Medida: Aproximadamente 132 cm por 160 cm.

Nota: La cadeneta de vuelta no se cuenta como punto.

Para empezar: Centro: con CP, cad 118.

Vuelta 1 (lado derecho de la labor): saltar 1 cad, pb seguir, girar - 117 pb. (Vuelta 1 de diagrama I.)

Vuelta 2: Cad 1, pb seguir, girar. Repetir siempre la vuelta 2. (Vuelta 2 de diagrama 1.)

Empezar con vuelta 1 de diagrama 1, trabajar hasta vuelta 100, cambiar colores como indicado, después repetir vueltas 1 a 72. Trabajar 2 vueltas más con CP – 176 vueltas. Rematar.

Cenefa: Cada tira del borde está formada por once cuadrados – 176 vueltas; hacer cuatro tiras. Seguir el diagrama para formar el borde desde vuelta 1 cad 17 según color indicado en diagrama de colores para el borde. Bordar como en el centro, y cambiar colores como indicado – 16 pb.

Acabado: Coser la tira de borde adecuada a cada lado largo de la manta. Coser el resto de tiras en bordes superior e inferior, adaptándolas según sea necesario. Unir CP con ptra en una esquina. Trabajar 5 vueltas de pb, con 3 pb en cada esquina. Rematar.

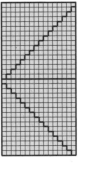

Manta tipo caleidoscopio
Diagrama de puntos para la cenefa (arriba)
Diagrama de colores para la cenefa (izquierda)
Diagrama 1 (abajo)

BORDADO

BOLSO DE FIESTA EN PUNTO DE SMOCK

Página 148

Medidas finales: Aproximadamente 13 cm de ancho medido en el fruncido y 19 cm de largo, sin contar la borla.

Materiales: Tejido de color púrpura, 112 cm de ancho y 41 cm de largo; hilo fuerte para unir los frunces; 1 madeja de algodón perlé en cada uno de los siguientes colores: vino, rojizo claro y rojo entretela termoadherente, 1 borla grande, 1 cuenta, 90 cm de cordel color vino, hilo de coser.

Bordado sobre frunces: Mida 10 cm desde un lado del tejido. Marque a 10 cm a lo largo de los 112 cm de borde del tejido. Dibuje una línea. Haga 10 líneas paralelas más a 12 mm una de otra. Sobre estas líneas y a 12 mm debe marcar los puntos para el fruncido. Una cada vuelta con hilo fuerte y anude los cabos de dos en dos (ver página 146).

Cómo bordar:

Línea 1: 1 línea en punto de cuerda doble con algodón rojizo

Líneas 2, 3 y 4: 1 fila con punto de nido de abeja superficial en algodón perlé color vino.

Líneas 4, 5 y 6: 1 vuelta de punto diamante en algodón perlé color rojo.

Líneas 6, 7 y 8: 1 vuelta de punto diamante con algodón perlé color rojo.

Líneas 8, 9 y 10: 1 vuelta con punto de nido de abeja superficial en algodón perlé color vino.

Línea 11: 1 línea en punto de cuerda doble con algodón rojizo.

Saque los hilos que unían los frunces, gire al revés y planche con vapor.

Cómo unir el bolso: Con los derechos encarados y haciendo coincidir cuidadosamente las vueltas de punto smock, deberá coser los laterales juntos con una costura de 6 mm. El borde inferior del bolso será el borde más estrecho por debajo de los frunces. Planche un dobladillo de 12 mm por el revés y alrededor del borde inferior del bolso, Vuélvalo de nuevo unos 12 mm. Cósalo cerca del borde abierto doblado y deje tan sólo una pequeña abertura para formar una jareta. Anude una hebra de hilo y pásela por la jareta. Tire de los cabos de hilo tan fuerte como pueda para unir el fondo del bolso, y asegúrelo. En el centro de los pliegues quedará un pequeño agujero.

Corte 4 círculos de tejido de 5 cm de diámetro. Utilice la entretela termoadhesiva para unir los 4 círculos. Vuelva el bolso del derecho y coloque el círculo termoadhesivo para cubrir el agujero del fondo. Cósalo a mano.

Ahora, alrededor del dobladillo superior deberá dar unos puntos para fruncirlo a la misma medida que el punto de smock. Lleve este borde al interior de la bolsa y cósalo justo por encima de la primera línea de punto smock. Haga una segunda línea de puntos a 2 cm sobre la primera fila bordada hasta formar una banda. Divida el cordel en 2 piezas iguales. Haga un pequeño agujero en la banda al lado de la costura y en el borde contrario. Ayudándose con una aguja deberá pasar los cordeles de lado a lado y por los agujeros. Anúdelos. Pase una hebra anudada por la borla e introduzca una cuenta. Cosa borla y cuenta en el centro del círculo que habrá fijado en el fondo.

GIRASOL CON RELIEVE

Página 150

Medida final: 6,5 cm de diámetro.

Materiales: Un bastidor flexible de 9 cm de diámetro, Cuadrado de tejido blanco de 20 cm de lado, un cuadrado pequeño en fieltro amarillo; hilo de coser en colores acorde; cuadrado 7,5 cm de tejido regular, 1 madeja de cada en hilo de bordar naranja y marrón, cola para tejidos, bolígrafo indeleble, aguja lanera fina, aguja de tapicería.

Cómo hacerlo: Corte 12 pétalos de felpa. Coloque 6 pétalos repartidos alrededor del centro (lado derecho) del cuadrado. Cosa los pétalos inferiores con pequeños puntos con hilo del mismo color. Coloque los otros 6 pétalos encima, y cosalos también por el borde. Cosa a punto de arena (semilla – ver página 129) los pétalos alternos, utilizando 6 hebras de hilo de bordar naranja. Deje las puntas sueltas para que se eleven sobre la felpa. Con un bolígrafo indeleble dibuje ahora un círculo de 2,5 cm de diámetro en el centro del tejido compacto. Utilice juntas 3 hebras de color naranja y 3 hebras de color marrón y trabaje vueltas de punto turco sobre el tejido, hasta llenar el círculo (ver página 169). Los bucles formados sobre el tejido se pueden dejar sin cortar, o cortar siguiendo la forma del círculo, cerca de las puntadas. Por el lado revés de la labor deberá usar cola para fijar los puntos. Seje secar la cola. Cosa el círculo a punto turco en el centro de los pétalos de felpa; utilice color acorde. Emplee 6 hebras de hilo de bordar naranja para bordar a punto de sujeción (ver página 136) alrededor del círculo y del borde de cada pétalo bordado. Para dar un efecto de relieve tire del hilo base para formar un bucle entre cada punto de sujeción, en vez de quedar planos.

Girasol bordado
Plantilla para el pétalo de la flor

SAQUITO DE HIERBAS

Página 150

Medida final: 14 cm por 9 cm.

Materiales: Dos rectángulos de algodón blanco grueso de 17 cm por 10 cm; hilo acorde; Tela de cuadros roja de 6,5 cm de lado; un poco de guata; tria de tela de cuadros verde de 2,5 cm por 10 cm de ancho; cinta estrecha de 30 cm de largo; 1 madeja de hilo de bordar de cada color en rojo, verde claro y oscuro; aguja de bordar; hierbas aromáticas secas.

Cómo hacerlo: Costuras de 6 mm. Borde con tres hebras de hilo mouliné a menos que se indique lo contrario. Dibuje o copie el corazón y borde el dibujo de hojar sobre LD de la bolsita a 9 cm del borde superior sin orillos Corte el corazón en tela de cuadros roja, dejando 6 mm alrededor de los bordes. Cosa el corazón sobre el saquito y rellénelo con guata (ver página 150). Rodee el corazón con punto de sujeción (6 hebras de mouliné rojo sujetas por 3 hebras color verde claro). Borde el corazón con punto de nudo francés en colores rojo y verde claro. Borde el dibujo de hojas debajo del corazón: punto de tallo en color verde oscuro para el tallo, punto de margarita en verde claro para las hojas, y nudos franceses en rojo para los frutos. Planche una tira de cuadros verdes con un orillo de 6 mm hacia dentro. Hilvane esta tira sobre la parte inferior del saquito, con el LR sobre LD del saquito. Cosa a mano la tira y haga coincidir los bordes. Cosa el borde inferior y los lados. Haga un dobladillo de 12 mm alrededor del borde abierto, hilvánelo y cóselo con una vuelta de punto de bastilla deslizado en rojo y verde por el LD del saquito. Llénelo con plantas aromáticas y ate la cinta.

Saquito de hierbas

○ Nudo francés en rojo

● Nudo francés en verde

LABORES DE TAPICERÍA

CAJITAS DE REGALO

Página 170

Medidas: Cajita mide 11,5 cm por 14 cm aproximadamente.

Materiales: (por caja) – 2 hojas de cañamazo de plástico de 7 agujeros por pulgada (2,5 cm); aguja de coser; lana de tapicería, **utilizarla siempre en doble.**
Corazón con fresas – 130 m color malva, 92 m crema, 18 m de cada en verde oscuro y rosa, 14 m (16 yardas) rojo; **Colmena** – 190 m color dorado oscuro, 14 m de cada en amarillo claro, negro, marrón, blanco, rosa y rosa pálido, 9 m verde medio;
Pájaro – 175m color crema, 90 m verde salvia, 18 m de cada en gris claro y azul medio, 9 m de cada en gris oscuro, negro y amarillo.

Realización: Corte el cañamazo en 1 parte superior, 1 inferior, 2 lados, y 2 bandas para la tapa. Una banda de la tapa de la caja con pájaro tiene 54 agujeros y la otra 55 agujeros. (Colmena - 1 lado y 1 banda para la tapa). Tejer los diseños con punto sencillo continental. Colmena : trabajar el lado y la banda de la tapa con punto largo sobre 4 hilos. Rellenar con punto largo de varias medidas. Tejer los diseños de la parte superior e inferior; completar el fondo con punto continental y largo.

Montaje: Colmena y pájaro – coser las bandas de las tapas por los bordes laterales, sobreponiendo un agujero. Coser la banda a la parte superior. Unir la parte inferior de la caja de la misma manera. **Fresas** – coser las bandas de la tapa por los bordes frontales. Colocar esta costura en el punto inferior de la parte superior; coser la banda a la tapa y la costura de la banda en la muesca del corazón, por dentro. Coser el lado a la parte inferior, igual que la tapa. Para todas las cajitas: cubrir los bordes con punto cubierto. **Asa para la Colmena:** Cortar 280 cm de lana rosa. Ponerla en doble, sujetar un extremo con un alfiler y retorcer el otro extremo hasta que empiece a enrollarse. Sujetando la lana por el centro juntar los dos extremos. Soltar el alfiler y dejar que la lana se enrolle. Coser cada extremo a través de cada lado de la caja justo por debajo de la banda de la tapa. Ajustar el largo del asa; anudar y recortar lo que sobre por dentro de la caja.

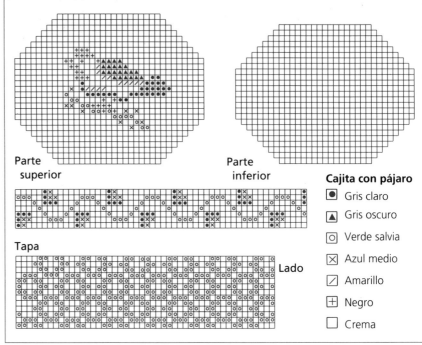

Parte superior

Parte inferior

Tapa

Lado

Cajita con pájaro

- ● Gris claro
- ▲ Gris oscuro
- ⊙ Verde salvia
- ⊠ Azul medio
- ⊘ Amarillo
- ⊞ Negro
- ☐ Crema

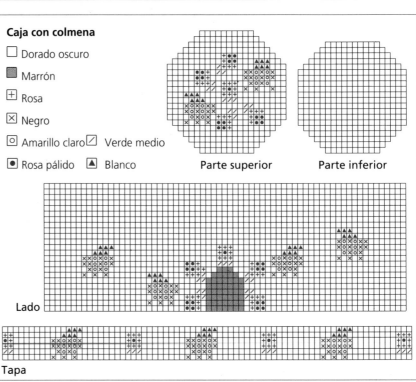

Caja con colmena

- ☐ Dorado oscuro
- ◼ Marrón
- ⊞ Rosa
- ⊠ Negro
- ⊙ Amarillo claro ⊘ Verde medio
- ● Rosa pálido   ▲ Blanco

Parte superior

Parte inferior

Lado

Tapa

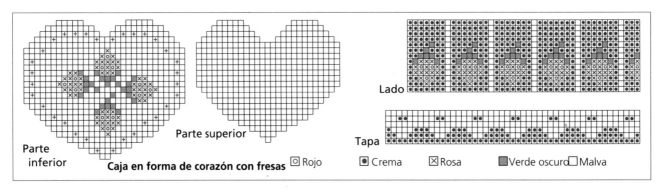

Parte inferior

Parte superior

Lado

Tapa

Caja en forma de corazón con fresas   ⊙ Rojo   ● Crema   ⊠ Rosa   ◼ Verde oscuro ☐ Malva

PAQUETE SORPRESA (TOPE PARA PUERTA)

Página 170

Medidas: Para cubrir un ladrillo, 20,5 cm por 9,5 cm por 5,5 cm.

Materiales: Ladrillo; un cuadrado, de 48 cm de lado, de cañamazo sencillo de 10 agujeros cada 2,5 cm. Madejas de lana de tapicería: 6 amarillas, 5 blancas, 2 azul oscuro, 2 azul celeste, 1 turquesa; rotulador indeleble; aguja de tapicería y cinta adhesiva.

Realización: Si es necesario, ajustar el tamaño del diseño (ver gráfico). Ribetear los bordes del cañamazo con cinta adhesiva para que no se deshilache. Copiar el dibujo de la parte superior en el cañamazo. Seguir el diseño del lazo y el fondo por los lados y la parte inferior del cañamazo. Trabajar el diseño en punto sencillo según gráfico. Al acabar tensar la labor. Recortar los bordes del cañamazo dejando 12 mm Envolver el ladrillo con la labor. Doblar los bordes del cañamazo hacia el revés. Coser con lana del mismo tono.

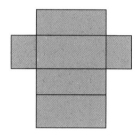

ALMOHADONES DEL VIEJO OESTE

Página 171

Medidas: Santa Fe, 28 cm por 35,5 cm. Albuquerque, 20 cm por 32 cm.

Materiales: Santa Fe – madejas de lana de tapicería: 17 rojas, 3 negras, 3 marrones, 1 en cada color, naranja, azul y verde; 1 trozo de cañamazo sencillo, de 12 agujeros por cada 2,5 cm, de 35,5 cm por 43 cm; 30,5 cm por 38 cm de pana negra para el dorso.

Albuquerque – lana de tapicería: 4 madejas marrón oscuro, 4 beige, 3 madejas negras, 2 madejas rojas, 2 azules, 1 madeja naranja y 1 marrón claro; un trozo de cañamazo simple, de 12 agujeros por pulgada (2,5 cm), de 28 cm por 38 cm; 23 cm por 34 cm de pana negra para el dorso. **Para ambos almohadones** – aguja de tapicería, relleno de poliéster, cinta adhesiva de pintor, rotulador indeleble e hilo negro.

Realización (de ambos): Ribetear los bordes del cañamazo con cinta adhesiva. Marcar los centros con líneas verticales y horizontales. Empezando por el centro y siguiendo los gráficos, trabajar en medio punto.

Nota: Los gráficos son la 1/4 parte de los diseños. NO REPETIR las filas horizontales y verticales del centro. Tensar y recortar el cañamazo a 12 mm del diseño. Doblar los bordes hacia dentro, con costuras de 12 mm y coser el dorso a la parte delantera, dejando una abertura de 5 cm en un lado. Cortar un poco las esquinas y darle la vuelta. Introducir el relleno y cerrar la abertura con puntos invisibles.

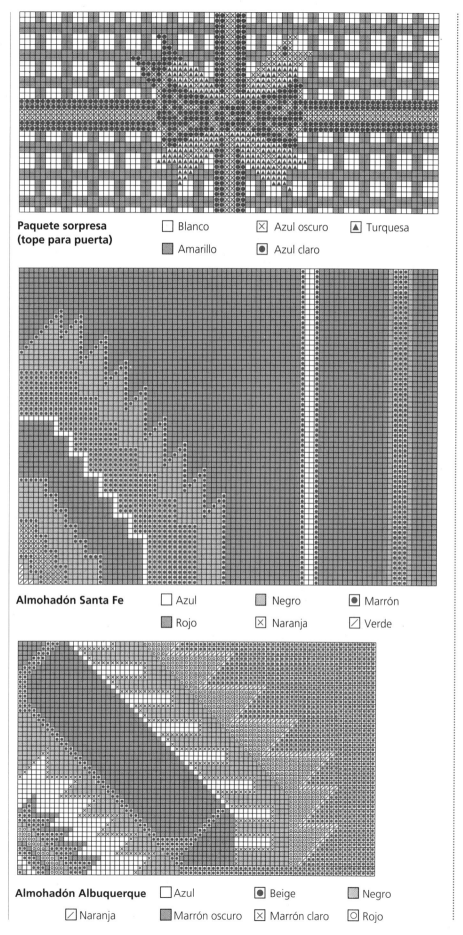

Paquete sorpresa (tope para puerta)

☐ Blanco	☒ Azul oscuro	▲ Turquesa
▨ Amarillo	⊙ Azul claro	

Almohadón Santa Fe

☐ Azul	▨ Negro	⊙ Marrón
▨ Rojo	☒ Naranja	⊘ Verde

Almohadón Albuquerque

☐ Azul	⊙ Beige	▨ Negro
⊘ Naranja	▨ Marrón oscuro	☒ Marrón claro	○ Rojo

ARTE FLORAL

Página 171

Medidas: Un cuadrado de 45,5 cm de lado.

Materiales: Una pieza cuadrada de 61 cm de cañamazo para alfombras, de 5 agujeros por cada 2,5 cm; lana para alfombras – 90 m caqui, 18 m azul marino, 14 m rojo y 2,75 m dorado; 46 cm de tejido de algodón marino para el dorso; una cremallera azul marino de 45,5 cm; una almohadilla cuadrada de 45,5 cm; aguja de tapicería; cinta adhesiva de pintor; rotulador para labores de tapicería; cordón de mezcla de algodón y fibra, (opcional); hilo de coser.

Realización: Utilizar costuras de 12 mm. Ribetear el cañamazo con cinta adhesiva. Dibujar un cuadrado de 45,5 cm de lado en el cañamazo; marcar el centro. Empezando por el centro y siguiendo el gráfico, trabajar las flores en punto sencillo continental. Trabajar dos filas de azul marino por dentro y alrededor del borde del cuadrado; rellenar el fondo con caqui. Tensar. Recortar los bordes del cañamazo hasta dejar 12 mm de margen. Cortar dos piezas de 26 cm por 48 cm de base azul marino. Planchar 2 cm de los bordes centrales de la base. Coser una doblez del borde a lo largo de la cremallera; traslapar el otro borde sobre la cremallera y coser. Recortar a las medidas de arriba. Para realizar el cordón, cortar tiras al bies de 5 a 6,5 cm de ancho; unirlas hasta dar la vuelta completa alrededor del almohadón dejando unos 5 cm suplementarios. Con el derecho hacia afuera, doblar la tira al bies por encima del cordón; sujetar con alfileres el cordón al doblez. Coser la cremallera cerca del cordón. Recortar la costura a 12 mm. Hacer coincidir los bordes y sujetar el cordón por el derecho en su parte superior, cortando un poco las costuras en las esquinas. Juntar los extremos con cuidado y coser por el margen de la costura. Hilvanar cerca del cordón. Con el derecho hacia adentro, sujetar el almohadón con alfileres a la base dejando la cremallera abierta. Coser. Cortar las esquinas. Darle la vuelta e introducir la almohadilla.

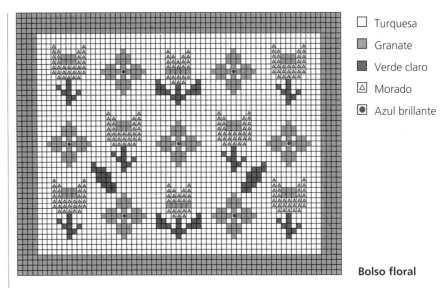

Bolso floral

- ☐ Turquesa
- ▨ Granate
- ▦ Verde claro
- △ Morado
- ◉ Azul brillante

BOLSO FLORAL

Página 171

Medidas: 16,5 cm por 12,5 cm.

Materiales: Dos trozos de cañamazo sencillo, de 10 agujeros por cada 2,5 cm, de 26,5 cm por 23 cm; madejas de lana de tapicería - 4 turquesa, 3 granate, 1 madeja de cada en morado, verde claro y azul brillante; un trozo de tejido de forro de 19 cm por 28 cm; hilo de coser; una cremallera de 15 cm (opcional).

Realización: Las piezas delantera y trasera son iguales. Ribetear los bordes del cañamazo con cinta adhesiva. Dibujar un rectángulo de 13 cm por 16,5 cm en el cañamazo; marcar el centro. Empezando por el centro, trabajar en punto sencillo continental según gráfico. Tensar las piezas terminadas. Recortar el cañamazo dejando un margen de 12 mm. Volver los bordes de la pieza trasera hacia el revés. Juntar las piezas delantera y trasera, con los lados del revés hacia adentro y las filas correctamente alineadas. Coserlas con hilo de tapicería a lo largo de las costuras laterales y de la parte inferior. Coser la cremallera en el borde superior del bolso. Doblar el forro por la mitad, a lo largo, con el derecho encarado. Coser las costuras laterales dejando una costura de 12 mm. Darle la vuelta. Planchar un dobladillo de 12 mm hacia el revés alrededor de la abertura. Introducir el forro. Coser con puntos invisibles el borde vuelto del forro hasta la abertura del bolso. Para realizar el asa; cortar 6 largos de 1 m de lana granate. Anudar las hebras de la lana fuertemente, a unos 2,5 cm del extremo para formar una borla. Trenzar las hebras juntas, y anudar los extremos como antes. Coser los extremos del asa trenzada a cada costura lateral.

Arte floral

- ▨ Rojo
- ▦ Azul marino
- ☐ Dorado
- ☐ Caqui

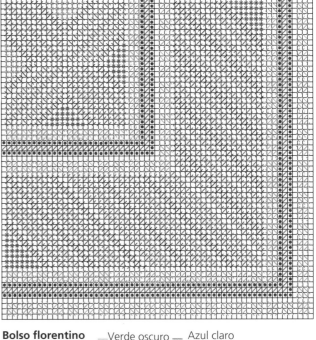

Bolso florentino

- — Verde oscuro — Azul claro
- — Azul oscuro — Lila

BOLSO DE TAPICERÍA FLORENTINA

Página 172

Medidas: un cuadrado de 30,50 cm de lado.

Materiales: lana de tapicería - 5 madejas verde oscuro A, 4 madejas de cada en azul celeste B, azul oscuro C, lila D; un cuadrado, de 40,5 cm por lado, de cañamazo sencillo para labores de tapicería, de 10 agujeros por cada 2,5 cm; un cuadrado, de 33 cm por lado, de tejido para el dorso; 33 cm de tela para el forro; cinta adhesiva de pintor, aguja de tapicería.

Realización: Ribetear los bordes del cañamazo con cinta adhesiva; marcar el agujero central. El gráfico representa 1/4 del diseño; girar el gráfico para cada cuarto. Empezando por el centro, tejer cada cuarto uno por uno. El centro del diseño está compuesto por pequeños bloques. Siguiendo el gráfico, tejer la fila diagonal del centro del bloque con D. Tejer una fila con C y a continuación con B a cada lado del D. Rellenar las esquinas de los bloques con punto sencillo continental (inclinándolo hacia la derecha) – D en el borde exterior del diseño central, A por el interior. Siguiendo el gráfico, tejer una fila con A alrededor del diseño central. En punto sencillo continental, tejer 1 fila de cada con B, D, B. Tejer una segunda fila con A a su alrededor. El borde ancho se trabaja en filas diagonales con triángulos de punto continental, en los centros del bolso. Las X 's del gráfico representan puntos continental en D. La fila diagonal al lado de los puntos continental se trabaja con B. El resto de las filas diagonales se trabajan en la siguiente secuencia de colores: C, D, y B. Tejer esta secuencia 4 veces. A continuación trabajar 1 fila en cada C y D en las esquinas. Repetir secuencia C, D, B, 4 veces y a continuación 1 fila con B. Trabajar el borde exterior como el borde del centro del diseño. Tensar la labor (ver página 178); recortar el cañamazo a 12 m. Con los lados del derecho hacia dentro, utilizando 12 mm de costura, coser el dorso a la labor por 3 bordes. Cortar dos cuadrados de 33 cm de lado para el forro. Con los derechos encarados, coser el forro a lo largo de 2 lados opuestos; planchar las costuras abiertas. Con los derechos juntos, deslizar el forro por encima del bolso. Coser a lo largo del borde superior. Dar la vuelta al forro hacia adentro; coser los bordes con punto invisible. Para cada asa cortar largos de 6,60 cm de A. Juntarlos y atar un extremo a un objeto fijo. Retorcer las hebras fuertemente. Agarrando el centro, juntar los extremos. Soltar el centro y dejar que se enrolle. Atar los extremos. Coser un asa a cada lado del bolso, dejando entre los extremos 15 cm de

CALCETÍN DE NAVIDAD

Páginas 176 –177

Medidas: 11,5 cm a lo ancho de la parte superior, 23 cm desde la parte superior hasta el talón, 18 cm desde la punta hasta el talón.

Materiales: un rectángulo de 35,5 cm por 30,5 cm de cañamazo sencillo, de 10 agujeros por cada 2,5 cm. 30,5 cm por 25,5 cm de tejido de base. Lana de tapicería: 4 madejas color crema; 1 madeja de cada en los colores: escarlata, verde esmeralda, rosa oscuro, turquesa, dorado y marrón claro y

oscuro. Aguja de tapicería, cinta adhesiva de pintor, rotulador indeleble.

Realización: Ribetear con cinta adhesiva los bordes del cañamazo. Copiar el dibujo en el cañamazo. Trabajar el diseño con punto sencillo continental, según gráfico. Tensar la labor si es necesario. Recortar el cañamazo alrededor de la labor dejando 12 mm de margen.

Acabado del calcetín: Cortar la tela de la base a la misma medida que la labor de tapicería recortada. Encarar los derechos de la base y la labor de tapicería. Cortar las curvas. Coserlas con costuras de 12 mm (1/2 pulgada), dejando la parte superior abierta. Darle la vuelta. Planchar ligeramente. Cortar 2 piezas de forro, ambas 6 mm más grandes, por todo el alrededor del calcetín acabado. Encarar los derechos de las piezas del forro. Coserlos dejando costuras de 6 mm y la parte superior abierta. Darles la vuelta. Introducir el forro dentro del calcetín. Doblar 12 mm alrededor de la parte superior del calcetín hacia el revés, y 6 mm alrededor de la parte superior del forro hacia el revés. Coser los bordes superiores vueltos del calcetín y el forro.

Realización de la anilla del calcetín: Cortar una tira de tejido base de 16,5 cm por 5 cm. Volver 6 mm hacia el revés, a lo ancho de los dos extremos cortos. Doblar los bordes a lo largo, hacia el centro. Doblar otra vez por la mitad, a lo largo. Coser la tira a lo largo, cerca de los bordes abiertos. Doblar por la mitad, a lo ancho, para formar una anilla. Coser los extremos de la anilla por dentro de la parte superior del calcetín.

ADORNOS NAVIDEÑOS

Páginas 176–177

Medidas: Copos, círculo de 7,5 cm de diametro; fantasía (sorpresas) - círculo de 7,5 cm de diametro; campánas - óvalo de 10 cm de largo por 7,5 cm de ancho.

Materiales: Trabajar todos los adornos en cañamazo sencillo, de 14 agujeros por cada 2,5 cm con lana de tapicería; para los colores ver más abajo. Los pequeños marcos de plástico dorado para enmarcar los adornos se encuentran en tiendas de trabajos manuales. Cinta de pintor adhesiva, rotulador indeleble, aguja de tapicería. Si no encuentra marcos a la medida, trabajar el fondo en más o en menos, para que así coincidan. **Copos** – un cuadrado de cañamazo de 17,5 cm de lado. 1 madeja de lana de tapicería en cada color: morado, blanco, escarlata, verde, amarillo dorado, azul claro. **Fantasía (sorpresas)** – Un cuadrado de cañamazo de 17,5 cm de lado. 1 madeja de lana de tapicería blanca y azul o roja. **Campanas** – un trozo de cañamazo de 20 cm por 17,5 cm. Una madeja de lana de tapicería en cada color: azul claro, blanco, carmesí, escarlata, dorado oscuro y claro.

Realización: Ribetear el cañamazo con cinta adhesiva. Copiar el dibujo en el cañamazo. Trabajar el diseño en punto sencillo continental, según gráfico. Tensar la labor si es necesario. Recortar el cañamazo alrededor de la labor para que se ajuste al marco.

FELICITACIONES NAVIDEÑAS

Páginas 176–177

Medidas: Árbol de Navidad, 5,7 cm por 8 cm. Cajita de regalo, 5,7 cm por 8 cm (3" 1/4).

Materiales: Trabajar ambas tarjetas en cañamazo de medio punto, de 18 agujeros por cada 2,5 cm, con lana de estambre; ver los colores más abajo. Cinta adhesiva de pintor, aguja de tapicería, rotulador indeleble. Tarjetas con marco de tiendas especializadas. **Árbol de Navidad** – un trozo de cañamazo, de 16 cm por 18,5 cm. 1 madeja de lana de estambre en cada color: esmeralda, verde, escarlata, amarillo dorado, verde oscuro, malva, naranja y rosa brillante. **Cajita regalo** – un trozo de cañamazo de 16 cm por 18,5 cm. 1 madeja de lana de estambre en cada color: turquesa oscuro, turquesa medio, turquesa claro, crema, escarlata, verde esmeralda, rosa brillante; cinta adhesiva de dos caras.

Realización: Ribetear el cañamazo con cinta adhesiva. Copiar el diseño en el cañamazo. Tejer el diseño en punto sencillo continental, según gráfico. Tensar si es necesario. Recortar el cañamazo alrededor de la labor dejando 12mm de margen.

Montaje: Con cinta adhesiva de dos caras, pegar con cuidado la labor de tapicería en la posición correcta por detrás del marco de la ventana de la tarjeta.

ETIQUETAS PARA REGALOS

Páginas 176–177

Medidas: Aproximadamente 5 cm por 5,5 cm.

Materiales: Tejer las etiquetas en cañamazo de medio punto, de 18 agujeros por cada 2,5 cm. Ver los colores de las madejas de estambre más abajo. Para el montaje de las etiquetas: cúter, regla, cartulinas de colores, cinta brillante, cinta adhesiva de dos caras, pegamento para cartulinas. Cinta de pintor, rotulador indeleble, aguja de tapicería. **Fantasía (sorpresas)** – cañamazo de 15 cm por 16 cm. 1 madeja de lana de estambre en cada color: blanco, naranja, rosa brillante, amarillo dorado, azul, verde lima, verde botella. **Árbol de Navidad** – cañamazo, 15 cm por 16 cm. 1 madeja de lana de estambre en cada color: azul pálido, escarlata, amarillo dorado, marrón, verde oscuro, malva, rosa brillante y naranja. **Pudding de Navidad** – cañamazo, 15 cm por 16 cm. 1 madeja de lana de estambre en cada color: marrón rojizo, naranja, blanco, amarillo dorado, marrón oscuro, verde claro y escarlata.

Realización: Seguir las instrucciones para las felicitaciones de Navidad, más arriba.

Montaje: Deje un margen del ancho deseado y corte un trozo de cartulina el doble de ancho que la etiqueta terminada. Marcar ligeramente la línea central de la cartulina con un cúter.

Cortar una ventana en una mitad de la cartulina a la medida de la labor de tapicería. Utilizar cinta adhesiva de dos caras para pegar la labor por detrás de la cartulina y de la ventana. Doblar la cartulina a lo largo de la línea marcada y pegar la parte doblada en el borde del marco de la ventana. Recortar si es necesario.

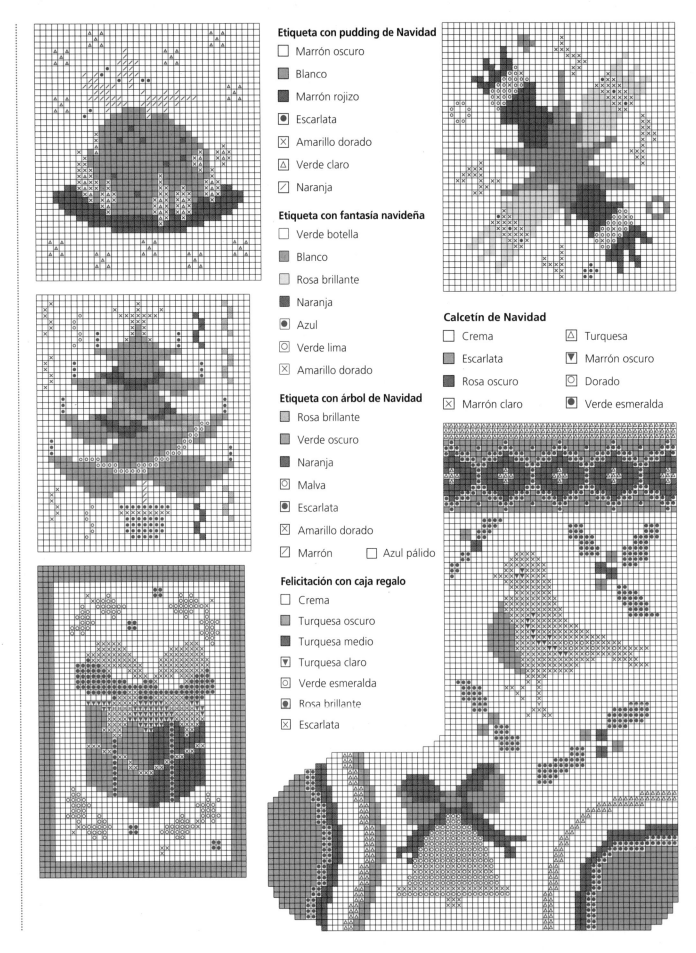

Etiqueta con pudding de Navidad

☐ Marrón oscuro

▨ Blanco

▨ Marrón rojizo

⊡ Escarlata

⊠ Amarillo dorado

△ Verde claro

⊘ Naranja

Etiqueta con fantasía navideña

☐ Verde botella

▨ Blanco

▨ Rosa brillante

▨ Naranja

⊙ Azul

⊙ Verde lima

⊠ Amarillo dorado

Etiqueta con árbol de Navidad

▨ Rosa brillante

▨ Verde oscuro

▨ Naranja

⊙ Malva

⊙ Escarlata

⊠ Amarillo dorado

⊘ Marrón   ☐ Azul pálido

Felicitación con caja regalo

☐ Crema

▨ Turquesa oscuro

▨ Turquesa medio

▼ Turquesa claro

⊙ Verde esmeralda

⊙ Rosa brillante

⊠ Escarlata

Calcetín de Navidad

☐ Crema   △ Turquesa

▨ Escarlata   ▼ Marrón oscuro

▨ Rosa oscuro   ⊙ Dorado

⊠ Marrón claro   ⊙ Verde esmeralda

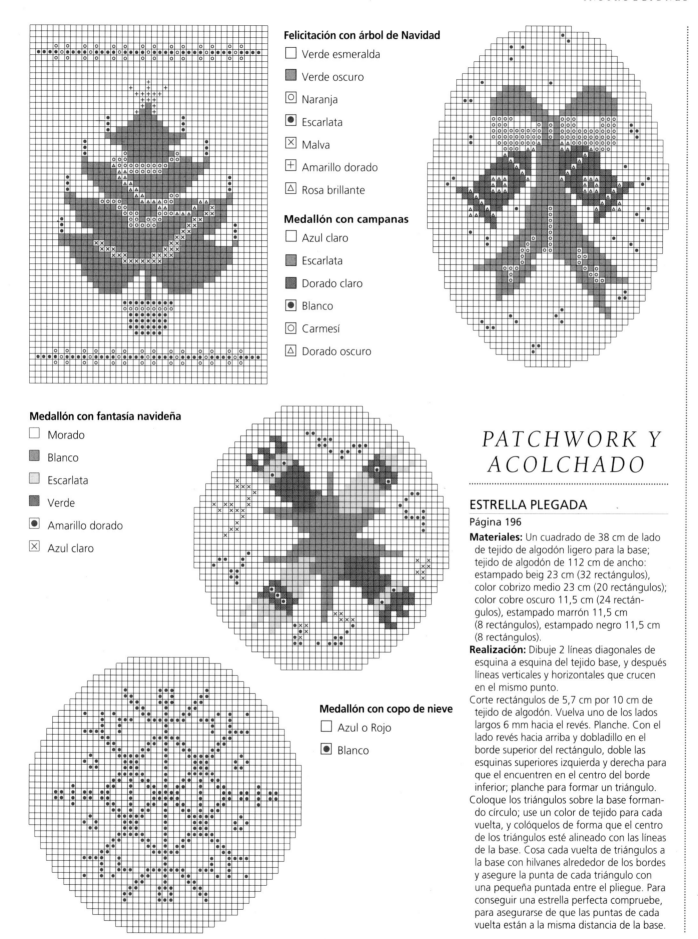

Felicitación con árbol de Navidad

☐ Verde esmeralda

▨ Verde oscuro

⊙ Naranja

⦿ Escarlata

☒ Malva

⊞ Amarillo dorado

△ Rosa brillante

Medallón con campanas

☐ Azul claro

▨ Escarlata

▨ Dorado claro

⦿ Blanco

⊙ Carmesí

△ Dorado oscuro

Medallón con fantasía navideña

☐ Morado

▨ Blanco

▨ Escarlata

▨ Verde

⦿ Amarillo dorado

☒ Azul claro

Medallón con copo de nieve

☐ Azul o Rojo

⦿ Blanco

PATCHWORK Y ACOLCHADO

ESTRELLA PLEGADA

Página 196

Materiales: Un cuadrado de 38 cm de lado de tejido de algodón ligero para la base; tejido de algodón de 112 cm de ancho: estampado beig 23 cm (32 rectángulos), color cobrizo medio 23 cm (20 rectángulos); color cobre oscuro 11,5 cm (24 rectángulos), estampado marrón 11,5 cm (8 rectángulos), estampado negro 11,5 cm (8 rectángulos).

Realización: Dibuje 2 líneas diagonales de esquina a esquina del tejido base, y después líneas verticales y horizontales que crucen en el mismo punto.

Corte rectángulos de 5,7 cm por 10 cm de tejido de algodón. Vuelva uno de los lados largos 6 mm hacia el revés. Planche. Con el lado revés hacia arriba y dobladillo en el borde superior del rectángulo, doble las esquinas superiores izquierda y derecha para que el encuentren en el centro del borde inferior; planche para formar un triángulo. Coloque los triángulos sobre la base formando círculo; use un color de tejido para cada vuelta, y colóquelos de forma que el centro de los triángulos esté alineado con las líneas de la base. Cosa cada vuelta de triángulos a la base con hilvanes alrededor de los bordes y asegure la punta de cada triángulo con una pequeña puntada entre el pliegue. Para conseguir una estrella perfecta compruebe, para asegurarse de que las puntas de cada vuelta están a la misma distancia de la base.

MOTIVOS PARA ACOLCHADOS

Página 208

Aumente estos motivos para usarlos en sus propias composiciones.

ALFOMBRAS

ALFOMBRA Y ALMOHADÓN CON FLECO

Página 220

Medidas: Aproximadamente 51 por 81 cm (incluyendo 7,5 cm de fleco).

Materiales: 72 tiras de calicó (tejido de algodón fino) de 13,5 cm por 112 cm o 23 cm de tela de 112cm de ancho en 12 tonos diferentes de cada color: azul, amarillo, blanco roto, beige roto, verde, rosa, morado; 230 cm de hilo de cordón. Los colores de arriba sirven de guia para seleccionar sus propios colores; combinando otros tonos conseguirá resultados similares.

Realización: Cortar o rasgar tiras trenzadas de 13,5 cm de ancho de todas las telas de colores diferentes. Cada tira deberá medir 112 cm de largo.

Trenzado: La alfombra con fleco está confeccionada con 24 trenzas rectas. Trenzar tres tiras de diferentes colores para cada trenza. Elija los colores de cada trenza, variándolos. Cualquier mezcla de colores quedará bien si los diferentes tonos se dispersan uniformemente cuando las trenzas se unan. Doblar a lo largo los bordes de cada tira hasta que midan 4 cm de ancho aproximadamente. No comenzar en T. Trenzar recto hasta unos 80 cm Sujetar los extremos juntos con un imperdible. Repetir hasta conseguir 24 trenzas de 80 cm.

Cosido: Extender las trenzas con los colores seleccionados ordenadamente. Trabajar sobre una superficie plana. Sujete las 2 primeras trenzas juntas y cosálas. No anude el hilo de cordón al final de las trenzas para poder ajustar el largo de la trenza acabada. Las trenzas cosidas deberán tener la misma cantidad de bucles para que tengan el mismo largo. Al terminar de coser cada trenza, ajustar el largo para que coincida con la anterior, fijar el trenzado para que no se deshaga. Anudar el hilo de cordón y cortar los extremos de las trenzas, igualándolas para formar un fleco de 7,5 cm. Repetir hasta coser las 24 trenzas.

Acabado: Planchar ligeramente la alfombra. Planchar el fleco de tejido plano, cosiendo los bordes hacia dentro. Los extremos cortados del fleco se dejan tal cual.

Almohadón: Realizar una versión más pequeña y transformarla en un almohadón. Trenzar una estera de 35,5 cm por 30,5 cm; añadir una base de tela y rellenar con una almohadilla. Cerrar con punto invisible.

ALFOMBRA CON CORDERO

Página 216

Medidas: un cuadrado de 56 cm de lado.

Materiales: 71 cm de tejido de base; tiras de tejido o lana para anudar – blancas, gris oscuro, gris claro, y un amarillo muy pálido para el cordero; dorado para la campana, rojo inglés oscuro y claro para el lazo y el borde, varios tonos de verde oliva intenso para el fondo; un gancho manual de 15 cm y un bastidor apropiado.

Realización: Para confeccionarla ver páginas 215-216. Agrandar el diseño y copiarlo en el tejido base. Si lo desea, puede añadir sus iniciales y/o la fecha en la parte inferior derecha e izquierda.

Montar el tejido base en un bastidor. Cortar las tiras para bordar 1 cm de ancho. Realizar el contorno del cordero, las orejas, la parte superior de las piernas, (ni las patas, ni la nariz), con un amarillo muy pálido. Confeccionar el lazo con los tonos rojo inglés, el color oscuro para la parte exterior del lazo y el color claro para la parte interior. Trabajar la campana con el color dorado. Trabajar con gris claro el ojo, el perfil de la nariz y de las patas. Rellenar la nariz y las patas con gris oscuro. Perfilar cada valla con rojo inglés oscuro. Trabajar una fila con rojo inglés oscuro en cada lado de la línea interior de cada valla. Rellenar con rojo inglés claro. Trabajar el orillo exterior de la alfombra con rojo inglés oscuro. Trabajar el fondo en varios tonos de verde oliva intenso.

Para el acabado ver página 224.

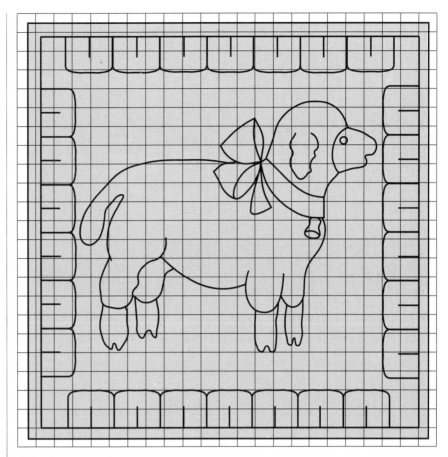

Alfombra con cordero

ALFOMBRA DE PATCHWORK

Página 216

Medidas: 73,5 cm por 96,5 cm.

Materiales: tiras de tejido o lana de 6 mm de ancho en los siguientes colores – negro A, azul celeste pálido B, azul medio C, marrón rojizo D, gris claro E, gris oscuro F, verde G, rosa H, ciruela I, rojo inglés claro J, rojo inglés brillante K, azul zafiro L, y canela M; un trozo de arpillera de 94 cm por 117 cm; bastidor apropiado para la arpillera; un gancho manual de 12,5 cm; ribete para alfombras, hilo de moqueta; aguja resistente.

Realización: Agrandar el diseño y copiarlo en la arpillera. Para trabajar con el gancho ver página 216. Seguir el gráfico para los colores. Aunque se puede trabajar en muchas direcciones, esta alfombra se trabaja mejor en líneas paralelas, técnica que debe realizarse a lo largo de la labor para conseguir consistencia. Los bucles deberán ser paralelos y no torcerse.

Para el acabado ver página 224.

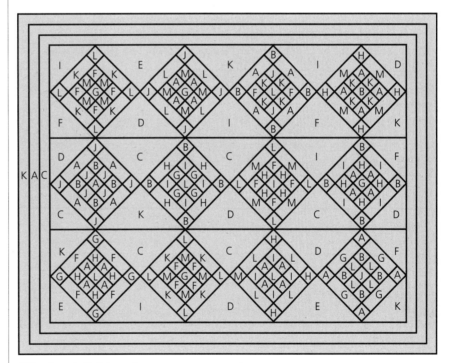

Alfombra de Patchwork

ÍNDICE

GANCHILLO

AGRADECIMIENTOS

Carroll & Brown desean agradecer su colaboración a los siguientes miembros de su equipo/proveedores:

Fotografía
Todas las fotografías originales realizadas por Jules Selmes, ayudado de Steve Head. Fotógrafos de "Good Housekeeping": Hoja acolchada, página 208, Manta con abanicos, página 112, por Myron Miller. Acolchado tipo Cabaña de madera, página 199, cuatro acolchados, página 204, realizados por Buck Miller.

Equipo de producción
Lorraine Baird, Consultora; Wendy Rogers, Directora; Amanda Mackic, Asistente. Rowena Feeny, Fotocomposición. Grabación: "Disc to Print". Reproducción: Colourscan, Singapore.

Labores de punto
Han tejido: Audur Norris, Teresa Schiff, y Denise Robertson, Fondo de punto, página 25, Tony Davey. Suéter tipo Arán, página 30, de Kilkeel Knitting Mills Ltd. Muestras en colores, página 54, realizado por Sasha Kagan. Modelo, Helen Leigh. Esquema para los dibujos a punto jersey realizados por Amy Lewis. Suéter multicolor, página 51, Suéter tipo Cabaña de Troncos, página 56, Chaqueta bordada con lana fina, página 57, diseñados todos por Stitchwors. Chaqueta bordada por Marsha Evans Moore.

Ganchillo
Colaboradores en el apartado de ganchillo: Sylvia Cosh y James Walters. Ha trabajado el ganchillo: Pat Rhodes. Esquemas para ganchillo realizados por Amy Lewis. Bolsito en forma de corazón (página 91), diseñado por Pat Higgins. Cojín decorativo, página 109, diseñado por Estella Lacy para Coats & Clark. Mantas tipo Rosa Antigua, página 112, y Caleidoscopio, página 113 diseñadas por Stitchworx.

Bordado
Pasos y muestras de bordado: Claire Slack y Deborah Gonet (puntos de superficie); Moyra McNeill (bordado a hilos tirados, bordado a hilos sacados y punto de sombra); Jean Hodges (bordado sobre frunces); Jan Eaton (aplicaciones acolchadas, bordado blanco). Tejido Aida de Zweigart. Papel carbón de sastre, lápiz de calco y todo el equipo de costura básico de Newey. Bordados antiguos de la página 126 prestados por Meg Andrews. Muestrario antiguo de la página 141 prestado por Madeline Weston. Muestrarios de la página 140 de Terry Meinke, The Scarlet Letter, y Ruth Arm Russell.

Tapicería
Indicaciones de Tapicería y la Sorpresa de Navidad realizados por Gayle Bocock. Audur Norris ha realizado las labores de tapicería. Todos los cañamazos de tapicería son de Zweigart. Las Cajitas de regalo de la página 170 han sido diseñadas por Amy Albert Bloom. El cojín Arte Floral de la página 171, diseñado por Dorothy Sparling. Los almohadones de tapicería tipo Viejo Oeste de la página 171, han sido diseñados por Jennifer Cass.

Patchwork y Acolchado
Copyright © de los textos de Patchwork: Linda Seward. Las labores de Patchwork y Acolchado han sido realizadas por Lynne Edwards, Judy Hammersla, y Monica Milner. El quilt Cabaña de Troncos, página 198, acolchado por Helen Manzanares. El quilt de Fresas, página 200, pertenece a la colección permanente del Museo de Arte Popular Americano (regalo de Phyllis Haders). Acolchados, página 204 (superior izquierda), Maggic Potter; (superior derecha), Constance Finlayson; (inferior izquierda), Mary Jo McCabe; (inferior derecha), Frances V. Dunn. Hoja acolchada, página 208, diseñada por Paul Doe. Cuchilla circular, cutter y base de corte de Newey. Pie prensatelas con guia para costura es un accesorio de Bemina.

Alfombras
Instrucciones paso a paso de Arm Davies. Alfombra con cordero, página 216, diseñado por Mane Azzaro y trabajada por Sandra Hoge. Alfombra de patchwork, página 216, diseñada y realizada por DiFranza Designs. Alfombra trenzada y cojín de la página 220, diseñadas por Shirley Botsford y realizadas con materiales de Distelfink's BraidCraf.